▲ 在德国·维尔茨堡（1984 年）

▲ 长城上（2005 年）

▲ 刘心武水彩画《玉泉山》

刘心武文存13

[1958—2010]

短篇小说　第四卷

5·19长镜头

刘心武◎著

江苏人民出版社

图书在版编目(CIP)数据

5·19长镜头 / 刘心武著. — 南京：江苏人民出版社，2012.11
(刘心武文存；13. 短篇小说. 第4卷)
ISBN 978-7-214-08099-8

I. ①5… II. ①刘… III. ①短篇小说-小说集-中国-当代 IV. ①I247.7

中国版本图书馆CIP数据核字（2012）第072998号

书　　名	5·19长镜头	
著　　者	刘心武	
责任编辑	刘　焱	
统筹编辑	李　丹	
特约编辑	朱　鸿	
文字校对	陈晓丹　郭慧红	
装帧设计	门乃婷工作室	
出版发行	凤凰出版传媒股份有限公司	
	江苏人民出版社	
出版社地址	南京湖南路1号A楼　邮编：210009	
出版社网址	http://www.book-wind.com	
经　　销	凤凰出版传媒股份有限公司	
印　　刷	三河市金元印装有限公司	
开　　本	700毫米×1000毫米　1/16	
印　　张	18.5	
字　　数	266千字	
彩　　插	4	
版　　次	2012年11月第1版　2012年11月第1次印刷	
标准书号	ISBN 978-7-214-08049-3	
定　　价	36.00元	

（江苏人民出版社图书凡印装错误可向本社调换）

《刘心武文存》出版说明

　　《刘心武文存》收录刘心武自1958年16岁至2010年68岁公开发表的文字约900万字。《文存》共40卷，按文章门类收录，计有长篇小说5卷、中篇小说4卷、短篇小说5卷、小小说1卷、儿童文学1卷、建筑评论2卷、《红楼梦》研究4卷、散文随笔11卷、杂文1卷、海外游记1卷、多品种（图文交融文本、报告文学、诗歌、剧本、足球评论、译述）1卷、创作谈1卷、理论批评1卷、早期（1958年至1976年）作品1卷、自述1卷。因跨越时间达半个世纪以上，收录定有遗漏，但其此期间的主要作品，相信均已收入。

　　《刘心武文存》各卷均附有《刘心武文学活动大事记》及《刘心武著作书目》，可备检索。

　　编辑出版《刘心武文存》的目的，意在供各方面人士阅读欣赏、分析研究、批评批判、收藏保存。

刘心武文存

13

——

目录

刘心武文存

13

目录

巴黎长生不老药

我住在北京一个新时居住区。

一条新街从楼群中笔直地穿过。

新街上有一家饭馆。饭馆门口有个个体修鞋的小摊。

每当我在家写作感到疲劳时，便下楼散步。散步主要是沿着新街的人行道走。人行道上的馒头柳栽得很好，长得很快。我一般总是先朝东头，在街东头的书店里转转，出来再朝西走，走到那饭馆门前，不免有点累了，便常坐到鞋摊闲置的马扎上，同修鞋师傅随便扯扯。

修鞋师傅是个黑壮的汉子。除了刮大风下大雨，无论冬夏，他总来摆摊。他一天能挣很多钱，少说一个月也要进三四百元。不过究竟挣了多少，他保密。

除了我常在他摊上闲坐，还有一个比我去得更多、屁股更沉的人，是个老头儿，几乎成为他那鞋摊的一个固有的组成部分，如同那个用铁管支起的布篷，或那个搁放鞋料的铁丝筐一般。

老头儿究竟多大年纪，我没问过。总之一定很老了，因为他的皮肤已然完全萎缩，连像样的皱纹都不多，望去犹如发黑变质的鸡皮，所以他那张脸很难看。不过，他的眼睛相对来说还看得过去，眼白还没有完全变为青黄，中午饭后，他那双眼睛还能有些闪光。他的牙也没有全掉光，嘴巴还不算瘪。

我去鞋摊，坐着同修鞋师傅闲扯时，他总默默地坐在另一个马扎上，眼睛也不望着我们，也不开口说话，仿佛在想他自己的心事，又很像在打瞌睡。

来了修鞋的人，他总是抢先站起来，把马扎让给修鞋者，自己走开去。修鞋的来多了，我自然也得让位，但同时来两位以上的情况也并不多，因此常常是他让开了而我仍留着。

有一次，趁他走开，走远了，我便问修鞋师傅："这位老大爷是干什么的？退休的工人吗？"

修鞋师傅并不停下手里的活计，告诉我说："不是，不是退休的工人，他连这城里的户口也没有。"

"那他怎么住在这儿呢？"

"是住这儿，具体住哪座楼，我也没问出来。反正住这儿。他一大早，天麻麻亮，就出来了。一大晚，天黑净了，才回去睡。"

"他干吗整天待在那头呢？"我问，"中午也不回去午睡吗？"

"不回去。中午他一准来我这儿。我们俩一块进饭馆。我吃四两，他吃二两。我请他，他不干。他自己买二两面吃，每天如此。吃完了，他就跟我在摊上这么一坐。有时候他就倚在那墙角打瞌睡。对了，他三顿全吃这饭馆。反正他是全天都靠这饭馆了。顿顿吃最便宜的，夏天是凉面，冬天是汤面。他也吃不腻。"

"他干吗顿顿在饭馆吃呢？家里晚上也没人做饭吗？我看他身体也还好嘛，腰板还挺得很直的。没人给他做饭，他可以自己做嘛，反正管道煤气，弄起来也方便。"

"是呀。我也这么劝过他。"

"他不能也摆个鞋摊什么的吗？挣钱倒在其次，总可以消磨时间嘛！"

"他倒也有这个心，可没户口，他能办来执照吗？现在他就是每天给这饭馆门口扫两回地，饭馆给他点钱。所以偶尔他也喝上杯酒，因为多了这点钱。"

老头有老头的生活轨道。

修鞋师傅有修鞋师傅的生活轨道。

我有我的生活轨道。

我们的轨道只在摊前交叉。

我出国访问一趟。去的是法国，主要访问了巴黎。

当我忙完了回国的汇报，写出了五六篇访法散文以后，才得闲在我们那条新街上散步。

人行道上的馒头柳依然绿得那么可爱。小书店中的书架上依旧是那些书。饭馆门口依旧是那个鞋摊。鞋摊上依旧支着白布篷子。修鞋师傅依旧不紧不慢地修理着手中的鞋。而老头儿也依旧坐在一旁的马扎上。

我走了过去，循例坐到一只空闲的马扎上。

修鞋师傅抬眼一望，是我，露出个浅浅的微笑，问："好些个日子没见你露面啦，是出差了吗？"

我说："可不，这回去得远啊！"

他稍停又问："去深圳了吧？如今有能耐的都往那儿跑。"

我说："比深圳可远。去的是法国，巴黎，知道吧？法国的首都，巴黎。"

修鞋师傅问："去干什么呢？大任务吧？"

我说："我们这号人有什么大任务！也就是见见同行，看看戏！"

"看戏？"修鞋师傅笑得双眼成了两根鞋钉，"出国看戏去！你还说你不能呢！中国人能有几个，出差到法国看戏去！"

我说："嗨，我干这一行嘛，我是编剧本的。"

修鞋师傅一边给高跟鞋换跟一边随口问："在法国都看什么好戏啦？有《玉堂春》、《凤还巢》什么的吗？"

我笑了："哪儿有！自然都是法国戏。有出戏倒挺逗的，叫《巴黎长生不老药》，讲的是——"

正在这时，来了个修鞋的，修鞋师傅便主动招呼主顾，而一旁的老头儿便条件反射地站了起来，我也这才注意到他。在我同修鞋师傅闲扯法国、巴黎、外国的时候，他毫无反应，显然他连起码的好奇心也没有，他的灵魂假若不空，都装着些什么东西呢？

那修鞋的走开后，老头儿复又坐到那让出的马扎上。

修鞋师傅摆弄着那只刚接过的鞋，跟我唠叨起如今的鞋如何难修什么的，我本打算把那出《巴黎长生不老药》讲给他听听，看他兴趣只在与鞋子有关的事情上，便也作罢。

这条新街对面，正对着饭馆，在家百货店，百货店一楼一进门有个家具部，正在卖一种样式颇为新颖的组合柜。我偶然地朝对面望去，正望见一对夫妇买出一套组合柜来，指挥着帮助搬运的人往一辆"130"大车上搬送。

修鞋师傅和老头儿也都朝街对面望去。

那对夫妇，指挥帮助者时，不仅声调高昂，而且胳膊、脑袋乃至身体的摆动幅度都很大。我们这条新街平时比较安静，所以这声音、景象引动得街这面的人都朝那边望。

修鞋师傅说："你看，人家两口子过得多红火。那一套组合柜少说也得六七百块。"

老头儿也说："多地道！"

老头儿难得开口。我不禁朝他一瞥。他双眼闪着平时不多见的光。我似乎从偶然掀开一角的帷幕缝中，窥见了他那衰老的灵魂——原来他也有艳羡之情：对于一对与他毫不相干的正处于红火无虑状态的中年夫妇。难道他也幻想着购买一套如此的组合柜吗？

忽然，我身不由己地站了起来，并本能地朝马路对面跑去——我认出来了，那购买组合家具的丈夫，是我中学时的同桌马金棵！

人生的轨道便是如此难以预料。我同马金棵再也未见过面。我几乎把他忘记了。

可是我们又在新区里重遇，双方的生活轨道，戏剧性地又一次交叉。

马金棵告诉我，他们搬到这里也有一年多了。现在他们决定把原有家具统统淘汰，对家里实行一番彻底的革新。他和他的爱人都热情地邀请我去他家做客。

几天后的晚上，我应约而去。

当我朝他住的那幢楼走去时，关于中学时代的一些回忆涌上了我的心头。

马金棵鬼聪明。他的数理化特别好。

他特别会捉弄人。我们的俄语老师——是个中年妇人，不知怎么搞的，患了一种很怪的病，叫"恐球症"。也不是所有的球类，像足、篮、排那样的大球，或西瓜一类的东西，她是不怕的，但凡比鸡蛋更小的球类物体，她便怕得不行。又尤其是小而富于弹性的球，如豌豆，她见了，先是全身皮肤起鸡皮疙瘩，然后便气短，胸闷。倘若看见一把豌豆撒向桌面，弹起而流动，她竟会昏厥乃至休克！据说全世界当时发现的"恐球症"也不过二十八例。有一回马金棵没预习好课文，俄语老师抽查他，让他当堂朗读，他读不顺，老师给他记了两分，并让他补习好以后，再去办公室单独朗读。马金棵只好去了。老师让他朗读，他假装找不到俄语课本了，便把书包里的东西掏出来摆了一桌，末了便把书包倒提起来一抖，结果从书包里掉出了足有一百颗豌豆，在办公桌上又蹦又滚，有十几颗更蹦到俄语老师身上，俄语老师当场惊呼而昏厥……

当时，我们几个男同学正趴在办公室窗外朝里望，所以看见了这个场面。马金棵自然因此倒了点霉，但霉不大，看来这事并没影响他后来一帆风顺。

如今他是某设计院的工程师。他有大学文凭自不消说，又赶上了重视知识分子的大好形势，很得重用。他分到了一套比我那单元好得多的住房，并且娶了一位显然是门当户对又俊俏能干的妻子。他告诉我他有个长得像洋娃娃一般的儿子，在北京最好的幼儿园里全托，他家可以说已基本上实现了现代化，所以他真诚地欢迎我去他家"喝喝咖啡，听听音乐，叙叙旧"。

到了他家里，我立刻产生出一种羞愧感。

人家真会生活！我啊，只能算凑合着过日子。

他屋里换的全是成龙配套的家具。一间屋子布置成暖色调，另一间屋子布置成冷色调。举凡彩电、组合音响式收录机、电冰箱、洗衣机、落地式风扇、电器驱蚊器、负离子发生器、电饭煲、台灯、壁灯、落地灯……应有尽有。这倒也还不算什么，难得的是他们两口子从哪里弄来了那么多的大大小小的摆设，组合柜的多层格里有唐三彩马、仿古双耳瓶、白瓷观世音、枝型烛台、抽象派风格的木雕……墙上有挂盘、铁画、国画长轴、精印的西欧印象派画选大挂历……在席梦思床的床头，甚至挂着一块金字塔图像的小壁毯。

更不用说他那排满一面墙的大玻璃门书柜，那有弧形活动百叶罩的写字台，那支架下装有电镀球的皮转椅……

总之一句话——他的家庭整个是件艺术品。

坐在柔软的沙发上，呷着他夫人煮得恰到好处的正式非洲咖啡，在低音节的立体声美国乡村民歌伴奏下，一同回忆我们那天真浪漫的中学时代，为豌豆的蹦跑而哈哈大笑，为可怜的俄语教师频频叹息……说真的，我们还有什么不满足的呢？特别是他——"美满"两个字，他算是享受殆尽了！

原来他前些日子也出了一趟国，去的澳大利亚。他给我形容了一番悉尼大歌剧院，就是那远看活像一群海蚌张壳的著名建筑，我自然也就讲到了巴黎，讲到了香榭丽舍大街，讲到了巴黎圣母院……最后也就讲到我看的那出戏——《巴黎长生不老药》。

马金棵和他的夫人毕竟不同于那修鞋的师傅，他们对戏剧的兴趣浓于对鞋子的兴趣，他们俩一叠声地要求我把这出荒诞派的戏剧讲给他们听。

我便讲了起来。

这出法国戏，以极为夸张的内容和形式，表现了世界上发明了长生不老药后所出现的混乱。当电视台中止正在播出的电视连续剧，突然宣布长生不老药现已发明，并已生产出头一批一千份长生不老药后，整个法国，随之整个世界发生了大骚动。议会里展开了激烈的辩论，这一千份长生不老药该如何分配？闹成一团；黑社会立即行动，去抢劫那一千份长生不老药，结果同警方展开了一场混战；巴黎的医生和护士大游行，抗议发明和生产长生不老药，因为这等于取缔了他们的职业；世界各国舆论哗然，认为长生不老药属于全人类，而不能由法国独享；发明者虽早已被防暴队保护起来，不许苍蝇般的记者接近，却终于还是被一群暴徒劫持……正当法国政府一筹莫展，联合国安理会召开紧急会议讨论这一事态时，消息传来，首批长生不老药已被巴黎疯人院、低能人收容所和恶性刑事犯监狱中的犯人吞服，他们将凌驾于世界亿万人之上，率先获得一个不朽的生命……

马金棵和他的夫人穿着宽松雅洁的晚服，安逸地倚在沙发靠背上，一边听我讲，一边不停地发笑。

他夫人在我讲述时插进来问过我几个问题：

"已经是老头儿了，吃了那药也起作用吗？"

"你不是说那药叫长生不老药吗？老头吃了不死，就只能叫'长生药'，不能叫'不老药'嘛！戏里是怎样解释的呢？"

"人类今后真能发明出这种药来吗？"

马金稞代我解答最后一个问题说："戏是瞎编的嘛！这戏不过是借题发挥，伤时骂世罢了。哪能有什么长生不老药？万事万物都不可能不运动，都不可能不经历一个从新到老、从生到灭的过程。今后的人类有可能延长寿命，但不可能不死。你想想看，光生不死，那还得了！不要多久，地球上非挤得像上下班时间的公共汽车里一样，那多可怕！"

说着环顾一下屋子，仿佛真有那么个威胁似的说："咱们这个单元到那时起码还得塞上二三十个人住！"

他夫人把双手一拍，耸耸肩膀说："乖乖！你别说！吓死我了！现在我就够烦的了！老头儿老太太总活着，年轻的还有什么意思！"

我便开玩笑说："咱们都会老的呀！再过二十年，我和金稞不就是老头儿？你不就是老太太？那时候，年轻人也会怕我们吞了长生不老药，败他们的兴呢！"

我们三个全笑了，笑得喘不过气来。

关于巴黎长生不老药的话题，在我以后几次造访马金稞夫妇时，仍在闲聊中占据着一定的比例。

可是尽管我也想把那出法国的戏讲给修鞋师傅听听，却总也讲不下去。不是他有意不听，实在是他对巴黎之类的话题没有丝毫的兴趣。

有一天我又去他摊上坐着。那老头儿照例早已坐在摊旁。

我见他身旁左右搁着好几双修好的鞋，手里又正忙着给一只高跟鞋修跟，便捧场地说："今儿个你又挣不少！"

他嘴里含着八枚铁钉，所以说起话来呜呜噜噜，不过我还能听出他说的是什么："哪儿呀！就数今儿个不进财——这全都是义务活！"

所谓"义务活"，就是亲朋好友、熟人们送来的活计，倒不一定是人家想占便宜，一般这些主顾取鞋时也都掏出钱来，但修鞋师傅总是双手平挡，坚决不收。

他用锤子敲着那只鞋，把嘴里的铁钉一一取出钉到鞋跟上，这才笑着说，露出一嘴结实的白牙，用下巴指指一旁的老头儿说："这不，这就是他拿来的义务活！"

我以为修鞋师傅开玩笑——因为他手里拾掇着的，是一只红颜色的高跟鞋。可老头儿却认认真真地望着手里的活计，并且说："多地道！"也不知是夸修鞋师傅的活计，还是夸那只高跟鞋，很可能是二者并在一起夸。老头儿并且说："咱们公事公办，该多少是多少。"

修鞋师傅笑呵呵地说："公事公办！你拿来的一共是男女大小四双半，我打个八折也得要你五块钱，你得扫多少天地，才够得上这个数儿？"

老头儿却一本正经地说："你别打八折，十块钱也行，就是得地地道道，别打马虎眼儿。"

修鞋师傅还是嘻嘻哈哈："我还非打马虎眼不可——这里头哪只是老哥你穿的？要是你脚上的，我准跟绣花似的细细给你拾掇！"

我瞥了瞥修鞋师傅指点的那些鞋，式样都极为时髦，看上去似乎也并没怎么旧，不知都有了什么毛病，须得拿来修理。

入城随城，入乡随乡，在修鞋师傅的摊上，就得谈鞋。

我虽是专业编剧，可偶尔也写点别的东西。你说多巧，一家文学杂志约我写报告文学，我本来对报告文学这玩意儿最怵头，谁知人家点的题目，竟恰恰是马金棵！还有什么说的哩，我揽了这个活儿。

马金棵在单位里担任着一个科研项目的负责工作，他们那个组的确成绩斐然，而他起的关键性作用，也确实值得我秉笔讴歌。

这样，我去他家喝咖啡，就更理直气壮，也更有滋味了。

有一天晚上在他家一聊聊到十点多，临告别的时候，外头下雨了。他夫人忙打开壁橱，给我拿伞。我那么偶然地往壁橱里瞥了一眼，不禁更加叹服——他家连壁橱里头也摆放得井井有条，并且显示出一种精心安排的艺术性，比如说，里头搁着的以备不时之需的折叠床，还有一摞被褥，都巧妙地与其他物品组合成一种悦目的图案……

从他家出来，我打着伞朝自己家里走去，路过那业已打烊的饭馆时，我发现门槛下有一个熟悉的身影，细一看，是那老头儿。

修鞋师傅自然早已收了摊，回了家。不知为什么那老头儿在那么晚的时候，还在那白天摆鞋摊的地方，倚墙站着。

我便走过去招呼他。我想或许是因为下了雨，他没带伞，所以一时回不了家。我便对他说："老大爷，我送您回楼吧！"

他说："不用。您走吧。这雨不大，不碍事。"

我心里多少有点纳闷，雨确实不算大，而且好像一两个钟头以前并没下雨，他为什么不回家去呢？他家里的人不见他回去，难道不着急吗？下雨了，就该打着伞来接他呀！

我坚决要送他回去，他执拗地推辞着。最后他对我说："我还有点事儿。我还要在这里站站。您先回吧！"

这么晚了，他一个老头儿能有什么事呢？

下着雨，还有点小风，连我身上都觉着有点凉，我便对他说："您还是快回家吧。什么事那么要紧？等人吗？看别让身子骨受凉！"

他说："不碍事。再说，老薛也借了我这个。"

老薛便是那修鞋师傅。我这才注意到他身上披着修鞋师傅的铺单。

我只好由他待在那儿，自己回家去了。

我脑海中飘过一个念头，要真有巴黎长生不老药，真该先给这老头儿一服吞服……

第二天我路过鞋摊，见老头儿正端着修鞋师傅喝水的茶缸，仰脖子吞药片。显然，他感冒了。我便走过去招呼他说："昨晚上受凉了吧？怎么还不在家歇着？吃了药该上床卧卧。"

老头儿摆头说："一卧就坏事了。我这辈子白天就没卧着过。不碍的，多扫扫地就好了。"

我因为有事，没在鞋摊上坐，站着跟他们聊了几句，便忙自己的去了。

又过了几天，我那报告文学的初稿出来了。晚上我到马金稞家去，把那稿子念给他们夫妇听，他们很满意，马金稞夫人还特意端上银耳汤款待我。她笑吟吟地说："这是北京长生不老药，喝吧，不一定比巴黎长生不老药效果差。"

我又是十点多才告辞。可我回到自己那栋楼，站在自己单元门前时，一摸兜，傻了眼。

我找不到门钥匙了。

偏那天我爱人带着孩子到天津看姥姥去了。我急出一头的汗。双手摸遍了全身。门钥匙掉在哪儿了呢？

最后，我判断出，一定是当我坐在马金稞家的沙发上高谈阔论时，门钥匙从我裤兜里，滑落到他家的沙发上了。

我便折回他家去，按他家的电子门铃。

我想他们从门上的窥视镜，能看清叫门的是我，尽管他们会觉得好笑，总能马上把门打开的。说不定他们已经发现了我落下的钥匙，正等着我回去呢。

可是，他们竟很久都没来开门。我不得不用手敲门，呼唤起来。

门终于开了，但只开了一条缝，门缝里露出马金稞夫人一张惊惶的脸，她问我："怎么？！怎么回事？"

我连连告罪："真对不起，真抱歉——可我不得不来，我一定是把门钥匙掉在你们家了……"

马金稞夫人没有请我进去，她仍旧只开着一条窄窄的门缝，脸上仍是惊惶的表情——并且不仅是惊惶，还有掩饰不住的不快。她用肯定的语气说："没有，你没把什么钥匙落在这儿，这儿没有，你一定是掉在别的什么地方……"

我想起过去的情况，钥匙从裤兜里掉了出来，掉在了沙发靠背和坐垫之间的夹缝中，那是不细找绝对发现不了的……

彼此本是熟人，我又实在不能不找钥匙，于是我在情急之中，冒昧地往门里走去。马金稞夫人不知是要挡我没挡住，还是要让我时没站稳，她趔趄了一下并发出一声不快的呼唤——我在几秒钟内已然闯进了他们的单元，并且几步走到了作客厅的那间屋子。马金稞似乎惊惶地站在屋子当中，望着我，我却嘴里一边本能地说着："打搅打搅，我这就找到——"一边到我坐过的沙发上找了起来。我很快便找到了那门钥匙——果然在我预料的处所。

我攥住钥匙，一边继续道歉一边往门外走。走到门外，转回身，发现马金稞夫妇二人在半合的门内，双双表情复杂地望着我。我忙点头哈腰地说："打搅打搅，恕罪恕罪，找着了找着了，再见再见！"马金稞在两秒钟内恢复了正常的表情，笑着骂我："你这家伙！真有你的！'马大哈'！"他夫人随之才舒了一口气，也笑着说："快走吧快走吧，我们可不欢迎唱'二进宫'！"

我往楼下走的时候，心里好不是滋味。

我在"二进宫"的过程中，分明看见他家的过厅里支开了一张折叠床，床上坐着个老头儿。尽管那老头儿背过了脸去，一动不动，细想起来，绝对不是别人——分明就是那白天总在饭馆门口鞋摊上坐着的老头儿。

出了楼，我觉得口涩，胸闷。

虽然我手里拿着门钥匙了，我却不想马上回家，顺着新街朝东走去。

新街东头的路灯底下，天天晚上聚着一群人打扑克，下棋，总得十一点多才散得净。他们大都是附近几家工厂的工人，有的是利用上夜班前的时间，有的是利用下中班后的时间，在那里聚一聚、玩一玩。也有一些住在附近的居民，参与其中。

我走拢那路灯下的一群，一眼看见了修鞋师傅——他正弯着腰，背着手，看别人下象棋。我过去把他肩膀一拍，如获至宝。

他抬头见是我，有点吃惊。

我把他拉到一边，问他："那老头儿到底是怎么回事？"

"什么老头儿？怎么了？"他莫名其妙，愣愣地望着我。

及至他把我的问题弄明白了，便告诉我说："他究竟住在哪栋楼，我始终也没弄清。他原在乡下，老伴死了，孤身一人，所以来投靠三女儿女婿。他从没说过女儿女婿的坏话，可我听他断断续续说出来的那个情况，可觉得不公。女儿女婿给他粮票，给他饭钱，供他衣穿。你看他，吃是吃得饱的，穿得也干净整齐，还经常洗澡、理发，一点儿也不埋汰……可就是有一条难受。女儿女婿跟他讲明了，白天一大早，没别人去家里的时候，就让他出来；晚上要等家里所有客人走净了，才许他回去，就是说，晚上有一个床位，白天可没他的地盘……他说那是因为女儿女婿都为国家干着大事，白天不该打搅。我心里揣摩着，准是女儿女婿嫌他老，土气，搁在家里碍眼，所以不乐意让客人们看见他……要我的女儿女婿这么待我，我早反了。他对小两口可是忠心耿耿……你打听这些干什么？你这是怎么啦？直眉瞪眼的？"我没有回答修鞋师傅，转身就快步往家里去。不知为什么，我心里最后悔的，是不该给马金椁夫妇讲那巴黎长生不老药的法国戏……

报告文学我没有再写下去。

我也不再到马金椁家去。

在修鞋师傅摊上，还总坐着那老头儿。我连那鞋摊也总绕着走。

1984 年夏写于北京垂杨柳

巴黎街头咖啡座

秋天的巴黎，迷人的巴黎。

来巴黎已然一周。再到何处去领略巴黎的佳妙？

悠悠塞纳河。你那39座长桥，座座都值得徜徉复徜徉，听说第四十座桥正在修建中，它将映入河面的，应是哪种风格的身姿？

巍巍卢浮宫。你那举世闻名的画廊里，陈列着多少动人心魄的精品。再一次去端详蒙娜·丽莎的神秘微笑？或许，去到那常被人忽略的角落里，细品那相对不那么知名的雕塑？

圣母院的钟声，从塞纳河的城岛上飘来。圣母院啊，你那高大的穹窿，以彩色镶嵌的玻璃，把阳光筛成空灵幽暗的光束，配合着管风琴的轰鸣，把人们的情思，执拗地引向何处？

高耸入云的艾菲尔铁塔，仿佛一个顶天立地的汉字："人"。庄严肃穆的凯旋门，你那右侧的《马赛曲》浮雕，和你那门洞中日夜不熄的"阵亡将士纪念灯"，给瞻仰过你的人们，留下了难以磨灭的印象。协和广场上的方尖碑呢？那上面所镌刻的楔形文字，默默地注视着白云苍狗般的世态，已有多少岁月？巴士底广场啊，你那高耸的纪念塔上，展翅上跃的女神，象征着什么？而卢森堡公园里，潺潺不息的喷泉，又在絮絮地说着什么？还有那圆顶的先贤祠和伤残军人纪念院，那三角形屋顶的马德兰大教堂和高踞于蒙马特尔高地上的圣心大教堂，至今作为建筑艺术中的代表作，也值得重游吧？更何况还可以再去巴黎公社纪念墙，缅怀那红旗指引下的殊死战斗；也无妨再去那城郊的凡尔赛宫和枫丹白露宫，撷拾历史的教训；又怎能忽略巴黎那崭新的一面呢？蒙帕那斯大厦，蓬皮杜文化中心，现代派艺术的展览馆……

巴黎，你包含着那么丰富的美，真不知该如何将你一而再、再而三地细细品味！

然而，我今天却"任凭弱水三千，只取一瓢饮"。我只漫步在你的街头，欣赏你那举世尽知的街头咖啡座——并将择其雅静者坐享之。

街头咖啡座，在几乎所有的欧美国家中，早已是一种最普遍的社会相。不过，法国似乎是首创此风，而巴黎的街头咖啡座，至今似乎仍最具有代表性。

来法国之前，我曾想过，巴黎的街头咖啡座之所以那么普遍，大概由其人行道宽阔所决定。到法国后，漫步在巴黎街头，才知并不尽然。香榭丽榭那样的街道，人行道诚然宽阔整洁，并有高高的梧桐树绣出浓稠的绿荫，街头咖啡座自然是多的，且桌椅、伞篷、餐具乃至侍者的衣饰，都是华丽而讲究的；但就是相当狭窄的小街，就是很一般的门面外，也有街头的咖啡座，而那座上客的雅兴，似乎也并不亚于香榭丽榭大街上那些红男绿女。

瞧，我前面便出现了一处街头咖啡座，它正处于一条中等街道与一条小街的拐角。人行道并不宽阔，时值秋日，那街道树上只剩少量残叶，看去更觉简陋粗拙。那十几面小小的圆桌，直径不过半米而已，桌腿是塑料的，桌面上铺着粗麻布桌布，估计那桌体也无非是廉价塑料制品，而且很可能还是同桌腿一次模压成型的。有的桌旁已有顾客，有的空着，而在店铺大玻璃橱窗下，叠放着一堆塑料椅；显然，想找张桌子坐下，可以自取一张塑料椅过去。那些塑料椅我根据形态称它为"屁兜椅"，椅座恰可将人的臀部兜住，椅背恰可将人的脊背中部托住，一点多余的面积也没有，既省料也省工，看去也是一次模压成型，而且还可互叠在一起，不用时节余下大量的空间。我走过去，拿下一只"屁兜椅"，放到一张圆桌前，刚落座，便有一位侍者走到我面前，彬彬有礼地问我要用什么，我自然回答说："一杯咖啡。"

说是街头咖啡座，其实除咖啡外，也供应各种甜酒，以至威士忌、白兰地。有时还兼卖几种快餐食品和冷饮。规模大些的街头咖啡座，无异于街头餐馆，可以叫从沙拉到牛排的菜肴。不过，真正的大菜和正式的宴会，自然绝少在这种街头咖啡座出现。说到底，坐到这街头桌边的，还是喝咖啡的居多。

一杯热腾腾的咖啡，给我端上来了。杯子是有耳矮腰杯，下有托盘，杯中有小勺，托盘中有四块包在纸里的方糖。大一些的街头咖啡座，桌上有糖罐和牛奶壶，可以随意取用方糖和往咖啡中添加牛奶。这一家没有。

我把方糖丢进杯中，用小勺徐徐搅动着，朝四面张望。

街头咖啡座，好在哪里呢？好在廉价？那为何一位穿戴得颇为讲究的绅士，也坐在那圆桌边，一边呷咖啡，一边读着一份《费加罗报》？他身边还卧着一条毛色纯正、模样俊俏的大耳狗。也许是"天凉好个秋"的缘故吧，那狗还穿着一件料子极佳、缝制极精的坎肩。

巴黎有无数的咖啡厅。一般在街头咖啡座靠里的门面内，便是餐馆、酒吧或咖啡厅，我也都进去领略过，很少有满座的情况，可见街头咖啡座的出现，并非是因为里面爆满所致；那么，为什么似乎有更多的人在更多的时候，不愿待在屋顶下喝咖啡，而宁愿坐在街头，头顶青天，慢悠悠地啜一杯又黑又苦的咖啡呢？

其中显然自有奥妙。

我能意会，却不能言传。

那位只有一边耳垂上坠着耳坠的中年妇女，任咖啡杯中的热气旋着淡黄的圈儿散去不饮，只是一手托腮，一手用食指在桌布上画着什么。自然，她只有在这里，才能求得内心某种激荡着的感情的平息。相信即使是飘来浓雾，洒下细雨，降下夜幕，仅剩星光，她也会如此这般地坐在这里，久久不去……

另一位，看去还在妙龄，一头金而近白的长发，自自然然地披在肩上，上身只穿一件银灰色的宽松毛线衣，没有耳饰，没有项链，并且手上也没有戒指，倚在"屁兜椅"上，也并不去喝桌上的那一杯咖啡，只是拿着一本封面素雅的平装书，读着，读着……显然，她沉浸在某种奇妙的境界里。她读的是谁的手笔？罗伯·格里耶？玛格丽特·杜拉？抑或是一册译为法文的中国老子的《道德经》？

还有一个孤独的老人，一个瘦弱的老头儿，戴着一顶样式显然过时的帽子，竖起大衣的领子，双手捧住那无私地给予他温暖的咖啡杯，认认真真地，一小口一小口地啜着咖啡。他那双已经开始浑浊的眼睛，出神地望着对面。显然，他那视线的焦距并未对准什么具体的事物，他也许堕入了关于青春、爱情、一度成功的事业、已然消逝的友谊……的回忆。人们在天空下，比在屋顶下，更能享受那带苦涩味的"往事牌"醇酒，不是吗？

还有一个男人和一个女人，面对面坐在圆桌两边，把身子俯向一处，絮絮地低语着。是夫妻？是情夫和情妇？是不涉及情欲的异性友人？是兄妹？姐弟？同僚同事？合作者？律师与求助者？……难以确定。但他们显然都很满意这街头咖啡座给他们提供的环境和气氛，看样子，他们的交谈短时间绝不会结束……

巴黎啊巴黎。巴黎有街头咖啡座。有街头咖啡座的巴黎，你真有韵味，真让人留恋。

……那边坐着一位令我双眼一热的顾客。为何双眼一热？他黄皮肤、黑头发……那颧骨，那鼻头，那嘴唇，那表情……不消说，是同种。

我们先用眼睛打了个招呼，接着相对微微一笑。

我想了想，便站起来，走了过去，同他坐在同一张圆桌旁。

为什么要想一想？因为在法国，在巴黎，你是不好轻易去同一位不认识的人讲话的——当然，问路除外。

他先用英文问我："日本人吗？"

不知为什么，在巴黎，我常被人这样询问。人们总是先问我："日本人吗？"及至我摇头后，才会问："中国人？"

我也用英文问他："日本人？"

我们两个都笑了。

"中国人。"

"中国人。"

乡音入耳，两个人都有点"惊呼热中肠"的味道。

侍者走了过来："先生，要点什么？"

他先说："一杯'柯涅克'，不要加冰块。"

显然，他已经并非地道的中国人。地道的中国人在这种场合，是不会只为自己一个人要酒的。

我便说："一杯香槟，加冰块。"

我们各付各的钱，各喝各的酒，典型的欧美人交友方式。在中国，人们这样相处是要脸红的。但他很坦然，我便也坦然。

"从北京来？"他问我。

我点头。"你呢？"我问他。

他淡淡地一笑："我在此地定居。从国籍上说，我是法国人。"

原来如此。

我本有好多话要说，他这么一宣布，都挤在喉咙口，出不来了。法国人！对一位已经相识的法国人，你尚且不能向他打听他的历史、他的行踪、他经济状况和家庭状况，更何况是这样一位刚刚开始与之交谈的法国人。

我们沐着秋阳，各啜各的酒，沉默了一阵。

毕竟我们同种，我觉得问一问也无妨："你过得好吗？"

"很好。"他毫不迟疑地回答。接着问我："你对法国印象如何？"

"很好。"我告诉他，"尤其是巴黎，太美了，而且是一种充满文化气氛的艺术美。"

他忽然笑了。他告诉我："我前几天刚看到一篇小说，中国刊物上的小说。我常到大学图书馆去借看中国时下的刊物，包括文学刊物。那篇小说写的是两个我这样的人，跑到西方来，结果堕落了——女的沦落为娼，男的参加了贩毒集团。真是妙不可言！"

我不知他那"妙不可言"究竟是褒还是贬。

"是有这类的小说，"我说，"我好像也看到过。"

"那其实算不得小说，"他终于表露出他的好恶，"因为那不真实，也完全谈不上浪漫，那只是为了宣传一个干瘪的概念：西方不好。西方的确有说不尽的阴暗面，但是西方不是那位作家讲给读者的那么回事。别那么写东西，那对中国的读者没有好处。"

我只喝酒。我盼他再说。

他果然接着说了下去："比如法国。一个中国妇女跑到巴黎，要当妓女，你以为容易吗？这里的妓女没有点办法的人是当不上的。你去过'红灯街'吗？你得知道，妓院都有法律管着，不许随便开业的，妓女……别的且不去说它，光身体检查，就严格得很，一点不合格，就要吊销资格的……而且在许多法国人眼里，当妓女同当公司职员、超级市场售货员、出租车司机……一样，无非是一种职业，而且是一种收入相当高的职业，并非就是堕落，能那么容易就让你一个新来乍到的外国妇女当上吗？好笑！……"

我仍旧沉默，姑妄听之。

"……至于贩毒，那就更不是一个新来乍到的外国男子所能荣幸承担得了的！就是一般的法国男子，想'堕落'到那集团中去，也谈何容易！人家会要我吗！——就算我想加入？那是一桩很大的事业，当然，是黑社会的事业，政府是禁止的，警察天天在跟他们斗法……不过，那位作家真该搞清楚，他笔下那个中国男青年，此地的黑社会是绝对不需要的……"

我啜香槟。我觉得他很滑稽。他似乎有一种优越感。他凭什么感到优越呢？就因为他成了法国人？

"啊，对不起，"他喝了一口"柯涅克"，耸耸肩膀说，"我说得太刺激了吧？"

我笑笑说："你批评了一篇小说，这篇小说我没读过，我无从判断。"

"是的是的，"他忽然又兴奋起来，引出新的话题说，"你坐过此地的地铁吧？"

我告诉他："自然。这几天我净坐地铁，到巴黎各处去游览。"

他便说："你对巴黎地铁印象如何？我以为美国诗人艾滋拉·庞德的那两句诗，最能体现出巴黎地铁的韵味：'人群中这些面孔幽灵一般显现，湿漉漉的黑色枝条上的许多花瓣。'你我便都曾是那花瓣之一，而且我恐怕还要一再地从那湿漉漉的黑色枝条上抖落下来……"

我不能共鸣。我说："我可毫无那样的感觉。我不是幽灵。我眼中的地铁车辆也引不出湿漉漉黑色枝条这类的联想来。"

他苦笑了一下。为什么苦笑，不知道。

"我过得很好。"他玩弄着手中的高脚酒杯，沉吟地说。

"很好吗？"我审视地望着他。

他眼睛朝着街那边，似乎是在凝望一个巨大的灯箱广告，那广告正宣传着某种化妆品。

"是的。我会法语。我英语也不错。我能干。我有固定的职业。我收入颇丰。我有比中国副部长更好的住宅，有私人汽车。花店一周给我送两次鲜花。我订的是郁金香，真正荷兰种的郁金香。夏天我去西班牙巴赛罗那海滩度假，冬天我去北非。我有妻子，也有情妇。我习惯这里的生活方式。我既去罗丹博物馆看高雅的雕塑，也去'红磨坊'和'丽多'那样的夜总会看袒胸舞、脱衣舞。我爱喝这'柯涅克'白兰地，但我一般并不加冰块喝。我有怪癖，爱听砸玻璃的声音。我这种癖好在这里能够得到充分的满足……"说着，他似乎便要把手中的玻璃杯朝地上掷去，但终于还是没有掷，只是把杯中的残酒泼掉了。

我不理解他。他是怎么跑到这个地方，当了外国人的？他要不说，我也不便问。

他接着往下说："别那么样地看着我。用你们习惯的语言说——我不是坏人。我是根据中国的政策，合理合法地到这里来的。我当过十五年的华侨。我出席每一次华侨总会组织的活动。我和你一样爱国，爱中国。可是在这里当华侨是很难的，除非很有钱，否则，就是入法国籍。因为不入法国籍，当侨民，要受许多限制，有的职业你就谋不上。当然入法国籍也不容易。好多北非人、阿尔及利亚人，就那么个悲惨处境，当侨民，人家讨厌，入法国籍，人家不要。有一种舆论，要把他们遣返回去，就是轰回去。有的华侨，穷的，处境也有点尴尬。我不尴尬。我成了法国人了，更不尴尬。我是'身在曹营心在汉'。不信吗？每一次中国的球队来此间比赛，我总是买票去捧场；每一个中国的艺术团体来此间演出，我总去看，还往后台送花篮……"

我不得不问他了："你跟我说这些干什么呢？我并没有怀疑你，认为你不爱中国……"

他又要了一杯"柯涅克"边喝边说："我们还是来谈小说。像那位作家，他如果想写得深刻他就该来了解我，写我……"

"你不是在此地生活得很好吗？"我问他，"人家是要揭露这里的问题，唤起中国读者的爱国之心；写你，说你在这里生活得很好，怎么能完成他的主题呢？"

"能，"他肯定地说，"能够的。"

我有点吃惊，他是什么意思呢？

"是的，我在这里生活得很好，但是我很苦闷。"

"为什么呢？法国人歧视你吗？——当然，你现在也是法国人，我的意思——"

"你不用解释，你的意思我明白。你是问这里金发碧眼的白种人歧不歧视我？法国很少有种族歧视。我没遇到过因为我的种族、肤色、长相歧视我的事情。这里的知识分子歧视没有文化教养的人，一般市民歧视没有钱的穷人，而我呢，应当说文化教养和金钱地位都不欠缺，因此也没遭过这样的白眼……"

"那么，你苦闷，是纯属私生活当中的因素了？"

"不，我的私生活大体上也不错，挺有滋味。"

"那么，我弄不懂了……"

"你们永远弄不懂，除非你亲自来试一试！"

"试一试？"

"对，来体验体验这种滋味。没有堕落，既没有当妓女，也没有当黑手党。没有对不起祖国的言论和行为，因此当然也没有相应的心理负担。没有受歧视，也没有贫困和沦落。总之，一切都挺好……"

"挺好，干吗还苦闷呢？"

"这种苦闷是无法排遣的。说起来也很简单，就是像我这样的一个人，无论如何是不能彻底溶解到这个世界里来的。人家并不一定歧视我，可是我抬眼望去，满眼是不同种的人。你是来访问，你只觉得有趣。可你倒试试看——在这里生活 10 年，15 年，25 年，一辈子！你穿得跟人家一样，你话讲得跟人家一样，你派头也跟人家一样，人家对你也挺好，可你还是你那个种。一个人生活在不同种的人的包围里，再怎么也是苦闷的。不信你试试！试试！"

我望着他。我可怜他。

"这还只是表面的一层。你抬脚走来走去，凯旋门，很雄伟，很美，但跟凯旋门相联系的一切，比如，那个赫赫有名的拿破仑，是人家那个种族的……你来参观，来游览，你当然兴致勃勃，异国风光嘛！可是我是法国人，我在此地定居，而我脚下的地面，这地面上的一切，却是人家那个种族长久享用的创造的，巴黎圣母院的钟声，凡尔赛宫喷泉，塞纳河的桨声灯影……对我来说永远只是一种血肉之外的东西，我现在所享受的一切，不是我自己的祖先创造的，它的历史与我的存在无关！这里再好，人们对我再客气，我也总还是一个异物，一个异类！啊，你要是能理解我的话就好了！……"

我理解。不过，我也不理解——我问他："既然如此，你为什么不回咱们中国去呢？"

他沉默了。隔了一阵，他干了杯，用一方手帕仔细地揩了嘴，所答非所问地说："我并不是后悔。凡我做过的事，我从不后悔。"

他看了看表，立刻站起来，把小费掷到桌上，绅士风度地向我告别说："谢谢你同我交谈。我走了。"

我便也笑着说："也谢谢你同我交谈。我还要略坐一坐。"

他走后，我略坐了一坐，也便离去。我顺着那条街往下走，一路上都是街头咖啡座。

巴黎真美。街头咖啡座真妙。我一点也不苦闷。我知道这一切美的事物都是法兰西民族创造的。我是他们的客人。我愿常来做客。

可是我这次的访问就要结束了。我依依不舍，但又归心似箭。我长长地舒出一口气来，朝香榭丽榭的民航办事处走去。我要去办 OK 手续。我脑海中不知为什么浮现出了北京故宫的筒子河，以及紫禁城的那锯齿形城堞，还有城堞拐角处的角楼。我幸福地微笑着。

1984 年夏写于北京劲松中街

行路难

　　陈碧溪挤上了公共汽车，不等售票员催促，便自动斜着身子来到了车厢中部。其实车上人并不算很多，但除了占据着座位的，大多数乘客都淤在紧靠车门的地方，使上、下车都显得格外吃力。

　　"请往里边走！往里边走！"售票员频频焦躁地呼吁着，但响应的人就是不多。

　　汽车到了下一站，有人下不去，有人上不来，车门迟迟关不上，司机久久不能开车。陈碧溪望望身子前后，微微叹了口气。她所在的车厢中部其实并不算挤。

　　车门口传来一阵烦怨嘈杂声。车门"嘭"地一响，车子终于开动了。一位比陈碧溪岁数还大的女乘客从稠密的人团中逸出，到了她身边，喘着气；她俩对望了一眼，立刻互相从心底产生了一种共鸣：很容易做到的一件事，为什么那些人就偏偏不做呢？是一种什么心理，使他们宁愿那么于己、于人都不利地在车门口淤着？……

　　可是陈碧溪不能把思绪集中到这个社会心理学的问题上，因为她听到两个声音在议论一桩与她直接有关的事。

　　她一手握着车顶的扶杠，一手拎着她的提包，背靠在车座的侧面；两位议论者的位置恰在她的背后。

　　一个是较为苍劲的男声："……你说陈碧溪那个教学方法，能在我们学校推广开吗？"

　　一个是相当尖脆的女声："嗨，你也太认真了！她介绍的经验，我们姑妄听之罢了，何必闻风而动！"

男声的语气颇为严肃："听说现在不光是市里肯定她，教育部也很重视……大概把她当做一个开路先锋，来带动中小学的教学改革吧……"

女声的语气变得格外尖酸："哎呀，改革，改革，中小学这 30 多年搞了多少次改革！还不是'翻大饼'一会儿烙这面，一会儿烙那面。'政治挂帅'的时候，教学可以随便冲击，'文化大革命'更不要提了，干脆不要考试，不要分数，'零分万岁！'这几年翻成了另一面，从幼儿园开始就分重点、非重点，考重点幼儿园，要求一口气说出七种花卉的名称……现在教学完全围绕着考试、分数、升学这个轴心转，仅仅半分之差，就足以定下一个学生的终身——如今觉得这样不好啦，又要'翻大饼'。陈碧溪真是聪明人。每到这种时候，总有聪明人跳出来的。你要'零分英雄'就有张铁生，你要'满分英雄'就有报上那登出照片的'高考状元'。现在你不是又嫌学生作业负担过重了吗？嘿，就出来个干脆不留家庭作业的陈碧溪！……"

陈碧溪周身的血几乎全涌到了脸上，她拎包的手几乎要把包带提断，她真想转过脸去，看看那位女同行的尊容，并向此人提出抗议，但她终于克制住了自己。在一阵波及全身的微微颤抖中，她本能地离开了那个位置，挤进了淤成一团的乘客中，并在车子靠站时，不由自主地挤出了车门，下得车去。

直到那辆公共汽车开走老远了，陈碧溪才稍微冷静了一些。

她望了望站牌。她当然不该在这站下车。她是应当坐到终点站去的。今天下午，她介绍教学改革经验的会场，便在这路汽车的终点站那边。

她看了看腕上的手表，离开会还有四十来分钟。她决定步行过去。她有把握，她不会迟到。

迎面来风，把她齐耳的短发向后吹去。她边往前走边想：幸好刚才没有在冲动中转过身去，和那位同行顶撞起来。剔除掉那位同行把她同张铁生不伦不类地加以类比的恶意攻击，她得承认：教育战线经历过几次剧烈的反复以后，是非界限的确被弄得模模糊糊，就是她自己，半年多来在从事这项数学教学改革的实验中，不也经历了多次的惶惑与动摇吗？当然，现在她比较坚定了，但她怎么能要求别人都一下子便同自己认识一致呢？更何况这里面有相当一部分还应当说是学术问题，原不必也不能大家整齐划一的……

突然迎面有一个人呼唤着她："陈老师！"并且使脚下的坡跟凉鞋"咯咯咯"地把人行道敲得好响，逼到了她的眼前。

陈碧溪定睛一望，是她学生辛劳的母亲。

辛劳的父亲前些时定下的职称是工程师，母亲定下的职称是助理工程师，算是一个新的"书香门第"。陈碧溪所教的学生中，出身于这类新式"书香门第"的学生约占四分之一。没有比这类家长的期望更明确的了——使他们的子女考入重点中学的任务，历史地落在了陈碧溪这些小学老师的身上。

辛劳的母亲穿戴打扮得不仅整洁，而且还相当时髦，在陈碧溪面前一站，犹如一朵花挨着一株草，对比度颇大。这位家长显然很重视这次邂逅，她刚在陈碧溪面前站定便说："太好了！遇上了您！陈老师，我正打算这两天再到学校去找您呢！"

陈碧溪点点头。她知道这位家长的心思。

不过辛劳的母亲这天的表情似乎有点异样。显然，尽管她竭力想保持足够的礼貌，但那种"骨鲠在喉，一吐为快"的心绪，却使她的语气中充满了质问和批评的意味："陈老师！上星期报上关于您的报道我看到了……老实说，我们虽然钦佩您的精神，却总不放心——您这种保证学生在课堂上掌握知识，课后基本不留课外作业的教学改革，会不会使您的学生在升学考试当中吃亏呢？"

陈碧溪诚恳地对她说："您和辛劳的爸爸可以随时抽查他嘛——看他究竟学会了没有，学到了什么程度……"

辛劳的母亲高声切断她的话说："我们当然随时都在抽查，劳劳虽然掌握得还不错，可是，我们还是不能确定您的那种教学方法是否起了好的作用……"

陈碧溪忍不住问："怎么还不能确定呢？"

对方便告诉她："实话实说吧——尽管您不给学生留课外作业，我们还是让劳劳每天做三十道题——20道计算题，10道应用题……"

陈碧溪感到不快："你们这又何必呢？这样，孩子的作业负担，不是不但没有减轻，反而增加了吗？”

对方比她更为不快：“我们倒觉得，您像以前那么教，像别的学校、别的老师那么教，不是更顺手吗？又何必搞这种改革呢？您这种改革，至少对我们劳劳，只起着坏作用——以前我们布置多少题目他就做多少题目，从不讨价还价，现在可好，动不动他就埋怨，甚至跟我们顶嘴，说您跟他们说的，看看电视和小说也无妨！……”

陈碧溪耐心地向她解释：“我以为，教师的责任，不在于向学生灌知识，而在于启发学生自觉地去热爱知识、把握知识……学生既能在课堂上达到对知识的理解和运用，并有了相当充分的练习时间，又何必强迫他们到题海里去苦航呢？我以为像辛劳这样的孩子，课余不仅可以看看电视、小说，还可以有更符合于他们心理和生理需求的有益活动。比如：捉迷藏、放风筝、‘跳房子’……”

辛劳的母亲瞪圆了眼睛，仿佛有无数驳斥陈碧溪的话语挤在了喉咙中，一时竟吐不出来，嘴唇翕动了好一阵，才终于直抒肺腑地说：“陈老师，您想标新立异，当教学改革的模范，我们自然不好反对，可是您拿我们的孩子作实验，将来考重点中学的时候，孩子吃了亏，我们心里该怎么想，您自己心里又该是什么滋味？……”

陈碧溪的血又直向脸上涌。她觉得面前这位家长其实就是在辱骂自己。她为自己和对方感到痛心。她想到半年前到辛劳家的一次家访。在那不足十五平米的住室中，到处堆着、摊着书本，辛劳的父亲眼里布着血丝，辛劳的母亲一边谈话一边用双拳揉腰，都向她诉苦说：“再这样下去，真支撑不住了！自己要搞业务进修不算，光是辅导劳劳和他妹妹完成各科的近百道题目，就得三四个钟头，这苦海什么时候才游到头啊！”他们的良知，不也厌倦乃至憎恶着过重的作业负担吗？可是你真的给他们孩子减轻作业负担了，他们却又显露出这样的一种心理！

陈碧溪觉得不能就这样结束她们之间的谈话，她应当再作努力，使这位家长多少能有一点对她的理解，于是她微微扬起下巴，仿佛宣布一桩什么神圣的事情似的说：“不管有多少困难，我们还是要改革——目前中小学的这种以升学为轴心的教学体制，是窒息孩子心灵的，是不利于孩子身心健康的。您应当相信，至少在小学和中学，是应该取消所谓重点和非重点之分的，就是高考，也不会总像现在这样，几乎完全取决于一次考试的分数……"

对方却报之以冷笑:"取消?改变?中国的事情,一定下来是很难再变的——实话实说,我们还宁愿这样:完全凭分数说话!因为只有分数是不好作弊的,改成什么首先看德啦,要看实际能力啦,因为没有绝对的标准,那后门可就成了城门洞了,我们这样的家庭,一无权二无势,也没有什么东西好拿去当见面礼,搞交换,肯定会吃大亏的——升学的前门只剩下针鼻大,我们劳劳还有什么指望?……"

陈碧溪只觉得脊梁骨发凉。她不是无话可说了,但越发感到无从说起。再说时间也不允许她再跟这位执拗的家长交谈下去……

她不记得是怎么跟辛劳的母亲告别的,她在一种不仅激动而且复杂的心情中,快步向前走去。她脚下的步子迈得很快,但她感到她那两条腿前所未有地沉重。

她痛苦地想到:尽管辛劳母亲的思想境界是她所不能俯就的,但这位知识分子家长确也点出了目前教育战线的症结所在,是呀,搞不好,也真可能出现道理正确、高超,但"前门"却变得针鼻般小的尴尬局面……

可是;当她接近公共汽车终点站时,她的心境又渐渐平静下来,并恢复了自信——因为她忽然意识到了她那手提包的分量:那里面不仅有她的发言稿,还有几十封来自全国各地的信件——都是在读了报上关于她的通讯报道后,给她寄来的,来信者是各式各样的家长,有工人,有解放军指挥员,有机关干部,并且也有知识分子……除了个别几封信有所质疑而外,几乎都是热烈地支持她的教学改革的,她并不孤立,而陌生的同胞的支持,更使她感到可贵,这说明她有着一个坚实而雄厚的后盾……

她不知不觉地将那手提包抱在了胸前,仿佛抱着一个充满生命力的婴儿,又仿佛抱着一口喷涌不息的温泉。

一辆"小面包"车,从她身边的马路上开过去以后,忽然减慢了速度,并靠拢了人行道,停住了。她并不知道这同她有什么联系,但那车门打开以后,却跳下了一个头发很浓、鬓角很长的男同志,径直迎到了她面前,笑吟吟地招呼她:"您是陈碧溪老师吧?"

陈碧溪愣住了。

那人解释着。陈碧溪这才明白，原来这是电视台的车。车上坐的全是电视台的人——他们是开赴会场，为陈碧溪介绍教改经验拍摄电视新闻镜头的。他们搞电视的人眼力究竟不同一般——仅仅是见过附在报纸上那通讯报道边上的照片，他们就能从人行道上把她一下子认出来……

那位男同志热情地对她说："您怎么走着去会场？快上车吧，我们送您去……"

车里的其他几位同志也从车窗里探出头来，一叠声地请她上车。

陈碧溪却怎么也不挪动脚步。她心里很慌乱，还夹杂着解释不清的厌烦，她笨拙而固执地推辞着："不，不用。我走着去吧！我走惯了！你们请先去吧……"

人家只好把她留在人行道上，把车子开走了。她望着车子的后身，忽然又有点后悔——她这样"不识抬举"，岂不会给电视台的同志留下一个起码是古怪的印象吗？……其实这一点陈碧溪纯属多虑，那些电视台的同志在车里议论时，倒是纷纷以赞叹的口气说她："这人真有点个性！"

陈碧溪走到公共汽车终点站，那其实是一个很大的总站，好几路车都从那里发车和到那里终止。陈碧溪望了望调度室门上的电钟，又伸腕对了自己的手表。离开会还有 20 分钟。她不想马上走向会场——那会场就在一百多米以外，是个区级的文化馆——她就近坐到了车站凉棚下的长凳上，倚着一根柱子。

陈碧溪朝文化馆门口望去。已有许多人在朝那馆门走去。电视台的"小面包"停在了馆门一侧，车里下来一串电视台的人，手里拿着摄像机、强光灯一类器材，也朝门口走去……啊，还来了两辆小轿车，显然，是有重要的人物来听她的经验报告——说不定教育部真有司局级以上的领导莅临……

陈碧溪望着那百米以外的景象，心里只感到苦涩。自从她被宣传以后，不知底里的人，总以为她这下可算名利双收，无比幸福。其实，仅仅在她那个学校内部，尽管校长和教导主任是给她撑腰的，而周围的同事，竟是取观望态度的居多，而几个平时关系就处得不那么好的人物，竟从此对她更增添了几分难看的脸色、几多旁敲侧击的话语……

就在昨天，在教师食堂里，那高挑身材的潘老师，便拍着她的肩膀打哈哈说：

"大师姐！师妹这厢有礼啦！"陈碧溪听了这带着尖刺的话语，嘴里的饭菜几乎难以下咽……

潘老师跟她都毕业于市里首屈一指的师范学校，但潘老师比她高两届，是 1961年的毕业生。陈碧溪记得对来采访的记者交代得清清楚楚——她 1963 年从师范学校毕业。可不知为什么报上那报道登出来时，偏印成她是 1960 年毕业的；她给报社打了电话，对方连连道歉，答应登个更正，但更正久久未见登出。她又给报社的总编辑写了信，结果昨天报社总编室的工作人员打电话给她，只是再次深表歉意，并解释说：倘若这类"不涉及本质问题误植"统统都要更正的话，那他们每天该登出的更正就太多了——而报纸的"宝贵篇幅"不能大量用来干这种事。况且，据来电话者说，读者对这类更正也根本不感兴趣，一篇通讯里的人物是 1960 年毕业还是 1963年毕业，这对他们来说又有什么关系呢？

可是陈碧溪心里是透亮的。她知道潘老师一类的同事那"师姐"、"师姐"地一再戏称里的潜台词：你可真能吹呀！一家伙把你的学历提前了三年……嗯，调级，提薪，1961 年可是道杠杠呢，你真能往杠杠前头凑呀！……

其实这 1963 年误植成 1960 年也确算不得什么，还有更让陈碧溪感到难堪的呢——那篇引起轰动的报道在介绍她时，使用了一系列诸如"二十多年如一日"、"一贯地……"、"持之以恒地……""锲而不舍地……"等等语汇。据说那都是新闻报道中的常用套语，不足为奇，也无人深究的。但陈碧溪凡读到这类语句时便不禁羞赧得无地自容——她哪里是，"二十多年如一日"呢？！她有过连续几年的消沉，就是这半年多的教改实践中，她的情绪也有过明显的起落，而这都是潘老师他们有目共睹的！这样的报道也许更能博得陌生读者的钦佩，却偏偏导致了校内一部分人的齿冷。更何况那报道中还用了"力排众议"、"不怕冷言冷语"一类的语句。潘老师那样的同事在读时心里一定会极为不快地想：那被"力排"的"众"都是谁呀？那"冷言冷语"可出自谁的口哇？……报纸的公开揄扬，倒使陈碧溪陷入了明显的窘境，所以她怕新闻机构——她心惊肉跳地想到一会儿电视摄像机便会对准了她，而她的形象也许在明天的新闻节目中便会极不得体地展现。当她面部的大特写出现在荧光屏上，而被潘老师他们看到眼里后，肯定会使她的处境呈几何级数地更其微妙、艰难……她真想向主持这次会议的领导同志郑重提出：取消电视台的新闻录像！可是，看来她并不能完全把握自己的命运，她必得经历那令她痛苦的一切细节……

剩下的时间已经不足 20 分钟了。她该起身，走完那最后一百米的路程了。可是她觉得自己的身子竟有千斤般重，她依旧坐在那里，倚着柱子，任自己的眼睛回避目的地乱转，任自己的思绪随之翻卷……

她忽然发现侧面有一家冷饮店，透过玻璃窗，她看到潘老师正同两位她不认识的人坐在一张桌子边喝橘子水，盛着橘子水的玻璃杯里还各插着一只雪糕。潘老师谈笑风生，双手比画着，嘴角一撇一撇的……她知道，潘老师是不会准时进场听她的报告的——她昨天就跟潘老师说过："我的老底你还不清楚？你何必去浪费时间？"潘老师满脸堆笑地说："师姐哟，你的光荣就是全校的光荣嘛，你出场当明星，我们理应去当'拉拉队'捧场呀。"——其实潘老师不过是借这个机会到会场内外会会她同届的同学和同行中的朋友。瞧，那一边听她聒噪一边耸眉咧嘴的二位——一位年龄较大的男同志和一位年龄较轻的女同志，肯定就是她的老相识……啊，不该以恶意去揣测别人，不过……陈碧溪感到胸口发闷，她忽然觉得，潘老师一定是在揭她的短儿，而那两位听得入神的人，便恰是她在公共汽车上只闻其声未见其貌的议论者……

陈碧溪简直不想去作什么经验介绍了。她何苦来呢？如果她这半年来不去标新立异，她不仅可以免耗许多心血，省却许多辛苦，而且可以平平静静、安安逸逸地过如同别人一样的日子；别人怎么干，自己也怎么干，别人怎么过，自己也怎么过，等到别人改弦易辙了，自己再跟着改弦易辙，既不必赶头班车，也不要赶末班车，中不溜儿，不前不后，成千上万的人不都是这么样的吗？自己何必特殊？

只剩一刻钟了。再不能耽搁。陈碧溪好不容易站了起来。她看到一百米以外的会场门口已经摆上了一大溜自行车，更多的同行正在朝门里走去。倘若她再不走过去，主持者，还有她那学校的校长、教导主任，一定会着起急来的——啊，他们已经着急了！她远远地看见，教导主任走出了门口，站在最高一级的台阶上，把手掌搁在眉上搭成凉篷，焦急地朝人行道上眺望着……

她挺了挺腰板，挪步朝一百米以外的会场走去。开头的十几步，她的步履还是艰难的，脚踝上仿佛拴着无形的铁球，因为她的心头还淤塞着消极的情绪；走出二三十步以后，她经过了一个发售图书的书亭，一瞥之中，她看到那书亭的显示窗上摆满了形形色色的习题集和"辅导材料"——她这半年来多次到新华书店作过调查，如今最畅销的图书并非文艺作品而是各种类似"升学指导"的东西。其中相当一部分编得草率，排印中错误不少，但最不济的发行量也在十万册以上。她在辛劳的家中就看到过足足十多种习题集，辛劳的父母显然是每见到一种便立即为辛劳购买一种。习题集本身自然无罪，然而用一本又一本的习题集扼杀青少年的青春乐趣、想象力和创造性，这风气还要盛行多久呢？……啊，这才是真该心惊肉跳的事情，这才是真该魂牵魄系的事情……陡然地，她又感到手里那提包的分量，一种难以度量的责任感和挑战精神从心底升腾了上来，她脚下不禁立即加快了速度，而且每一步都变得更加有力。

是的，难。走完这一百米，难。走上那介绍经验的讲台，难。走下那讲台，也难。今后不仅是走进、走出教室，就是生活中的每一步路，也会比以前更难。

陈碧溪比以往任何时候都更清醒，她没有退路，她得一直往前走。

1984 年夏写于青岛

寻　人

"你闻闻扒鸡变味儿了没有？"

"嗯呃……也许还算正常。我说早该买冰箱了不是！"

"加上你这回的奖金，不就够了吗？你买去呀！街对面的商场不就有吗？"

"早跟你说了我不能忍受杂牌货！我要'万宝'，'万宝'双开门！"

"'万宝'就'万宝'。市场上没货别冲着我嚷！你倒是把鸡递给我呀！"

"唐大耳朵也许能弄到'万宝'。"

"那当然。什么俏货他弄不到？可这回咱们该在哪儿给他摆宴啦？'全聚德'的挂炉烤鸭，'便宜坊'的焖炉烤鸭，他早都吃腻了；'仿膳'的肉末火烧，'康乐'的'桃花泛'，他也都不稀罕……除非请他上'马克西姆'吃法式大菜，可你手里有外汇券吗？就是有，光请他一顿就够一台'万宝'双开门的价了，你干呀？"

"何必上饭庄！在家里弄点外头吃不着的清淡菜，他一定更喜欢……"

"往家请我没意见，你哪天请，我哪天带着小哲回娘家。你自己下厨房弄点清淡菜款待他吧，我可真受不了啦！"

"你瞧你，不过信口议议，你就这样！"

"把油瓶子递我！不是那个香油瓶！给我花生油！左边、左边、左边……唉，你呀！"

"真香！扒鸡变成香酥鸡了……"

"别就下手！等小哲回来一块儿吃！"

"咱们的花生油就这么多了？到自选商场来桶'骆驼唛'吧，听说提炼得特别精……"

"你是什么新鲜玩意儿都想往家里买。"

"有这个条件了嘛。"

"饱时要防着饿时饥！"

"对咱们的这个政策，我看真变不了啦！"

"但愿它不变。就是不变也不能像你这么浪花。"

"咳，有钱就花吧，'千金散尽还复来'，存它干什么？存起来，真要是一大变，一次抄家就给你全端了……还是随时享受掉快活！"

"说政策不变的是你，说指不定会一大变的也是你。"

"好，不说了，不说了。不说了还不行？"

"把草垫子垫上呀！"

"这种塑料贴面的桌子不怕烫！"

"垫上嘛！"

"好，垫上垫上。"

"我就知道你买这些个草垫并不为了实用，只是当摆设……"

"草编工艺品嘛。"

"行啦行啦。咱们家的小摆设还不够多吗？都成工艺美术公司的分公司了！"

"小哲怎么还不回来？"

"你饿啦？"

"不。才五点半。当然等他回来一块吃。"

"你去把火关了。饭肯定熟了。"

"快买电饭煲吧。这高压锅落伍了。"

"高压锅好好的一点没坏，为什么要淘汰？"

"高压锅不注意会把饭烧煳，烧煳的饭里有致癌物质……"

"你算了吧，工程师！这个领域你可是外行。烧焦的动物性蛋白质里才有致癌物质，米饭烟了只不过是难吃而已！"

"我不跟你争，助理研究员！反正我不准备再吃烧烟的米饭，而电饭煲就能保证米饭不烟！"

"烧烟的米饭是活性炭，可以治胃病，万一咱们谁得了胃病，我们还得用高压锅烧米饭，故意烧烟！"

"我也没说要把高压锅扔掉。反正该买个电饭煲。"

"你发了多大的财？什么都想买！"

"我那篇翻译的东西快登出来了，稿费总有个七八十。下月再去补习学校兼点课，挣它个五六十。"

"我们室的课题再有两个月也能大功告成，分到我手上的奖金也差不多得有五六十。"

"所以说该尽快买电饭煲。"

"你还计划买什么？除了电冰箱、电饭煲，在我耳边嗡嗡响的就还有电动按摩器、负离子发生器、双色壁灯、干洗机、小型吸尘器……"

"我也没忘了你所急需的电吹风、'华姿'系列化妆品、'月中桂'乌发乳什么的呀！"

"我不需要，更谈不到什么急需。我看你才是急于'武装到牙齿'！"

"'武装到牙齿'又有何不可？你不也是才用了两个月的'两面针'，又换成了贵得多的'洁银'，昨天电视里鼓吹'草珊瑚'，你不又动了心吗？'人同此心，心同此理'，你我的消费习惯都在变嘛，只不过我已进入'自由王国'，而你还在'必然王国'之中……"

"我不跟你扯这些！去，把装泡菜的盘子拿过来……"

"……是这个吗？"

"哎呀，算了算了，我自己去拿……看清楚，是这一个！每回我们用的都是这个……"

"我可要坐下看晚报了。"

　　"你以后下班路上注意一下，见着这种象牙白萝卜，买它两个带回来……你别光是吃的时候积极……"

　　"好的好的，我见着就买……"

　　"你……停一停再看。对了，我想跟你商量一下，我们手头既然宽松了，能不能——"

　　"你想买什么，随便。我早说过你该买件那种别致潇洒的蝙蝠衫，紫罗兰色的与你最相宜……"

　　"谁穿那个！我是说，我们能不能给阿桐寄二三十块钱去。"

　　"……"

　　"你先别看晚报。阿桐有病，出不了全勤，拿不到奖金；他那口子的单位又是个清水衙门。你想想他的负担，岳父岳母，两个孩子……"

　　"……"

　　"这儿跟你说正经话哩，你看什么象棋残局！"

　　"我没意见。给他们寄二十吧。"

　　"就拿二十？"

　　"你刚才说的，寄二三十块钱去。我不过是取其下限罢了。"

　　"你怎么能这样！阿桐到底是我亲弟弟，是你小舅子，是小哲的亲舅舅！"

　　"可我们家也不是慈善机构！"

　　"你怎么这么说话！"

　　"我说实话而已。阿桐该自己去闯出一条富裕的路来！"

　　"他有病。"

　　"他那个病我知道，没有生命危险。天天上班办不到，不发作的时候跑跑买卖还是顶得住的。我早建议让他停薪留职，趁着不发作的时候往南边跑跑，就弄点式样稍微新鲜点的'T恤'，到他们石家庄也肯定一抢而空……"

　　"我们家从来没有买卖人，不像你们家……"

　　"我们家怎么着？你不要又来极'左'那一套！"

"谁极'左'？我只是说阿桐干不来那一类的事。"

"干不来可以学。"

"那么容易！让你学你学得会吗？"

"我用不着学那个。我已有一技之长。我凭这一技之长就能混得不错。"

"你混得不错，就不管别人死活了！"

"说实话，管也管不起。阿桐那一类人应当依靠社会救济。当然，在我们国家还没有成为全民福利国家之前，我们作为亲友，可以资助他一点，但这总不是长远之计。"

"……"

"干吗拉长一张脸？好，就拿三十。"

"……"

"这泡菜恰到火候！夫人，您的杰作真有魅力！"

"去你的！"

"快来看，看楼下，好像是唐大耳朵……"

"我没有兴致看他。"

"……骑着辆崭新的'铃木'，手里提着个血红的头盔……他看见我了……唐兄！哈罗！上来坐坐！"

"他来了我可就走。"

"你何必……夫人吗？也在寒舍，并未外出。您要肯屈尊光临，我们可是蓬荜生辉了！"

"肉麻！"

"嘘！……怎么，就那么忙？真遗憾！好的好的……改日您可一定赏光！……"

"他到咱们楼下干什么？"

"不是到咱们楼，是到对面楼。总是又在给别人家牵什么线。"

"你就那么爱搭理他！"

"你以为他光是帮人家买紧俏商品吗？听说他简直都要染指外贸了……"

"他算个什么人物呢？"

"应运而生的人物。未必是反面的。他存在，说明社会需要他。"

"你就需要他，需要他帮你买'万宝'，'万宝'双开门。"

"你别说，我这回开口求他，他说不定不要我任何报答。"

"是呀。我也懂得这个。他的事业越搞越大，弄台'万宝'双开门算什么？只要他高兴。他说不定可以白白地帮咱们的忙。"

"你也摸透了他这个心理？那不如一会儿我就下楼去憋他，他一从对面楼里出来，我就请他来咱们家，他要懒得上咱们四楼，我干脆就站在那里求他……"

"别。"

"为什么？"

"说不出为什么。我只是怕'万宝'进了门，心里头堵得慌。"

"堵什么？"

"别问我。不知道。"

"……"

"……"

"小哲怎么还不回来？"

"电影快完了。"

"……"

"……"

"你别动，就那么眯着眼往前头看。"

"干吗？"

"真像小哲。"

"是小哲像我。"

"对。他像你。轮廓像倒在其次，难得的是表情都仿佛从一个模子里倒出来的。"

"跟你说穿了吧，他像的其实是阿桐。"

"又提他！……我不是答应了吗？三十就三十！"

"谁敲门呢？"

"小哲又忘了带钥匙，真没治！"

"不像是小哲……小哲他会按电铃的……"

"先别去开。嘘——我去从窥视镜里往外看看。"

"谁？"

"一楼的惠大妈。"

"她？"

"看那神色，好像有什么事要求咱们……"

"求咱们？"

"会不会是……她那老儿子不是要娶媳妇了吗？"

"人家才不会哩！你知道什么！人家不止是万元户，银行里怕三万元的户头也有了……"

"至于吗？一个'农转工'的家庭……"

"惠大爷退休后，一直跟他兄弟合资经营着花圃呢，听说有两家大饭店的四季盆花，都由他们供应着……"

"这倒头一回听说。不过，我懒得跟这种暴发户来往……"

"干吗这么尖刻？人家的钱都是靠劳动挣的，跟你的一样干净……"

"收水电费时我去过他们家，沙发上铺着俗不可耐的'老虎浴巾'，酒柜上摆着触目惊心的塑料盆景……我跟他们没有共同语言！"

"人家改成按门铃了……我去开门。你别往那屋里躲，说不定人家找的主要是你！"

"……"

"啊哟，敢情是惠大妈，真对不起……我们还当是小哲回来了哩，他淘气，明明拿着钥匙，有时还故意敲门……"

"哎哟，我也是无事不登三宝殿……你们两口子都在，正可好……吃了吗？"

"没呢没呢，惠大妈这边坐吧。"

"坐吧坐吧。您吃了呀？"

"也没吃呢。"

"在我们这儿吃吧。"

"你们有啥好吃的呀？"

"有鸡。德州扒鸡。昨天吃剩下半只，我过了过油，算香酥鸡吧，可哪还有形呢？味道可是还行，您尝尝？"

"不啦不啦。我们昨天也才吃了鸡。我们人多，两只鸡，一顿就鼓捣光啦！"

"惠大妈您真福气。"

"惠大妈您喝茶。"

"好，好。咳，别客气。楼上楼下的，又不是外人。"

"您吃块糖。这是'花生牛轧'，味道最好了。"

"惠大妈，听说惠大爷如今经营花圃呢……"

"可不是。跟俺们小叔子合伙，倒是也热火朝天的……"

"花圃在哪儿呢？离咱们这儿远吗？"

"不远，骑车去也就半拉多钟头。"

"挣得不老少吧？"

"实不瞒你们，如今见着寸把厚的十元大票，也不那么瞪眼喘气的了……"

"还是你们农民、工人收入多呀。我们知识分子究竟还只是小打小闹。"

"惠大妈家该置办的都置办齐了吧？"

"咋叫齐呢？反正冰箱、彩电啥的都用上了。"

"我看您家现在该为不知怎么把钱花出去发愁了！"

"愁不着。我们当家的主意多的是。前几天他不是还捐了三千块，说是修孟姜女哭倒了的那个长城……"

"'孟姜女哭倒了的长城'……哈……"

"别傻笑。人家可是诚心诚意……惠大妈，您以后别说是孟姜女哭倒的那个长城了，孟姜女的那个时代早过去了，长城如今是中华民族的象征，把它修好，有很大的意义……"

"可不。我们当家的那大名儿，听说还要刻在长城上呢。"

"对，是有那么个规定，捐款多的给刻名留念。"

"我们倒也想把名字跟惠大爷刻在一处，只是还没那个条件……"

"惠大爷真光荣。"

"咳，他算啥呀，还是你们贡献大。没有你们那个科学，什么能发达起来？如今他们种花儿，也离不了讲究个科学性儿！"

"可是如今科学未必有花儿值钱！"

"别胡扯！——惠大妈，您今儿个是……"

"咳，说了半天没说到正点上——今儿个我是来求你们帮个忙……"

"我们能帮什么忙呀？"

"是这么回事，我们想到报上登个广告……"

"卖花的广告？"

"不是，不是那个广告。是想登个寻人的广告，叫什么来着？……"

"叫'寻人启事'。"

"对对对，就是'寻人启事'。"

"您家谁丢啦？"

"我兄弟，亲兄弟，我就那么一个兄弟。"

"他哪天走丢的？"

"是犯精神病了吧？几天没回家了？"

"他可没精神病。他身子骨壮着呢。他丢了有小四十年啦！"

"小四十年了？"

"可不，让国民党抓壮丁给抓走的。"

"啊，原来是……您怎么突然想起找他来了。"

"您在这之前从没找过他吗？他没有过一点音信吗？"

"自他给抓走以后，我光是想他，可从没找过他。也没得过他一星半点消息。我早就只当没有过这么个兄弟。不瞒您二位，有些年里，我都快把他给忘了……"

"是呀，您怎么如今突然想起找他了呢？"

"一句两句也说不清这个心情儿。反正是这二年，我心里一天紧似一天，想找他。夜里头净做梦。我总觉着兴许还能找着他。"

"他要小四十年都没音信，怕也难找了……"

"那可难说！惠大妈，据我所知，现在好多原以为找不着的人，都让亲属给找到了。登这种'寻人启事'，一般报纸的作用有限，最好登《中国建设》，那是一种往海外发行的杂志，港澳台湾也都能见着……"

"你们给出主意吧。哪儿给登我们就往哪儿登。收费高低我们不计较。能找着人就行。"

"您是要我们帮着给起草个'寻人启事'的稿子吧？"

"可不是吗……"

"您的儿子闺女不就能帮您起草吗？"

"我那儿子闺女你们还不知道？上学的时候正赶上'文化大革命'，学了个啥呀？如今倒是玩命地补，可补好的衣裳能有新裁的褂子水灵吗？……这不，他们写了一个，还是经我那大孙子改了一遍，我才好意思往你们这儿拿……大孩子好歹是正经八百的初中生！"

"惠大妈，您给我看……"

"……这怎么行呀？像篇'一分钟小说'了，'寻人启事'得跟打电报似的，越简练越好……"

"就请二位给'打电报'吧……"

"他怎么叫海丑儿？这是小名吧？有没有大名？"

"就叫海丑儿。这就是他大名。反正，大名小名也没区分，就是海丑儿。"

"当时他多少岁？得交代清楚才行。"

"比我小两岁……"

"您高寿？"

"我么？就算六十吧……"

"就算六十？您哪一年生人？"

"我……实不瞒您二位，我蒂根儿不知道自个儿是哪年哪月生下的……我们那时候，那么个穷家破户，谁给儿女认真记岁数？差不离就得……"

"您是满族？"

"对，满族。你们惠大爷也是满族。如今我们这一大家子全是满族。"

"满族，这一点要写进去，这很重要……"

"他长相上有什么特征？比如说，有没有明显的痦子、红记什么的？"

"他有痦子！脖子上有好大一个痦子！"

"左边？右边！"

"让我细想想……对了，左边，离耳根不远……"

"这也很重要。"

"他还有什么别的特点？"

"他最爱吃腌韭菜花……"

"这不行。这说明不了问题。"

"对了，想起来了，他右脚面上有块大疤瘌。"

"怎么伤着的？"

"地主打的？"

"是冬天长的冻疮，到了夏天也不见好，成了黄水疮，溃脓不散，眼看着越长越大，我爹就用火钳子，烧得通红通红的，把那疮给烫平了……"

"啧啧啧……那不痛死人了吗？"

"可不那么恶治他也好不了不是？"

"……好，惠大妈，现在给您改好了，您听听，是不是简明扼要多了？……'寻人启事，寻胞弟海丑儿，满族人，解放战争初期被国民党抓壮丁与亲姐离散，当时大约二十岁，左脖颈耳根下不远有黑痣一颗，右脚面上有大块冻疮……'"

"我是在桥头跟他哭着分手的，这个可别忘了写进去……"

"不用了吧？那样字数就太多了；再说，这种'寻人启事'用不着描写，用不着细节……"

"惠大妈让写进去就写进去吧……"

"劳驾一定给写进去，想起当年那情景儿，我这颗心扑腾扑腾跳得比挨鞭子还疼……"

"惠大妈您别伤心……"

"……他让人家给绑着，押着往桥上走，还挣着扭过身子来看我……"

"您喝口茶……"

"……要找着他了，我头件事儿就是亲手给他缝件褂子……"

"那时候您该带他上王府井，到'蓝天'服装店给他来身西服……"

"先给他缝件对襟褂子，我许过愿，可临到他给抓走，我还没攒够买布的钱……他是光着膀子让人给带走的！……"

"惠大妈，您别难过啦……"

"您用这手巾净净脸……"

"惠大妈，您往开了想……说不定他后来到了台湾、海外，混得还不错……"

"那么远？可别！回来不易！还是近点好，见着广告就能家来！……"

"……"

"好，惠大妈，就依您的要求写……您再听听……"

"……"

"……小哲怎么还不回来？"

"你饿了你先吃。"

"我不饿。"

"你干吗这么没完没了地在屋里走对角线？"

"我没什么。"

"……"

"你干吗不打你的毛衣？发什么愣呢？"

"我也没什么。"

"我在等小哲……"

"我也在等小哲嘛！"

1984 年 10 月 5 日写

兔儿爷

把他送走，回到客厅。沙发上的亲友们一叠声地问：

"怎么待了这么久？"

"不就是个小伙子吗？"

"文学青年吧？几句话把他打发走不就结了？"

"嗬，还挺秘密的哩！关上书房门干什么呀？"

我便郑重地宣布："他就是鼎鼎大名的'兔儿爷'！"

"兔儿爷"自然是外号。

并不是因为他长得像兔儿爷，才得的这个外号。他长得虎头虎脑的。近来总保持着"三浦友和发型"，就是从头顶到后脑勺推得一边短一边平。他两只眼睛总笑眯眯的。嘴可是老爱抿着。他轻易不说话，一开口两片嘴唇吧嗒吧嗒可伶俐了。

我是在一次联欢晚会中结识他的。那日联欢的地点在友谊宾馆，离我家很远。舞会中穿插着节目，气氛火暴。我看看腕上的表，九点四十了，于是从圆桌边站了起来。

"您干吗急着走呢？"

问我的便是"兔儿爷"。

"我得倒两趟车呢。怕赶不上末班车。"

"不碍的。再待一会儿。十点钟咱俩一块走。"

我心算了一下,十点钟走其实也还来得及。从跟他聊天得知他住得离我家不算远,一个方向,有个伴也好。

我就又坐下了。他递给我一瓶可口可乐,我说:"谢谢。不过我倒宁愿再喝点橘汁。"

他就起身去给我找橘汁。我们那桌上的甜食几乎都被吃光了,饮料只剩下可口可乐。

他拿来一瓶橘汁,递给我,自己喝可口可乐,并且对我说:"我觉得百事可乐比这可口可乐更顺口。天府可乐也不赖。"

我便说:"你喝东西倒挺洋气,可你为什么不下场子跳舞呢?"

他坦然地说:"我不好跳。我好看别人跳舞。我要想跳,能跳得比他们还溜!"

"他们"是指正从我们眼前晃过的几对舞伴,"溜"发音为"六"并加儿化。

十点到了,晚会似乎还要推向新的高潮,我站了起来,他便也站了起来,我们一同走出了宾馆大楼。

"你在这儿候着。"他对我说完这句话,便自己朝回旋坡道下面走去。望过去,坡道两边尽是亮着黄色、白色顶灯的出租车。

到底是"万元户",我心里想,够气派。我就没有叫出租车去兜风的念头,尽管我也不是付不起十块二十块的车费,不就一千字的价儿嘛,一个晚上的活儿!

一辆小轿车停在了我身前。车门打开了,我看见"兔儿爷"坐在驾驶座上,两眼笑眯眯地望着我。

敢情人家"兔儿爷"有私车!

坐在"兔儿爷"身边,我少不得大惊小怪。

"你……怕不只是'万元户'吧,十万元也得有了!"

"我过百万了。"他淡淡地告诉我。

"嗬哟!你……你们不是都不乐意把实际的财富透露出来吗?……"

"跟你这样的人,我没必要'猫腻'。"

我心里暖暖的。

"再说……"他语气里多少有点不痛快,"这些天不是正查我吗?"

"谁查你？税务局吗？"

"税务局对我最了解了。是纪检会牵头的一个小组……"

"你是党员？"

"不是。我连团员也不是哩。"

"他们查你什么呢？"

"查我的钱干净不干净。"

"为什么查你呢？"

"因为我钱挣得太多了，太显眼了。"

"你有什么把柄在人家手里吧？"

"有封检举信。现在弄明白了，是饭店里的一个家伙写的。我做出来的东西也在他们那个饭店的商品部寄售。他们是怀疑商品部的经理有问题，跟我一块儿'猫腻'，偷税漏税。其实他一点证据也没有，光是疑心。信寄到了纪检部门，那经理是党员，就给立了案。由那儿又扯上了我，也给我立了案。我急了，让他们去法院告我去，我要犯了法，法院怎么判都成，可他们凭什么查我呢？可到了儿他们还是查了我的账……"

"查出什么纰漏了吗？"

"一分钱的纰漏也没查出来。经理那边也没查出问题。可他们还是不依不饶，他们说：'兔儿爷'的这些个玩意儿价定得太高了！怎么能让他赚那么多钱！"

"你做的究竟是些什么玩意儿？"

"微型面人儿。最畅销的作品是'月宫小景'。我在半个核桃壳里，用彩色面料捏出了舞袖的嫦娥、捧酒的吴刚，还有捣药的玉兔，嫦娥的身上还有飘带，吴刚身后还有桂花树……"

"嗬，真够精致的！你这是家传吧？你父亲是捏面人的老艺人？"

"我父亲是个裁缝。我妈是个家庭妇女。我这手艺并没有家传。"

"怪事，那是谁教给你的呢？"

"自己练出来的。你不信吗？我是 1962 年出生的，一懂事正赶上'文化大革命'，父母怕我学坏，不让我出去瞎玩瞎闹，就买些个橡皮泥让我捏着玩，我捏来捏去的，迷上了它，越捏越棒，后来我就试着用面捏……"

"听说捏面人的面一般人蒸不出来哩……"

"可不是。我后来也去请教过世代捏面人的师傅，可他们不漏。我就自己研究。搞了一年多，糟践了上百斤面，到了儿我蒸出了又漂亮又筋道又好捏又捏了不走型儿不招虫儿不变色儿的材料面来……"

"你那法子也保密吗？"

"我比他们还保得紧。你就没法子知道我哪天蒸面在哪儿蒸面，面里都和了些什么，用什么盛着蒸多长时间，用什么火候……我一次蒸出来的，够我用半年。"

"你那微型面人，一件卖多少钱？"

"二三百块吧。"

"嗬！怪不得！我也觉着定价太高哩！"

"价不能胡定。要看供求关系。开头定得低，几十块钱一件。结果我每回送去的一百件，一天之内全卖光。我是捏得很快的。如果我天天那么卖，得的钱反倒比现在多，你能算出来吗！现在的价钱，能卖一星期。外贸部门懂行，他们知道，我这玩意儿比别的工艺品更能给国家创汇，所以他们支持我。我在几家饭店，还有友谊商店，已经闯出牌子了，好些外国人到了那儿就问有没有'兔儿爷'的面塑，尤其日本人，他们最喜欢我捏的兔子形象，所以我的'百兔闹寿'标价上千元，他们也舍得买，当然，那不是塑在半个核桃壳里，而是塑在半个椰子壳里……有一回标价的时候，少写了一个零，结果人家看来看去，不买，还问：这是'兔儿爷'的真品吗？是仿制品吧……他们就是要你卖到一定的价儿，才乐意买……"

"怪不得你成了百万富翁！"

"唉——"他长叹一声，在一个街口刹住了车。

"到您家该往哪边拐呢？"他偏过头来问我。这位年轻的百万富翁的双眼里竟透露出丝丝缕缕的忧郁。

有一天我接到他的电话。

"我是'兔儿爷'啊。"语气竟十分疲惫。

"啊，啊，你好，"我问，"有什么事吗？"

"你有工夫吗？我想找你。"

"哎呀，"我对他说，"真对不起。我正忙着哩，你有什么急事吗？"

"没什么急事。就是闷得慌，想找你聊聊。"

我似乎已经窥见了他的心思，便直率地说："你是想让我写写你吧？哎呀，你知道我是写小说的，报告文学可玩不溜，不过我倒是可以介绍几位写报告文学的高手快手给你……"

"早有人写了我了，"他显然有点生气，"我是把你当大哥看待，才……"他忽然叹了口气，"那就算了吧算了吧！"挂断了电话。

我觉得挺对不起他。不过我的确挺忙的。我近来写小说挺不顺手。说白了就是有点落伍，我可不甘心落伍。小说新潮滚滚而来，一浪高过一浪。我也要做个弄潮儿嘛。据说最好的小说应当是玩出来的。写小说就是玩。而且应当只在小圈子里玩。用不着让小圈子以外的人喜欢。所以我得排除小圈子以外的干扰。何况"兔儿爷"，庸俗不堪！找我聊个什么劲儿？我弄不懂也懒得弄懂他那些个事情，什么寄售啊，高价啊，创汇啊，交税啊，被检查组立案检查啊，等等，等等。

排除了"兔儿爷"的干扰，小说一时还是玩不出来。玩不出来就跟家里人以及来串门的人"侃大山"，"兔儿爷"是我最得意的话题，我讲完他自学成才的事儿，总要挑逗地问："你们猜他如今挣了多少钱？"

都猜不对。都保守。都不懂得这世道已经产生出了什么人物。

"过百万啦！"我总是到最后才抖出这个包袱来。

作协组织作家们去深圳参观。坐火车去的。在硬卧车厢里我捞着个中段的下铺，闻不着车厢两头的厕所味儿，自己觉得运气非常之好。

到餐车去吃饭，路过软卧车厢，没想到劈面遇上了"兔儿爷"。

敢情"兔儿爷"坐的是软卧。

"兔儿爷"邀我进去坐坐。我心里头那么不是滋味，可还是进去坐下了。

"您怎么不坐软卧？""兔儿爷"问我，"您这会儿搬过来也成，我知道还有空铺。"

"咳，"轮到我对他叹气了，"我这个专业作家，折合了半天，拼命往上够，也才算个副处级，按规定只能坐硬卧不是？"

"那是报销的规矩。"他递我一根哥伦比亚香蕉，劝我说，"你不是挣得有大把的稿费，自费坐卧铺嘛。干吗委屈自个儿呢？"

"我比得了你吗？"我反驳他说，"我那点稿费，还比不上你挣的零头。"

他不否认，只是心事重重地对我说："你当我有了这些钱就舒服了？比我没闹出来的时候更难受。亲戚朋友来要，张口就是一台彩电，一台冰箱，一套组合柜，这倒没什么，我给得起，可他们那模样儿，就好像我该他们欠他们的，有时候为给这家多了，给那家少了，还闹出纠纷来，跟我闹倒还没什么，可苦了我爸我妈。有一回我不在家，我二姑去闹，说是瞒着她给了我三姨一台双缸洗衣机，差点没把我妈气得晕死过去醒不过来……这都算不上什么，还有上门要赞助的。我乐意赞助，我年轻轻的一个人，要这么多钱干什么？修长城，我捐了一万块钱，我也不图在那墙垛上刻上我'兔儿爷'的名字……可有的事真让人窝心。我们附近的幼儿园，让我给他们捐个新滑梯，要螺旋形的，我把钱给他们了，可他们弄来的是架人家用旧了的，我让他们漆一遍再让小朋友们滑，他们哼哼哈哈的，就那么一直用到今天，我好意思再去说他们吗？这也算不了什么！最可怕最烦人的是我们个体户当中的那些个不三不四的人物，跟你实说了吧，什么玩女人，聚赌，仗着有钱拿老实人开涮，乌烟瘴气的，他们老找我来，我能不敷衍着他们吗？还有的个体户倒是不胡闹，可老怕政策变化，装穷，票子不往银行里存，闲了没事就琢磨怎么对付以后人家来抄家，想出了好些个藏钱的办法，有的法子就凭你的脑袋瓜也想不出来，我最瞧不起他们这号人！唉，我苦恼啊，不是有个电影片子，叫《苦恼人的笑》吗？您别看我'兔儿爷'平时乐乐呵呵的，把我的事儿编成电影演，能叫《乐呵人的苦恼》！上回我给你打电话，就是想找你这样的有见识的人诉诉苦，请你给我说点什么开窍的话，没想到你那么忙，还好像不乐意跟我这号人交朋友似的……"

"兔儿爷"这么跟我掏心窝，我能不动心吗？我就邀他一起去餐车，他说他吃过了，不过可以陪我喝啤酒。

我俩坐在餐车里，面对面地继续聊。我问他去深圳干什么，他眼睛亮了点，语气也活泼多了："是那边的代销点邀我去。我的玩意儿在香港销得特别好。我去跟他们商量商量，看能不能把事情做大一点！"

从餐车回到软卧车厢，我俩又聊了一阵，不过我始终没有把这些跟文学挂起钩来。我正苦苦构思的是一个只表现皮肤触觉的小说，整篇的结构将采取八卦的形式。

后来就出现了开头的那一幕。亲友们一叠声地问。我忍不住也就向他们亮了底儿："'兔儿爷'这回要干大事业了！"他说，他现在有那么多钱，花在吃喝玩乐上只能坑了自己，光是存银行意思也不大，所以他想先拿出一半来投资，办个私营的工艺美术工厂，从社会上招收有才能有兴趣的初中毕业生，培养出一批新型的工艺美术人才，先搞面塑，再推向其他品类。他要把自己的面塑艺术，传给这些人。当然，他也坦率地告诉我，首先，他要申请专利，他这工厂的面塑技术，别的厂如果要用，得申请，批准后要付款；其次，他个人的某些特殊技艺，短时间连厂里的工人也不传，他将有自己单独的创作室。他设想中的工厂，其实是个从科研到生产到销售的联合体，他说最后还想取得直接的外贸权。对国家，他保证月月年年上缴高额外汇。他说他有希望获得区政府的支持，区政府能批给他建厂的地皮。他将把所获得的相当数量的利润用来发展本区的公共福利，例如建设街心公园，发展图书馆，兴建新的电影院，为中小学增添电化教学用品，等等。这些都还不算什么。最让我听起来发呆的，是他说他将为他录用并经过考核转正的工人，提供也许是全国最好的工资福利待遇。他说他那里的工人一年的基本工资是一万元。他要让他那里的工人全成为名副其实的'万元户'。他今后要给他们盖最好的宿舍，搬进去以前，连电冰箱、空调机什么的也都给摆置好了……他要实行一周五日工作制，一年休假二十天，并且要组织他们游览全国各个风景区……"

听了我的转述，开头，大家只是不断地惊叹，后来又都笑开了，有的说："天方夜谭！"有的说："浪漫主义有余，现实主义不足！"可是，当我进一步向大家说明，他并不是闹着玩儿，也不仅仅是凭着热情，他拿来了详细的"计划书"，并且有详尽的预算，是经过"可行性研究"才确定了上述方案的，并且，确已取得了区政府和工商局的支持，事情已达到半成熟阶段……亲友们的脸色便犹如晨光下的花儿，全都艳艳的了。

"真的吗？他那计划书成形吗？他找你，是为了让你帮他修订'计划书'的文字吧？"

"他那预算可靠吗？他那面人儿一进入成批生产，难道不会供大于求，形成滞销吗？"

"他打算怎么招收工人呢？公开登报吗？考些什么呢？说不定会挤破头吧？"

全盯住我问。有的还让我把"兔儿爷"留给我的"计划书"拿来给他们看。

我便说："我现在已经谈得过多了。'计划书'不能给你们看。'兔儿爷'让我帮忙，我得尽力。'计划书'修订好了以后还要送到国务院去的。上头已经知道他了。尽管我现在也觉得'兔儿爷'的这番梦想有点像疯话，不过我又凭着直觉感到他终能成事！"

我接到越来越多的内容雷同的电话。还有信。还有敲开我家门，迈进来不及落座便开口说的雷同的话。

都认为我在"兔儿爷"跟前面子最大。

我仔细地想了想，我的面子也确实大。

"兔儿爷"毕竟只是个捏面人的天才。他的思想自然够活泼够明亮的，但行文缺乏严密的逻辑性和深度。我把他那"计划书"修订得干净利落、天衣无缝，很有几处是"点石成金"。

机会终于到了。

我只向"兔儿爷"推荐五个人。自然是精选过的。我把有关他们的信息工整地书写在一张纸上。我想这张纸就是我整个的面子。它该有多大呢？我谦虚地想到了昆明湖。我没有狂傲到去联想大海。

"兔儿爷"听完我的话以后，竟不接过我那张纸去。

"兔儿爷"的表情头一回让我觉得可厌，尽管他微笑着。

我听见他说："……我打算公开登报，全市招考。合同工。一次合同五年。我不接受任何推荐，尤其是亲友的推荐。所有的人都必须经过考试和我的面谈……"

我心中的昆明湖冻结了。我讪讪地说："当然，都得考，考一下好，保证水平；不过，如果成绩一样，水平一样，是不是——"

"兔儿爷"的表情让我觉得可憎，尽管他依然微笑着。

我听见他说："……成绩一样、水平一样的情况下，首先淘汰亲友推荐的；至亲好友一个不用。只有这样，我的工厂才能顺利发展。只有这样！"

我心中的昆明湖萎缩了，以至于成为一个水洼，一个即将干涸的水洼。

我不愿再看"兔儿爷"的一张脸，尽管那上面漾满微笑。

他的声音还在继续："……统一盖宿舍的方案，我放弃了。我给他们买商品房，住在一栋楼里不好。前厂房后宿舍尤其不好。不要这么一些个人成年累月待在一块儿。那是不是叫近亲繁殖？时间久了，活气儿都能跑走一半。人得跑跑颠颠，不断地换场景儿，才能生出想象力来。尤其搞我们这一行，没有想象力，能做出什么勾人买的东西来？……"

我不知道怎么把他送走的。回到屋里，发现风把开列着五个亲友子女材料的那张纸吹到了地下，恰好是我一张脸那么大，并且大概我的脸也恰似它那么白。

"兔儿爷"说最近给我来电话。可好多天也没来。他的计划，许是黄了吧？

1987 年

难为情

我知道。就是她。她又不起眼了。平常得就像白菜堆里的一棵白菜。还是大帮子、糠心儿的。可倒回十多年去……啧啧……

我知道。我咋不知道呢？半夜里给叫起来的。我跟老梁两人挑灯夜战。档案一份一份地翻。要女的。35岁以下的。做过团的工作的。出身不用说要好,本人得是"活学活用"的积极分子。最好是少数民族。最好是原来啥职务也没有的。模样倒没说。可我们有个样样都合适,只是半拉脸挂红痣的,我和老梁可没敢报她……

我知道。问题全出在秘书组。他们把一个叫潘灵花的当成女的了。临到什么都快弄完的时候,才发现那是个男的,还是个老头儿。这样,公报里的"妇女委员占17.6%,35岁以下的年轻委员占22.8%"的数字就全黄了。上头大怒,让立刻把潘灵花换掉。立即划定了城里的几个大工厂,让他们连夜把材料报上来……

我知道！那天我就坐在她身边。电视机前挤得满满的。挤虽挤,大伙儿先头没啥心劲儿。只不过又是一桩"头等重要的大事"。大伙闹哄哄地你说这个我说那个。头儿吆喝了一嗓子,这才静了下来。念公报了。报名单了。报到她那个名字的时候,大伙儿全笑了。我直推她肩膀："嘿！你当上委员啦！"她傻呵呵地咧着嘴。前后都有人拿她开心。她连反驳的劲头都没有。她那个名儿太平常。天下重名重姓的多去了！……后来就敲锣打鼓地排着队上街"欢呼"。我发现头儿木木呆呆地盯着她的背影儿……

　　我知道。我要不知道谁知道？材料是经我手报上去的。可报上去以后，就没再接着电话什么的。电视里一报名单，她那名字一出现，我的心里就咯噔一下。可我也不敢认定就是她当上了。那时候我总认为要是真挑上她了，总得给厂"革委会"来个电话。再说她那名字确实平常。我们厂仓库有个老娘们就跟她同名同姓。或许是别的厂报上去的，在画圈儿的时候给圈上了……

　　我知道，我知道。那天夜里的事我全知道。大家伙儿全睡了。我们那一片平房里黑黢黢的，路灯没剩下几个亮的。突然响起了汽车喇叭声。我披衣服掀窗帘一看，外头亮堂堂的。我的头一个反应是：揪谁来啦？这么大阵式！亮光里我瞧见厂"革委会"的头儿们全在那戳着哩，还有穿军装的，穿警服的……奇怪的是……我揉揉眼睛，又揉揉，我瞅见的不是警车，是"大红旗"，锃光黑亮的大轿车……

　　我知道！那天我凑巧在表姐家过夜。我俩睡在一个被窝里嘛。她这人睡觉沉得很。也怪那敲门的不敢使大劲。又来叫咱表姐，又不敢大声敲门招呼，鬼鬼祟祟的……我醒了，我姨醒了，全家都醒了，我表姐最后一个醒，我去给开的门嘛，门外头亮得让人发怵，站着那么多人，我姨起头吓得直打哆嗦，我表姐更是懵懵懂懂，倒是我头一个听明白是怎么回事儿，人家都笑着一张脸儿嘛，表姐当上了不得的委员了，来了红旗轿车接她去开本省本届一次会议呢！

　　我知道。秘书组自然立马进行了改组。那个弄错了潘灵花的性别和年龄的副组长不仅给撤了职，还差点打成"现行反革命"。我原来不是秘书组的，后来被正式吸收进秘书组，还任命为副组长。我是有功嘛。把她弄出来以后，不仅公报里的"妇女委员占17.6%，35岁以下的年轻委员占22.8%"的漂亮比例保持住了，还将"少数民族委员占19.5%"的原有比例一下子上升为"……占20.4%"，因为她的母亲是满族，她也就是少数民族啦！

　　我知道。我们刚一听说的时候，有点后悔。我们当初怎么就不把范月珍报上去呢？就是半拉脸有红痣的那一位，模样儿虽说差一点儿再说后来不有那么个……叫什么来着？哦，冷冻疗法，能把红痣去掉嘛！不过我们没几天也就不后悔了，不光不后悔，还万幸哩！他们那厂子里自从出了她这么个委员以后，厂"革委会"简直不知怎么待敬她。她倒是开完那一次会议后坐着小轿车回了厂，就去车间上班，厂"革委会"的赶紧把她从车间请到了"革委会"办公室，她说："让我跟这儿干吗呀？"他们就说："请您给传达一次会议精神啊！"她脸红了："我……我啥也说不好啊，我去得仓促，连个笔记本也没带哩……再说，再说，那公报不是登了报吗？也就是那个……"他们也不敢再问，不知道该把她往哪儿放，一会儿市"革委会"的电话也来了，问她是不是正式列席厂"革委会"的会议，说是市"革委会"要请她去列席会议呢，也是嘛，人家是那么高的委员，那么大的菩萨，别说厂里，就是市里，也不见得搁得下呢？……

　　我知道。我送她去的机场。去往"欧洲的明灯"。她头一回穿上呢子大衣。坐在小轿车后座上，她一点不敢挪动屁股。她是怕把大衣压出了褶儿，当时我真羡慕她那件黑呢子大衣。那大衣如今她还留着呢。逢到夏天出大太阳，她还把它挂到阳台上晒。可她几乎就不再穿它了。样式如今看来太老气。也不值得改。改的工钱兴许比做的工钱还大。那时她穿着可真神气，也真漂亮。那时候只有到国外进行"国际大串联"的人才有资格穿那么高级的衣服。就是去开最了不起的二次会议、三次会议她也都只是穿军绿大衣。当然，那年头军绿大衣也是不兴乱穿的。成分不好的，一般就没胆量穿。对了，还说去机场的事儿。她还是副团长呢！秘书把护照递给她，告诉她说："这是您的护照。"她还直谦逊："不用了不用了。同志们有了就行了，我就不用了吧。"她当那是慰劳品呢。秘书红着脸说："这护照人人都得有，您拿好您的。"她接过来看也没看就塞给了我："给你吧，你留着吧，纪念纪念吧。"她当那是新得的红宝书呢，可以送给我，让我高兴，觉得光荣……你不信吗？可就是那么个事，细想想这也不能怪她……还有个情况怕你更不信，就是她一转身的时候，我忽然瞅见她那大衣后下摆那儿，露出一个小白布条，那显然是大衣做得了以后，临时缝上的号码条儿，她正式穿那大衣的时候，该扯下去的，可她没给扯下去呢……我想叫住她，可她已经大步大步地朝头里走了。我也就算了……

　　我知道。说实在的，那时候她捞上那么个委员当，实惠并不太多。她从"天涯若比邻"返回来以后，也还住在原来的平房里。她搬进楼房，是差不多半年以后的事。

那时候也不兴盖楼，所以也没现成的楼让她搬进去住。她回来半年以后，那"海内存知己"的代表团就来咱们这边访问了。她去那边的时候，到人家家里访问过。人家来了这边，有一项活动内容就是到她家回访。嗬，这下厂"革委会"可着忙了，市里也派了专人来，要落实这项外事活动的每一档子细节安排。倒用不着她操一点心，全是别人为她张罗。我也是参加张罗的一个。先是选楼。选定了离厂子不远的一栋楼。五五年盖的。旧是旧了点，可模样看上去还成。这楼可有福气了。整栋楼的外墙冲刷了一遍。楼道也都重新喷了浆。全楼四十八家，四十七家都高兴，只有一家倒了血霉。那一家住的那个三居室的单元让我们给看中了。把他们家请了出去。说是临时的，当时也确实是作的临时打算。让他搬到仓库边上的两间小平房去暂住一时。把那单元重新粉刷修整了一遍。原说是让委员家搬进来。后来到委员家一看，她那个家里没几样漂亮东西。那怎么行呢？于是市里批了条子，所有部门都为这档子外事活动开绿灯。于是从家具店运来了新家具，从床上用品商店运来了从被褥到床单，从枕头到枕巾……全套崭新的床上用品，又从百货大楼运来了各色各样的日用品……全弄好了，再把委员她们家请进去，让她们先"熟悉环境"，可她妈就头一个熟悉不起来，我跟她谈了多少次："大娘，客人来了，您给沏茶，茶盘在这儿，茶叶罐在这儿，这绿色的茶叶罐装的是绿茶，橘子色的茶叶罐里装的是花茶，红色的茶叶罐里装的是红茶……"她就总记不准。她闻了闻那花茶，问我："多少钱一两的呀？这么香！"我说："兴许是两块八一两的吧……"她眼睛瞪得有酒盅那么大，再跟她说别的，她就像听不懂了，走起路来，腾云驾雾似的……不过，那天外宾来了，她不小心打碎了一只盘子，她见盘子一碎，赶紧说："不碍的，不碍的，碎碎平安！"翻译赶紧翻译了过去："她说，打碎了一个修正主义王国，应该！应该的！"外宾听了高兴得又拍巴掌，又竖大拇哥……

我知道。表姐她们自己可真没打算就在那楼里住下去。我姨还是留恋原来那个家。可市里做出决定，为了外事活动的需要，表姐她们应当就在那儿住下去。原来的家也保留。群众私下里当然有议论。搬出去的那家人倒没漏出一句不满的话来。他们也是不敢说什么。有的话别人说了还只不过是落后。他们家要说了兴许就能定成个"现行反革命"。再说，表姐绝不是坏人，她心里也挺过意不去的。她去人家那儿看望过，还给人家送去过几回"样板戏"的戏票，位子都特别好，能坐在那样的位子上看"样板戏"，本身也是一种政治待遇，大家伙儿看见那家人能坐在那样的位子上看"样板戏"，也不再说为他们抱屈的话了，有一回我还听见有人说："他们不也捞着面子了吗？"

我知道。那时候派我给她当翻译。真难！她说的那些个话，反正外国人听不懂，水平再低，常识性错误再多，我全能给她兜着，最麻烦的是把外国人的话翻译给她。那时候来的外国人几乎都是"左派"，她是把他们看成"阶级兄弟"的。可"阶级兄弟"们除了跟她互致"无产阶级革命敬礼"，她实在难以找到共同语言。比如人家谈了句什么，我条件反射地译给她："正如贵国的孙逸仙所说……"她便会皱起眉头，打断我问："谁！什么神仙？"我只得告诉她："是孙中山先生。""孙什么？""孙中山。天安门，国庆节，纪念碑前头立着的大画像，那个……""啊，孙中山，孙中山就是孙中山，你说什么一个仙，我们不信神仙皇帝，世上没有救世主……"外国人见我俩对起话来了，莫名其妙，她挺有派头地望望外国人，又望望我，催促我说："你给他们翻呀！你翻呀，就说我批评你哩，我们共产党不信什么神仙！"你说我是该哭还是该笑？还有一回，外国人提到马可·波罗，我刚翻出这个名字。她就大声地说："菠萝好吃，中国也有菠萝，过去我们劳动人民吃不起……"陪同接见的全笑了，我也爽性笑起来……

我知道，她被任命为组织部门的负责人以后，我是她下头秘书班子里的。那已经是"文革"后期，开始给一些老干部落实政策。对于解放老干部，她一般是不加阻拦的。但有一回我把一份材料递给她，她却老不画个圈退给我。那时候解放一个老干部，最后得他们几个负责人全画了圈儿才行。一般总不缺她的圈儿，总是缺别的这个那个的圈儿，不知怎么搞的对那个老干部她吝啬起圈儿来了。结果直到粉碎"四人帮"那老干部也没能解放，并且没几天就去世了。粉碎"四人帮"以后，她还留职一段时间。后来改组了我们这个部门，大家揭发了不少"四人帮"阻挠解放老干部的罪行，自然也就牵扯到了她。大家都问，那样好的一位干部，为什么后来单剩下她坚决不同意解放？她脸儿涨得通红，最后"哇"的一声哭了，非常地失态，她解释说："是因为我不认识他那个名儿，我心里头犯腻，心想他们几个都有不给画圈的，我就这么一个不给画算个啥呢？我也不是打算死不给他画，我等着开会讨论的时候，人家先把他的名字念出来了，我再表态也不晚，谁知道后来咱们这儿竟不开会……"

这番解释激怒了不少人，都说她不老实，狡辩。有人问她："不认识那三个字，你查查字典不就知道了吗？"她说："也试着查过，可字典上的注音，我也念不准，我不会汉语拼音。"又问："那你不会问人吗？为什么不问秘书？"我这时候说了句："她是怕丢了面子。"我发现，她无意中对我凄然而感激地一瞥。那位没能享受到解放之乐的老干部，以及他的亲属们，实实在在地是在最后关头坏在了她的手上，仅仅因为组成那老干部姓名的三个字实在太怪！其中有一个字普通的字典还不收；几个月过去以后，我们又遇上，谈起这件事，她责备我说："你当时怎么就不主动告诉我那人姓什么叫什么呢？你递我材料的时候不说，向我要材料的时候为什么也不说呢？你总是说：'上回那份材料'，我存心问过：'哪份材料？'你也总不说出名儿，还只是说：'就是上回您正看《红灯记》画册时候我递给您的那份。'你怎么回事儿呢？"我就告诉她："其实当时我也不认识那三个字。"

我知道。她红了那么几年。后来她回厂了。她还住在那套迎接"明灯"的单元里。原来的住户如今搬进新楼的单元里了。当然她家住房还是比别的工人宽绰。因为她的发祥地——那两间平房也仍然属于她家。有一段时间人们总在背后用手指头戳她，倒不是骂她，恨她，踩她，而是向不知情的人说："看见了吗？就是她！当过大官哩！出过国哩！见过大世面哩！操过生杀大权哩！"后来，也就不戳了。再后来，见着她，不经人提醒，甚至也就想不起来她那几年里的那些个事来了。她后来嫁了个普通的技术员，那人最近升成了工程师，他们的孩子，快上小学了吧。

我知道。全知道。我们都知道。

1987 年

洗　手

这篇小说所写到的事情不是发生在上海。这一点很重要。这是我要郑重声明的一点。另外我还要不那么郑重地声明一点，就是这篇小说所写到的人物全都不是上海人，至少不是地地道道的上海人。这一点不那么重要，可我也得说。

言归正传。我忽然想洗手。当然是用水洗。目的自然是使其干净。

"你的手不是挺干净的吗？"

传来一个声音。又像男人的声音，又像女人的声音。又像老人的声音，又像青年人的声音。总之是一种中庸的声音。但很洪亮，很清晰，还带有回响。

可是我觉得我的手不干净。我相信自己的感觉。那訇的一声我没有听到，可是我跑出来的时候，那尸体还没有僵硬。我只不过在别人起草别人抄写别人张贴的长长的贴尽了一面墙又转个九十度贴到另一面墙还没完便又转个九十度贴到再一面墙的那份大字报的末尾的空白部分别人都已经签满了名字的地方找了个小小的地方的空隙颤颤巍巍地填上了自己那微不足道的名字。可是有訇的一声。然后有我挤在马蹄铁形的人群中左右都是发着炎夏恶臭汗气的嘴里喷着消化不良引出的秽气的其实心里也许同我一样惶悚或心里确实同我完全不一样地充塞着义愤或鬼知道心里在怎么想的男女所目睹的那一具还软绵绵的沾着黏稠紫红色液体的尸体。然后就有许多公开的批判和私下的议论。轻如鸿毛和不齿于人类的狗屎堆是使用得最多的并扩大胸腔以增阔共鸣箱猛颤声带以增强分贝值的两个语汇。而那只手表和那一堆零钱则是窃议得最多并引出许多嘴角歪斜眉毛扭曲鼻翅扇动眼皮乱眨种种张狂的事物。

不知道为什么我忽然想洗手。

在后来的平反追悼会上人们排成长长的一列很像那份大字报因为排了一行转九十度再排一行再转九十度仍是一行我也很像当年那个签名嵌塞在挤得满满的行列中颤颤巍巍地朝那遗孀以及遗孤伸出我微不足道的手去握住他们的手深致悼念之情。然后就有若干公开的文章和私下的议论。重如泰山和高风亮节是分配稿费额最多的八个字并且那八个字常随着印上它们的纸张包住一条活鱼或一斤傻子瓜子。而那只手表和那一堆零钱则依旧是人们窃议得最多并引出许多嘴角抽搐眉毛上扬鼻脊打皱睛珠圆睁种种张致的事物。

我忽然想洗手。因为刚走出灵堂他就对我说:"嘿,还不快去新街口,那儿的菜市场每天这时候来螃蟹!"而他同他勾肩搭背,亲热得就如同当年他同他各带一列敢死队把对方的"勤务组"砸得稀巴烂一样火火爆爆,而我自己也才深切地意识到浮动在我思维之河中的那只大舟自始自终载的是这样一个问题:"我那辆新买的凤凰车该不会被人撬了锁吧?"我急匆匆走到存放自行车的地方,我的车没有丢,这是桩天大的事,它没有被撬。如果訇的一声,我其实也会主要惦念这一条:我的东西丢了没有?最最最最最最最最最最最最最最最重要是我的东西不能丢,如果訇的一声,我也还是会这样么?所以,我忽然有点想洗手。

在沙龙的"派对"上我饱受嘲笑。双下巴的主人递我一杯兑了冰水的"人头马"并拍着我的肩膀说:"你心里是些什么逻辑?你以为我们都是肤浅之辈,把事情都往四个上海人——其实女的那位算不上上海人——身上一推,就心安理得了?心安理得完全不必那么个路数。你该知道各人有各人的命运。各民族有各民族的命运。冥冥中自有主宰。"然后他就对我,对"派对"中的众位,讲起了那訇的一声掉下去的那个东西的命运。那家伙实在是很霸道的。他的那些著作其实有一大半根本不是他写的,而是他的助手帮他写的,开头助手写了他还看看改改,后来爽性只坐在沙发上闭目听听发发指示甚至没有具体指示只有哼哼哈哈,他在訇的一声以前写得最多的其实只是他自己的名字,而他签名签得太多了以后他那签名让没见过的人见了任谁也猜不出是几个什么中国字。所以他訇的一声主要是由于他的心理崩溃。而他的心理崩溃实在是咎由自取的成分居多。双下巴没有讲完就被人频频打断。他终于讲完以后几个人立时把他拉到一边。并且高级音响立即奏起了维瓦尔蒂的《四季》。是从半当间奏起，已经到了"夏"。人们懒得再来嘲笑我的洗手欲。我得感谢双下巴主人，毕竟他还针对我的冲动作出了正式的反应。我呷着"人头马"发愣。其实我早知道双下巴讲的一切。那份贴满了一面墙再转九十度又贴满了一面墙再转九十度还几乎贴满了一面墙的我也签上过名的大字报上就有他讲的这些内容。我很惊奇我听到双下巴讲到这些内容时所产生的新鲜感。可是我还是想洗手。

我走到卫生间里。我拧开洗手池的水龙头，洗手。可是我觉得水龙头里流出来的水还没有我的手本身干净。我拍打水龙头。水龙忽然活动起来。先伸长了脖颈，然而自己灵巧地一甩，给自己打了一个结儿。我再怎么拧开关也无济于事，连我认为不洁的水也流不出来了。我照镜子。洗手池上方的镜子映出了我的脸。我的脸似乎太干净了，亮亮光光的，像是用砂纸打磨过。我忽然发现我身边的人似乎都有一张同我相似的十分十分洁静的脸，可是我们还热衷于洗脸。我们忌讳洗手。我忽然觉得我的脸其实倒不必这么亮亮光光的。我用手沿着洗手池中的剩水往脸上抹。我再照镜子，镜子却扭动着，调整着它的表面，或微凸或微凹或微微波动，因此我无论怎样细照，我的脸永远是亮亮光光的，并且十分美丽。我注意到镜子下面有MADE IN CHINA字样。可爱的镜子。可恨的管子。然而我还想洗手。

当我搂着我的恋人的时候，我心里头千不该万不该又飘过了洗手的念头。她不要听关于訇的一声的事。确实对那件事我讲得也实在未免多了点儿。可我这回想洗手倒并不是因为那訇的一声。我下午才在电视摄像机镜头前被碳精灯照得光亮亮明晃晃来着。晚上这个城市家家户户的电视机荧光屏上都将出现我的特写镜头，人们一般总是在吃晚餐的时候看这种特写镜头，人们的嘴巴咀嚼着，而我在特写镜头里嘴巴翕动着，电视广播员将代我发出那义正辞严的声音。我向恋人预告了这个节目。我的特写镜头也许将持续两至四秒。这是个不得了的待遇。就是到中国来进行国事访问的总统或国王，一般也只给四秒的特写，这是有规定的。我又希望同恋人一起看那荧光屏上的特写，又充满了洗手的欲望。我的心被分裂的地球切成两半。我想洗手是因为我知道我对着电视摄像机时我脑子里充塞着最正确最堂皇最了不起的也最要紧的东西。那就是好比那訇的一声他本是很霸道很糟糕的他有他的不可逆的命运而且各个民族有各个民族谁也驾驭不了的命运而且唯有维瓦尔蒂的《四季》或梵高的《向日葵》那样的东西才是至高无上的值得维护的再说散了会以后我那辆取代凤凰自行车的铃木摩托该不会被人盗走那才是最最最最最最最最最最最最最最最最要紧的事再说与其让别人在镜头前来说不如让我来说我再不说谁还能说唯我来说才分寸适当才有最佳效果这与訇的一声毫无关系而且谁以为有关系谁就有问题当然我也不是说要找谁的问题但其实我是怕失去了比铃木摩托更要紧的东西那东西我一时说不出口来但不久恋人哪你就能知晓就能理解……可到头来我还是有点想洗手。

在美国芝加哥我遇上了那个小伙子。他告诉我，他是在"你爸訇——訇"的嘲笑中长大的。他对他爸的感情，原来究竟如何，他竟回想不清，但自从"革委会"把他找去，将他爸留给他的那只手表和那堆零钱交给他时，他才突然感受到一种无可形容的伟大的父爱。他妈那时也被隔离审查，不过没有訇的一声。他将那只手表从腕上褪下来给我看了，是一只已显得相当陈旧的"欧米茄"。至于那零钱，他告诉我只有柒块玖角肆分，不够买一只像样的骨灰盒，现在被他妈存在一只景泰蓝匣子里，连同他爸的几本著作。我立即想到其实那著作里有一半并非出自他爸的手笔，有的他爸甚至在付印前仅只是坐在沙发上跷着二郎腿闭着眼睛听助手朗诵过并仅只是发出了一些哼哼哈哈的声音。我望着那小伙子。他嘴唇翕动着我却全然不知他还在说些什么。我对他很失望。我原本以为他可以给我个哪怕是并不一定灵光的线索帮我为急待来美国留学的恋人找到个经济担保人。这才知他其实是个穷光蛋并且完全还没有开出一条路来。他戴着他爸留给他的那块表多半还并不是为了纪念他爸而是除了最蹩脚的电子表以外他还买不起任何一块新的机械表更遑论新的"欧米茄""你爸訇——訇"其实也算不了什么嘲弄。美国这地方不是几乎天天訇的一声从高处跌下来么？而且美国有的是摩天楼，那訇的一声要气派多了，双下巴的沙龙主人说得极了，各人有各人的命运，各民族有各民族的命运，冥冥中自有主宰。不过不知为什么我心里头总抹不掉我在那贴满一面墙拐九十度再贴满一面墙又拐九十度继续贴下去快贴满另一面墙的那份大字报上所签下的那个微不足道的名字？真是的，那算得了什么呢？我不是还在另外的大字报上也签过名吗？我还在批判会上举过我的拳头，振动过我的声带，扩大过我的胸部共鸣箱，并且我还在外调材料上如实证明过某某老同学崇拜托尔斯泰是个地地道道的封资修吹捧者另一位共过事的人与他的地主婆母亲划不清界限为那地主婆祝寿时还请我在他家吃过寿面，这自然都算不了什么，但就是在这美国的芝加哥，前天夜里做梦，梦见那总跟我摽着颈儿的矬子，我幻想着他终于被押上了"历史的审判台"，我眼前像银幕上猛然变焦距从全景推成大特写似的，出现了登出批判他罪行的报纸头版大标题，又出现了他惶惶然从领奖台上被揪下来的狼狈相，随即，又有訇的一声，并且又有一具软绵绵的并不僵硬的尸体，以及一摊黏黏的紫红色液体……而最过瘾的是我忽然成了双下巴，并且在我的沙龙中充当主人，我为无知的年轻朋友兑好一杯加冰水的"人头马"，递给他并拍拍他的肩膀，然后我轻声曼语地告诉他，以及沙龙中的其他朋友，那矬子所写的作品中，很有几篇是模仿维吉尼亚·伍尔芙的！……然而那小伙子翕动的嘴唇里逸出的声音又渐次飘进了我的耳中并清晰起来："奇怪的是在这儿，在远离国内的这个芝加哥的华人圈子里，我反而更深刻地理解了我爸訇的一声结束一切的心理……"我愣愣地望着他。他不能给我恋人找经济担保人他不愿意把给他做经济担保人的名字身份地址告诉我他戴着他爸的那块表其实多半只是出于穷酸，但我忽然想洗手。

我的恋人离我而去了。我痛苦我寂寞我空虚我虚无我颓废我颓唐我愤懑我要爆炸可我没爆炸我反归于沉寂归于宁静归于淡泊归于原始。

我开始平心静气地琢磨洗手的事儿。一个人洗还不行。需要大家都来洗。我敢说凡活下来的人手都是不干净的。也许正因为反正任谁的手也不能彻底干净所以大家就都用不着洗手。那么谁爱说谁说吧。但这绝对不行。你洗手，不是在讥讽我们的手不干净吗？你的手其实是干净的，同大家一样。手不干净的都死了，或关进监狱了，或倒台了，或安放在不寻常的地方了。你来带头洗手是最滑稽不过的。首先你没有那个资格。你算老几？其次你洗手只能证明你是隐藏在干净人中的污浊者。

再说，洗手根本进入不了审美层次。梵高就不洗手。毕加索洗手吗？诺贝尔文学奖颁奖原则里没有洗手这一条。对中国作家评不评得上诺贝尔文学奖有着最高发言权的瑞典皇家科学院汉学家马悦然博士对洗手没有兴趣也不可能有兴趣，你洗手不是白洗吗？而且洗手是最容易不过的事，毫无技巧可言，毫无形式美，属 ABC 之类，你洗最好到幼稚园去洗。另外，你也该懂得，世上本无干净的手，脏手是必然的，因此脏是手的本质，所以你洗手是最蠢不过的想法，你能把你的本质洗掉吗？除非訇的一声，不过訇的一声也没有用，双下巴的沙龙主人就告诉了你，完全是事实，訇的一声那主儿连脚带手都是不干净的。人的手是一辈子也洗不干净的。可我这是怎么了？天哪！我就是摆脱不了洗手的欲望。

那个城的中心有一片湖很明净的一片湖倒映着四周景物很幽雅的一片湖我印象很深刻并且当我刚刚走近它旁边时我不由得快乐地叫了一声："嘀！"

可是当人们问我到过那个城没有我说没有他们告诉我那个城中心有一片湖很有趣的湖可以把四周很有特点的房屋倒映在水中可以给我很深刻的印象这时候我就装成很惊讶的样子发出一声："嘀！"

我明明去过那个城见过那个湖却不承认去过见过，因为我在那个城的时间是1975 年我去的目的是进行外调外调的对象是眼下很红很紫很了不起并且也是我的同行还可以算是我的朋友的那么一个你大概也认识的人物，最要命的是我明明知道他无辜明明知道不该进行那样的外调明明知道那是故意整他并且我心里头也同情邓小平厌恶江青我私下里也传过"政治谣言"也学过江青的做派并逗得最信得过的朋友们在拉紧了窗帘的屋子里捂住嘴笑，但是我还是很看重那次的任务很感激领导班子对我的信任很愿意在那个时候入党并且我也确实是在完成那次外调任务回来以后就入了党我的入党志愿书上写着我要坚持无产阶级专政下继续革命要同还在走的走资派血战到底我点了邓小平的名我自作多情地写上了要一辈子向江青学习我的入党申请书至今仍然有效而且我要告诉你在 1984 年的整党当中我不仅算毫无问题的人我还参加了审查"三种人"的专案组因为我们那儿的领导班子总是喜欢我的忠厚老实与甘随人后，但现在单位里绝大多数人都调换了，领导调换了同事也大多调换了，看传达室的老头也调换了，所以如果有人问我去过那个城看过那个湖没有，我就说没有，并且当别人对我形容那个湖如何如何时我就微微张开嘴巴说："嗬！"

这真是算不得什么。我跟我恋人不是从前的恋人现在得说是恋过的那个人说过这桩事，她都懒得听完她说我是神经病，她并不问也并不关心我去过那个城看过那个湖没有。有一回我实在想洗手，我见到了那个被我外调过的眼下很红很紫很了不起并且也是我的同行还可以算是我的朋友的那么一个你大概也认识的人物，我凑拢他身边脸上热辣辣地对他说我去过那个城见过那个湖因为我曾被派去进行过先有结论后凑材料的外调，他没等我说完就脸儿飞红眼儿忽闪哼哼几声便装作有要事得找别人商量离我而去，我觉得水池子上的水管又先伸长脖颈再灵活地一甩然后自己打了一个结儿，我于是陷入最大的苦闷之中，然后不久我就从别人那里知道。在他那回被隔离审查的过程当中他当然是被迫而确实是写下了若干揭发别人的材料，于是引出了更多的外调，使更多像我一样的人见到了从前没见过的城没见过的湖没见过的江河没见过的海洋没见过的山脉没去过的名胜。

现在我仍经常和那朋友出席宴会参加座谈并常常是同外宾在一起同台湾同胞在一起我们谈易谈禅谈马斯洛谈布德罗斯基谈紊乱学谈气功疗法，我们常常一同去饭店或餐厅的厕所并排站在白瓷的搁有消臭剂的小便器前排尿，然而我们却不能一起洗手，每当我要洗手的时候，那水龙头就先伸长脖颈然后灵活地一甩自己打上一个结儿，他呢大概根本不走近洗手池，我们就那么过得挺自在的并且会越来越自在。可是天哪，我怎么搞的呢？最最要命的是我怎么那么神经质那么精神失常那么反动透顶，我总想总想总想洗洗手。

这当然是梦境是只有我这种心智不健全的人才有的梦境。我接到一个通知让我参加一个新的会议非常非常非常重要并且也非常非常非常正确的会议，会议将宣布一个我们都熟悉都清楚的人物的罪状，并发动我们揭发批判他的罪恶，因为这关系到天也关系到地关系到宇宙也关系到人类前途。我将参加。我将发言。我将不参加。我将不发言。反正无论我参加不参加发言不发言，我总是问心无愧的。因为那家伙确实有若干令人讨厌的地方。因为这类事与我无关。因为反正我一个人也改变不了

事物运行的基本走向。因为这类事无论从哪个角度看都是可笑的。因为我不愿意耽
搁工夫。因为我只做美的奴隶。因为我压根儿就不承认这个梦境。但最最要命的是
我明明知道他并无那样的罪孽。我明明知道。如果訇的一声，我会怎样呢？我要责
怪他脆弱，嘲笑他怯懦，叹息人各有命，感慨世道无常，并且我也许会欣赏他跌落
时所形成的抛物线的优美，因为对我来说这世界的一切都是形式而已，对于一种优
美的轨迹优美的定音鼓般的音响优美的横陈方式优美的浓稠的液体优美的带着海风
般腥味的气息我不能不进行冷静的审美并达于物我两忘的境地。不过这个梦最精彩
的部分并不在这里，而在我接到那开会通知以后其实心底最最关心的是这回究竟都
有谁接到了这个通知我希望谁没接到这个通知我猜轮不到谁有这个通知。这当然是
一个荒唐透顶的梦拙劣的梦无聊的梦不该有的梦。然而其实我并没有做梦我只是非
常非常非常非常非常非常非常非常非常非常非常想洗手。

1988 年

缺 货

他走到卖牙膏牙刷的柜台，看了一下玻璃柜里的几种牙刷，便招呼："小姐！买牙刷，这一种。"说着并用手指戳着。

售货小姐板着脸过来，回应他说："你要几支？"说着便拿笔要给他开票。

"对不起，我想挑一支。"

"先去交款！"售货小姐飞快地开好票，撕下来扔在玻璃柜上。

"对不起，我想先看一下……"

"看什么？都一样！你买不买？买，交款去！"售货小姐睁圆了眼睛。

"啊！"他对售货员小姐莞尔一笑，"真对不起！瞧，我让您生气了，真糟糕……"售货小姐的眼睛睁得更圆。

"瞧，您生我这么大的气，您干吗要生气呢？……"

售货小姐两眼翻上去，迅即变成两枚白果，又迅即回落，嘴里哼着一句什么，扭身走了，到柜台另一端去，那里有位男售货员在应付顾客。

他追了过去，盯住那位售货小姐说："您怎么还生我的气呢？我犯了错误！居然想让您把牙刷拿出来让我挑一下，瞧，您还在生气，还不能原谅我的错误……"

售货小姐满脸怒容。

那位男售货员——好像现在还没有顾客称他们为"先生"，仍旧"同志"、"师傅"地称呼着，或省略称呼而凑上去直接对话——莫名其妙地望望他，再望望她，又望着他。

"怎么回事？"男售货员暂停应付原来的顾客，问他，"你要干吗？"

"我想买牙刷，"他柔声柔气地说，"可我犯错误了——我想先挑一下，就是说先不去交款，先挑……"

"我们这儿的规矩是先交款，交完款把回条拿来，就让你挑。"男售货员向他解释。

"是呀，你看，我不懂规矩，得罪这位小姐了，她还在生我的气哪！这可糟糕啦！……"

男售货员脸上木住一个困惑不解的表情，他摆摆手说："好啦！好啦！我给你拿吧！买牙刷是吧？你要先挑就先挑吧！"

他却并不打算跟那男售货员往摆放牙刷的那一截柜台移动，而是搓着双手，对那确实依然在生气的售货小姐说："小姐！您别生气了好吗？我向您道歉！真糟糕，我到这儿来买牙刷，却惹得您生了这么大的气！我真不应该！……"

"你这人！你买不买？"男售货员生气了，"你怎么回事？"

原来由男售货员接待的一位中年妇女，一对走过来不久的年轻情侣，以及几个从那柜台边走过驻足观望的顾客，都惊讶地望着这一幕。

"我只是想向这位小姐道歉！"

"道什么歉？！你不是买牙刷吗？"

"可是我让她生气了……"

"你究竟要干吗？"

"我希望得到她的原谅！"

"你买不买？不买别耽误别人！"

可那几个"别人"却只是好奇地观望。搁在别的情况下，他们或许会介入，要么支持他，一起埋怨售货员服务态度不好，或埋怨"先开票交款再挑选"的规定；要么呼应男售货员，请他："快点！该买什么买什么！别耽误别人工夫！"又增加了几个"别人"，却都出乎柜台里那男售员的意料，他们对目睹的这一幕，竟全采取了彻底的"壁上观"态度，有几位脸上浮出下意识驱动出的笑纹，然而浅浅的，显然，除了他，这柜台内外的一群人此刻头脑中都没有"形而上"。

他原本真是要买牙刷，一个潜伏的人际互动逻辑使他面临这样一个困境，他忽然决心要作一个试验，看究竟要费多大工夫和多大努力，才能冲决这一困境。

"小姐！"他目光直射柜台里那位售货小姐，但用的是一种绝对善意的目光，并且配合以蔼然的近乎恳求的声调，"您别生气了，好吗？都是我不对，我向您道歉！"

不到一秒钟时间里，他心里飘过一连串"可能画面"：

"扑哧"一笑："你这人，真逗！"

捧腹大笑："今天我可遇上怪物了！"

摇一摇秀发："好啦好啦！原谅你原谅你！恕你无罪！"

一跺脚："行啦行啦！你不就是为了逼我承认服务态度不好吗？嘿！我还就不承认！先交款后挑货的规定又不是我订的！就是你错！我就生你气！就不原谅！"

却都不"可能"！那售货小姐恨他一眼，一转身，朝陈列商品的货架当中一处有帘子的地方，一掀帘子，倩影顿消。

"糟糕糟糕！"他似乎是自言自语，周围的人却都听见他说，"事情闹大了！她就不原谅，我只好去'自首'！"

他果真去"自首"。

那是一家大型百货商场，有四层楼都营业，各层之间有电动滚梯相通，但只有向上时滚梯在动，向下的滚梯一律停开。他是在底层"犯错误"的，所以先去寻找底层的值班经理，绕来绕去，终于在卖搪瓷用品的柜台边找到了"值班经理席"，那里坐着一位四十多岁的妇女，显然，她是一楼货区的经理之一。

"您有什么事？"值班经理主动问他。表情很丰富。显然，打算为他解决一切问题，并且不怕他对售货员的服务态度提出最尖锐的批评，而对商品质量的意见，也乐于记录下来迅速转给有关厂家。

"是这样，我犯错误了，"他开始叙述，这种叙述方式她还不曾听到过，特别令她惊异的是全部叙述导致了这样一个结论和这样一个请求，"我因为不懂贵商场的规矩，使那位售货小姐生了气，这令我心里非常难过，真的！我现在只希望您帮助我，得到一个向那位小姐道歉、并得到她原谅的机会！可是她气得躲进货架后面去了……"

　　值班经理听完他的叙述，脸上丰富的表情变得混沌起来，混沌一阵之后归于单纯——是单纯的严肃，她对他说："什么道歉？哪有顾客向售货员道歉的？她服务态度不好，我们可以批评教育，怎么叫请她原谅？您不就是想买牙刷吗？走，我帮您解决问题！"

　　值班经理说着朝卖牙刷的柜台走去，他跟了过去。柜台里只有那位男售货员，值班经理嘴里呼出了那位售货小姐的名字，问那男售货员："……在哪儿呢？"男售货员说："不知道呀！"他心里很钦佩男售货员对同事的维护，他的目的并不是要引来值班经理对他们进行"批评教育"，更不希望引出影响他们奖金的后果，他企盼的是……

　　值班经理向那男售货员交代说："把各种牙刷都拿出来一些，请这位同志挑选，选好了再开票交款！"

　　男售货员就要照办，他却对值班经理说："买牙刷事小，今天不买也行！可我让商场的一位小姐生了气，这问题没个圆满解决，让我心里怎么过得去？"

　　他望着值班经理。这时已有一些顾客围聚了过来。他企盼着、企盼着——

　　或者脸上的表情又丰富起来，拍下手说："行呀行呀，我就代表她，代表敝商场，接受您的道歉，并给您一个最大最大的原谅，好吧？"

　　或者把潜在的狂笑使劲收敛成一个绷得要爆开的超级严肃——"我们这位小姐怕是一时难以原谅您哩！这样吧，您留下一份书面检查，并留下地址，我们一定说动她，过两天给您寄去原谅信！"

　　……

　　却都未能盼来。那值班经理忍住气，口气僵硬地对他说："顾客就是我们的上帝！我们哪能让顾客道歉！您要买什么尽管买什么，售货员服务态度不好我们可以批评教育……"

　　他和值班经理都朝围聚的顾客望去，值班经理希望有顾客站出来指责他"无理取闹"（她是不便批评他的，尽管她心里怀疑他"别有用心"，或者是有"神经病"），他呢？他希望他们当中哪怕有一位，笑出声来说：

"干吗这样？像要进行柔道表演似的？……"

然而周围的人们脸上都只有一种淡淡的惊诧。"上帝"们一反常态，不介入。他也是一位"上帝"，可他没有道歉和请求原谅的权利……

"您要买牙刷我帮您落实，您那个什么什么道歉、原谅……用不着！我们有个别服务员态度不好，我代表商场向你道歉，请你原谅！行了吧，请您自便吧！"值班经理说完这些话，挺直腰板走开了。围聚的人们也就都随即散开。他希望听到哪怕是一声因这一切而发出的笑，却怎么也捕捉不到。商场里只有许多"上帝"的脚步声与话语声混合而成的"嗡嗡嗡"，他突然感到深深的寂寞。

他乘滚梯上到了四楼，然后找到一个步行楼梯口，那里竖着一块大牌子："顾客请您止步。"他没有止步，他决心去找总经理。

有人拦住他，盘问他，拒绝他，劝阻他，然而他终于还是进入了总经理办公室，那里面只有一个年轻的女子，有着额上部分高高朝一侧抛起的时髦发型，她一见到他便弹起眉毛问："您哪儿的？怎么跑这儿来了？"

"我找您——总经理同志！"他明明估量出她并不是总经理，大概是总经理的秘书，大概正式职称还不是秘书，但大概总是那一类的角色，他想也好，大概在她这里能找到他所企盼的那种东西，哪怕一点点也好，于是他对她说："您问我哪儿的？我来自天堂，因为我是上帝，上帝难道还没有到处走动的自由吗？"

她弹起的眉毛没有落下，而且几乎直竖起来，立即作出判断说："你有精神病吧？你怎么跑这儿来了？你出去！"

"啊，我没精神病，真的！我只不过是想找总经理本人谈一谈……"

"总经理不在！到公司开会去了！"

"啊，小姐，真遗憾，那么，我就跟您谈谈也行……"

"甭跟我谈！跟我谈什么！"

"谈谈有什么关系，比如说，谈谈电影——"

他进门时瞥见，这位小姐正坐在一把转椅上翻着《大众电影》。

他几乎是热切地企盼着——

或者，笑得仰起脖子："好呀好呀！你这人眼真尖！就谈电影吧！不过你先得跟我交代清楚，你究竟是谁？是不是抢我们商场的贼探子？……"

或者，好奇地歪着头，盯住他问："你好滑稽！到底怎么回事？你在下头买东西究竟发生了什么纠纷，值得闯到这儿来？你认为总经理是万能的吗？……"

或者……

却只听见"砰"的一声，那女子把办公室门拉开，朝走廊里一处什么地方喊了起来——她在喊一位副总经理，而那位胖胖的、一头花白头发的副总经理也就闻声而至。

"这人不走。非要谈谈。"她这样把他介绍给副总经理，然后就不再理他，坐到转椅上去——不再翻看《大众电影》，那本杂志已搁入抽屉——仿佛弄起了一份什么报表来。

副总经理就坐到总经理的那张大办公桌后面的大转椅上去，客气地请他坐到面对大办公桌的一把沙发椅上，还递过一支烟给他，他说从不抽烟，副总经理便自己点燃了一支，请他"有什么话直说，我们希望倾听一切方面的各种意见"。

他便用那样一种叙述逻辑和叙述文体讲了一遍，他如何"犯了错误"，如何为"使一位小姐那么生气"而"心中不安"，并再次提出希望"那位小姐"能接受他的"道歉"，对他说声"原谅"。

副总经理一副"久经沙场"的面孔，并不以这一回听到的"枪炮声"怪异而增添新的表情，听完他的叙述和请求，副总经理弹弹烟灰说："这位同志，您的意见我听明白了——您是对我们商场制订的'先开票交款，再挑选货物'的规矩不理解。这也难怪。我愿意耐心地给你解释一下：近一年来，商场里常发生顾客挑选完东西，不付款就拿走的事！一般的商品也就算了，比如牙刷，别说拿走一支，拿走一打也没多少损失，可我们四楼的皮货部，几千块一件的裘皮大衣，就愣让人不付款穿走了两件！如今客流量这么大，我们也不能一味责备售货员眼神迟慢。反过来，这两年商场里也发现不少售货员贪污的事，嘿，这就反过来了，卖裘皮大衣的倒难贪污，卖小商品的，像香皂牙膏，牙刷牙签什么的，原来都是在柜台中交现款付现货，可小商品周转量大，不到一月一季，谁能过细盘货？就有个别售货员悄悄从钱柜里抽出几大张来，偷藏起来……盘货时候就是发现亏空，也查不清楚……"

他感谢副总经理向他解释这一切："但是，说真的，我倒不是对贵商场的这个规定有多大意见，我只是希望——"

"希望服务态度好一点对吧？"副总经理点着头说，"我们也在花大力气抓服务态度，难哪！"

他却执拗地说："服务态度有时不好，这也难免——谁都有心里郁闷的时候，面对着陌生的'上帝'，一定要她现出微笑，那确实过于苛刻……我只是希望，在发生了碰撞以后，像我这样，'上帝'道歉时，她能……而且，您也能，大家都能……"

副总经理耸起眉毛，警惕地望着他，捏住的烟头几乎烫了手指……

他一瞥那位坐在一侧的"秘书小姐"，绝无任何呼应，扭过头来看他一眼也好！低下头"扑哧"一声笑也好！转过身去冷眼观察副总经理的表情也好！……不好！她只给他一个凛然的背影，一动不动！

……他从四楼下到三楼，下到二楼，下到一楼，他想再到那卖牙膏牙刷的柜台去弯一下，却终于没有去。

商场里货架上堆满琳琅满目的花花绿绿的商品，顾客"上帝"们熙来攘往，"嗡嗡嗡嗡"的混合音响持续不绝，他从稠密的"上帝"群中挤出了商场大门，当他快步走到相对比较安静的人行道上时，他像弹玻璃弹子般地弹了自己鼻子一下，哈哈大笑地对自己说："现在不是'上帝'了！你这家伙，干得好事啊！"

1991 年

歌星和我

　　本来题目叫《我和歌星》，扯了，揉了，扔字纸篓了；现在另用一张稿纸写，改题目叫《歌星和我》。因为忽然想起来，几十年前有个人写了篇文章，叫《志摩和我》，而不叫《我和志摩》。学他的聪敏劲儿。

　　是在遥远的海南岛，海口市，我"打的"，从 A 处到 B 处，一路上司机放带子，音量调得非常之大，是一位女歌星的金曲。我不堪其扰，便请司机将音量调小，司机颇不解，但服务态度尚佳，把音量调小了，却问我："你北京来的，你可有机会见到她？"

　　我应声答曰："当然！"

　　司机问："听过她的音乐会？坐前排？"

　　我干脆利落地告诉他，"不。我没听她唱过歌。可能我跟她是邻居，住一个楼，从一个门进去，我三楼，她四楼。"

　　司机大吃一惊，以至汽车几乎来了个 S 形行驶："真的？"

　　"有什么真假！"我泛泛地告诉他，"我们共用一个垃圾倾倒口，有时候端着簸箕在那儿见面！"

　　"她也倒垃圾？"司机眉毛弹了上去。

　　我心想，她还坐马桶哩！不过没说。

　　司机说他最崇拜她。要能亲眼见她一回就好了。她怎么不到海南岛来演出？问我能不能帮他要盘她的磁带，亲笔签名的，要他付多少钱都行，等等等等。

我哼哼哈哈地应付了过去。

那还是好几年前，歌星还没像柳絮般地满天飞成大绒团，飘得到处都是，连不喜欢他们的地方也荡进去。那时候还把他们唱的东西叫做"时代曲"，是香港词儿，同"写字楼"（办公楼）、"行公司"（逛商场）一样，听上去挺那个的。

那位红极一时的歌星确实同我住邻居。我知道她，她自然也知道我。我们几乎不来往，但难免在楼梯上，楼门口打照面，她就朝我笑笑，我也朝她笑笑。

我们俩的笑容自然都不好看。

在她那面，是冷笑中藏着怜悯，她知道我们弄文字的风险大，收益少，除了徒有个虚名儿，实际穷酸不堪。小说里也写到些个什么西餐大菜鸡尾酒什么的，却连马克西姆餐厅也并没有进去过，高档特味鸡尾酒从未沾过唇，所以她每遇上我一回，大概总不免心中纳闷：此人一天到晚疯疯癫癫地爬格子，究竟乐趣何在？

在我这面，一见她便也展现一个笑颜，自然比她的笑更冷，是冷笑中间露出鄙夷，她那个也算艺术？修养何在？凭低下的时尚暴富，何可羡慕？我每遇上她一回，心中总不免嘀咕：这样的无聊生涯，她何以能觉得津津有味？

那时候她还没去过海南岛，因为海南岛那时候还没建省，还没成为特区，可她很早就去过深圳，深圳一成为特区她就去唱过，结果弄了一整套最新潮的家具回来，竟有深圳的汽车深圳的司机不远几千里地把那些家具一直送到我们楼门前。现在北京新潮家具已然泛滥成灾，几乎所有的体育馆不比赛的时候全成了家具展销场所，什么香港宝丽板、美国柚木一类用料已不稀罕，样式也愈演愈奇。可几年前远不是这样，几年前要最新潮的就得用歌星那个办法。可实在也没几个人行得起那个办法。

歌星的居室自然布置得堂皇富丽。一时成为同楼邻居们的谈资，一些好事者还能借个口实跑进去"开开眼"，我则绝无那多余的兴趣。有一回在楼梯上遇见了歌星，她从下面上来，我从上面要下去，她浑身散发出一种令我难以容忍的香水味，满脸不快，我本能地问她："怎么啦？"

"咳！"她挥挥手，手指上的钻戒闪过一道光，真心实意地叹息说："烦都烦死了！

非要卖我一块地毯，3万块，挑来挑去没块像样子的！"

谁非要卖她？什么地毯？3万块钱？！3万块的还不像样？！

不得要领。我俩错肩而过。

后来果然有人给她送来一块地毯。卷起来像大炮筒似的；后来有一天我从楼前走过，偶然一抬头，望到她的阳台，见那"大炮筒"随随便便地竖在一角，显然她果真不入眼，执意不铺；再后来有一天大雨，我打伞从马路那边过来，又偶然一抬头，见雨丝全扑打到她阳台的那"大炮筒"上了，我本能地想，怕值不到3万了！更后来她的阳台用铝合金拉窗全封闭了，一水的茶色玻璃，"大炮筒"已不知捐躯何处。

那几年里还限制私人买小轿车。也许已经允许买小甲壳虫似的"菲亚特"，以及机关企业的旧"丰田"旧"上海"什么的，她大概都瞧不上，同那3万块钱的地毯一样，"烦都烦死了"。因此暂时还是叫出租车，还能叫得来。我在最必要时也打电话叫过。叫起来难度比较大。最好的服务态度也不过是让我"等一会儿再打电话来试试"。歌星不然。她电话一打过去，人家马上听出她的声音，于是司机都争先恐后地要为她效力。有一天我就见楼下风驰电掣地开来了3辆出租车，3位司机跳出车吵骂着，意思是自己先来的，应由自己送歌星。歌星出得楼门，裙衫飘飘，一副"烦都烦死了"的神态，只见她摆摆手说："好了好了，别吵了别吵了，都算都算……"说着打开鳄鱼皮小包抻出一叠钞票递给其中一位，转瞬抻出一叠钞票递给另一位，一眨眼工夫再抽出一叠钞票递给第三位，然后也不挑拣，顺手打开其中一辆的车门，钻了进去，那辆车开动了，其余两辆车竟也尾随而去……我从三楼隔窗望见的这一幕，几令我颜面匝肌冷笑到发酸的地步。

有一天我拿着存折去储蓄所取钱。那时候我已经颇有点名气，挣了些稿费，存折上有好几千的数字，所以去储蓄所时难免人模狗样的，大有"功夫不负苦心人"的气概。储蓄所就在马路对面不远，进得里面，发现正有一场争吵，定睛细看，柜台外的一方，竟是歌星。

只见歌星满脸溅朱，正气呼呼地对柜台里的营业员们说："……你们没有道理让我明天再来！存取自由，这是你们银行自己定的规矩嘛！这笔钱我今天就要用，等不到明天，你们就该今天付给我！……"

我一听，本能地同情歌星。因为我也是要那天取钱那天用，耽误不得的。歌星有存折，按正式手续提款，在营业时间里，营业员们确实不该把付款时间推至第二天。这些营业员们，难道认不出歌星来吗？何以态度如此不好？为什么闹成僵局？

我头一回产生了与歌星同仇敌忾的情绪，抢上几步，正想与歌星结成"同一个战壕的战友"，却忽然感觉到有多束目光向我射来，那些目光全来自柜台外另外的取款人和存款人，他们在那个场合，完全都不站在歌星一边，并且以目光阻止着我的介入。

我冷静地一旁听，一打听，才明白了事情的原委，歌星取款自然有理，却不合情——她要提取的现款是 28 万元，而该储蓄所当天的流动资金仅 25 万元，当然也可以再为她专门去从分行取来 3 万元，但为清点这 28 万元款项，他们营业所的全体人员必得至少用一上午乃至一整天的时间来反复数——当时还没有 50 元和 100 元的大票，而 28 万元的钞票，一错便在万元、千元之间，他们如不清点多次，一旦多付，谁也补赔不起哩！而为她一个人服务，其他人的存款、取款都只好停止了！所以他们请她第二天再来，这样可以既不影响别人的存取，又可通知分行早做准备。

歌星与营业员们还在争吵，混乱中我只听营业员中的一声女高音："你少摆阔明星的臭架子！"以及歌星不唱歌时的一种"沙嘶劈哑"的呼叫："我告到你们行长那儿去！"

我悄然退出了储蓄所，徜徉在人行道上。是是非非且不说，我切肤地感到了自我的寒酸，衣兜里的存折真是轻若鸿毛，多少个奋笔疾书的夜晚，多少篇文章几多本书，辛辛苦苦兢兢业业谨谨慎慎精精细细爬了好几年格子，到头来不过尔尔，而人家歌星，一取就是 28 万！

从此我不愿再遇上歌星。都为与她为邻而感到羞耻了！说也怪，那以后好长时间确也再没遇上过她。

她仍继续走红。她是歌星中最早录磁带的，也是最早上电视的，并且也是最早被好事者以谣言包裹的，根据"远香近臭"的规律，越远离我们这个楼区，她的名气便越大，谣言便越多，什么她同一位影视男星情奔香港啦，她贩卖黄金被公安局逮捕啦，她被狗咬了得了狂犬病啦，等等。也是一条规律：对明星而言，谣言越多，便说明"追星族"越庞大；谣言是明星放射出的光芒的芒尖，一旦完全没有了谣言，也即是明星光芒的熄灭。

她红她的，阿弥陀佛，不关我事。

一日，我正伏案写作，忽然门铃"叮咚"作响，走过去开门，门外竟是歌星，令我大吃一惊。

这是她头一次来拜访我。

满脸"烦都烦死了"的表情。但这回不是为的 3 万块钱的地毯和 28 万的提存，也不是为的谣言。我知道歌星懂得不见诸文字的谣言无异于一种对她的爱。她为的是报纸上的一篇文章，那文章由某记者所写。标题是《哑巴何称歌星，木偶岂能有情》，所写的是她在外地一场演出中，用歌唱带谎称伴奏带，举着话筒只张嘴不出声，又减省了许多观众已在电视荧屏中熟悉的大幅度动作和丰富的表情，实为哑巴，形同木偶，敷衍塞责，不成体统，引起广大观众的无比愤慨。那是在当地一家体育馆演出，观众有 5000 之众，票价高达 10 元，场外"黄牛"炒至 30 元，整场演出她独得 1 万元，税款还由举办单位另行代付。我是不读则已，一读怒从中来。何物歌星，竟好意思上我门来找骂！

歌星却不等我发作，又将一摞稿纸塞入我手，原来她已写好一篇辩解文字，来请我代为改削。我逐行读去，居然文通字顺，并且怨而不怒，冷静剖白，说是她本是极不愿去的，一来身体不适（有医生证明），二来心情不好（老母病逝），推辞多次，而举办单位几乎是将她强行拉去；演出中，她绝无用演唱带偷换伴唱带之意，她是一概不管伴奏这类事的（无论乐队伴奏还是用伴奏带都由举办单位安排），是举办者错放了演唱带，她怕再唱形成交错音，才只好随声哼唱，而演出前在宾馆不巧扭了腰，所以不得不临时减少了表演动作，她是带病坚持上场哩！又所说她一人独得万元全无根据，她临回来时只得到一个 3000 元的红包，可到举办单位查证，云云，云云。

读完歌星的剖白，我倒不知如何是好了。清官难断"走穴"事，只好敷衍她一番。

　　隔些天那歌星的剖白竟也在那报纸上以"来函照登"形式刊出，再隔些天我回到家中，家人说歌星来过，给我留了一包东西，我冲过去看，是几盒磁带，顿时脸上发热，我可不要她唱的那些个金曲银曲！正像她绝不要我写的那些个小说散文一样！但细一辨认发现她送来的磁带只是理查德·克莱德曼的浪漫钢琴曲，还算知趣！我如要送她书自然不送自己写的，或者可送她一册《简·爱》之类。

　　不久之后歌星出国了。据说是在美国留学。难道美国有专门培养流行歌手的学校？她留哪门子学？不得而知。歌星自然是早已离婚，有个闺女法院判给她，她送给她妈去养，她妈病逝后由她姨妈代养，她出国后，她姨妈就同她闺女搬到了她那套堂皇富丽的住宅里住，她姨妈跟她长得挺像，她闺女却全然不像她。

　　眼不见为净，我渐次把歌星忘了。新的歌星如雨后蘑菇，比春笋冒得更快，我那邻居歌星也渐次被"追星族"淡忘了。

　　我也得到个出国机会，居然去的也是美国。我到了一个城市，正是歌星留学的地方。身在异国他乡，不禁产生了与歌星"一笑泯恩仇"的情绪，因此我开始打听歌星的消息，美国朋友都摇头，他们说从来没听说过这么一个名字，他们知道娜奥米和韦诺娜·贾德母女，知道多莉·帕顿、埃米卢·哈里斯、莲达·朗斯塔特，自然还有连我也知道的麦当娜，可他们都不知道该地还有一名中国歌星。我想这也难怪，我不是也绝不知道任何一位孟加拉或喀麦隆或特利尼达和多巴哥的歌星吗？那些国家一定也有歌星，并且一定也有他们的"追星族"，可是我不知道，也不想知道，最最要命的是我根本不想知道一丁点儿也不想知道懒得知道。后来我就向华裔人打听，奇怪的是不管是入了美国籍的或者是拿到了绿卡的还是签证过期滞留不归的抑或是短期停留的，他们也都不知道她没听说过她，可他们有的知道苏芮，有的知道梅艳芳，有的知道"红唇族"，并且全都知道邓丽君，可都弄不清她是谁，都问："她唱过什么？"到头来他们也并不想弄清楚她是谁她唱过什么。

　　而她明明就在那个城市留学。那个城市并不大。但她绝不为人所知，除非恰好遇到与她同在一处的同学或邻居，否则，在那个异域文化的汪洋大海中，你休想捞出她那根只在国内红得透亮的针来。

　　我在美国没见到她，并且到了她所在的城市竟也未能打听出她的一丝一毫踪迹，这很使她姨妈失望，她说早知道这样就该在我临走时把歌星的具体地址和电话捎给我，当时我绝不想要，同时，我和她一样，也误以为到了那个美国小城，三打听四打听也就能找到歌星，没曾想不尽然。歌星的闺女倒毫无反应，许是还小，也许是那小姑娘对她的母亲简直就没什么印象，歌星后来简直没怎么跟女儿亲近过。

　　一晃又是两三年，我搬家了，那歌星同我更不相关了。简直把她忘干净了。忽一日无聊，走在街上买了一张小报，报屁股上有篇报道，说是歌星从美国学成归国了，她拒绝了美国方面的高薪聘请，决意回国为本国观众演唱，爱国之心可嘉云云。我想这下她闺女总可同亲妈团聚了。

　　自从读过小报上的短文，下意识中总注意荧屏上有没有她露面，报纸演出广告中有没有她名字出现，乃至音像书店中有无她的盒带或唱片上市，竟杳无踪迹，而大报小报上也不再有续闻，偶然同爱听流行曲的人谈起，竟或说："她不是在美国留学吗？"或说："她么？她的歌还有人听么？现在要听就听潘美辰。"

　　歌星于我是不知所终。我想我于她亦然。

1991 年 6 月 20 日

青箬溪之恋

阿柑致阿杉

阿杉：

……今晚忽然忆起前年秋天，我们一同乘筏顺青箬溪去枇杷村的情景。

筏下流淌着怎样的溪水啊！

不要用"清澈"两个字形容！不，那不仅仅是清澈！有的水域，透明度很强，望进去，水底的青苔，水中的荇藻，还有游动的鱼儿，乃至在水底石缝间跃动横移的小虾小蟹，都清晰可见；那固然令人欣喜，但比起我们的青箬溪，就平淡无奇了！我们的青箬溪，那溪水纯净到了怎样的程度啊：从筏上望下去，晶亮绵软的水流下面只有粒粒可数的五彩斑斓的卵石，没有绿苔，不生萍菱荇藻，甚至难得见到游动的小鱼，只有阳光透进水里，在卵石铺成的溪底上形成的一道道弯曲闪动的金光——看着它们有韵律地闪动，就仿佛听到一曲恬静优美的竖琴弹奏！

青箬溪给予我们的不仅仅是欣喜，而是惊奇！我们从小在青箬溪边长大，却久久未能认识到她那伟大的纯净！

走出了青箬溪边小小的村庄，走进了县城，又从县城走进了大都会，走进了大都会里的高等学府，眼界大大地拓展了，见到了很多壮美的河、宽阔的江、宁静的湖、优美的池，还有自然的溪流和人工的水渠，这才知道世界的博大与丰富，然而，却也憬悟出故乡那鲜为人知、静静流淌的青箬溪有多么珍贵！

青箬溪的水，从筏上任掬一捧啜饮，都那么晶亮微甜，赛过我们大都会里价格不菲的瓶装矿泉水。记得那天我们乘坐的竹筏经过形成小小落差的浅滩时，那跌落的溪水只挂成莹洁的水帘，没有泛起一星白沫。也许是"水至清则无鱼"吧，青箬溪奔流的船道中确实没有什么鱼虾蚌蟹，它们的特点是未长大时整个身子几乎都呈透明或半透明状态，而一旦成熟，则肥美无瑕，不像别处水中捉到的同类，需要再加洗涤方可煮食——它们几乎是从水中捞出便可直接食用的。青箬溪的水啊，别看你现在默默无闻，也许将来人们会称誉你为"天下第一溪"，而你受之无愧！

阿杉，我们小时候的一双眼睛充满了好奇与顽皮，我们总渴望着去张望外面的世界，我们能把一株倒卧在溪边的柳树当做一个老妖怪，能把一根灯心草想象成一盏神灯，可是我们的一双眼睛却并不懂得鉴赏青箬溪的美！

似乎直到去年秋天，我们一同乘竹筏从青箬溪上飘过时，我们在相互提醒中，才头一回铭心刻骨地意识到，青箬溪是那么样的美丽！

真的，阿杉，你已经回到故乡两年，尽管平时多在县城，但亲近青箬溪的时候毕竟较多，所以也许你不像我这样对她保持着最旺盛的审美情致；阿杉，你替我想想吧，我现在离青箬溪该有多么遥远啊！而且，从我住的这间宿舍望出去，只有形状单调的水泥楼房的巨大屏障，所剩无几的一角天空中，最晴好的夏夜也数不出多少颗星星！固然这边也有公园，有人工凿出的湖泊和小溪，有花草树木，乃至亭台楼阁，那也是一种美吧，却缺乏天然的风韵和情致！

《牡丹亭》里的杜丽娘说：一生爱好是天然。在这点上，我就是杜丽娘。

我是多么怀念青箬溪的天然之美啊！

阿杉，记得吗，那天我们乘筏顺流而下的情景？

青箬溪又称青箬江，它兼有溪江之称是万分合理的。因为它既有溪的浅滩湍流的特点，又比一般的溪水流量丰沛，且水面阔大，有江的特点，而且当夏季旺水期来临后，它当中可形成走吃水较深的木船的航道；那天我们在溪湾处所见到的泊作一簇的乌篷船，不就是夏日青箬溪中的骄子吗？——我现在知道，那些短胖的乌篷船便是宋代李易安居士《武陵春》词里所说的"只恐双溪舴艋舟，载不动许多愁"的舴艋舟。从远处看去，它们确也像一些巨大的蚱蜢趴伏水中，不是吗？我们小时候，见到成队的舴艋舟在青箬溪中行驶，只会联想到"摇摇摇，摇到外婆桥"一类的儿歌，现在才懂得，那景象从溪边的山冈上望去，便是活现的宋人词境！

唉，我心爱的青箬溪，我心爱的舴艋舟！

阿杉，我现在才悟出，我们青箬溪最美之处，在她那两岸如绣的滩林！

这些年，有机会游过桂林至阳朔的漓江，当然美！但乘船泛游漓江，主要是看山，看水中倒影。也有机会游过武夷山玉女峰下的九曲溪，也是乘竹筏，但那乐趣也主要是看山，还有观石（溪边许多石头酷肖动物、人物或神怪）。我们青箬溪乘筏观景的乐趣却别有所在——那令人如醉如痴的滩林美景！

在青箬溪上乘筏观景，远山只是浅黛色的衬景，近处的山冈，以及冈上冈下成片的冷杉林、成丛的毛竹，还有从杉竹林中露出的表瓦灰墙的村舍，包括那满枝红籽的乌桕树、满树黄叶的香枫，也都只是一种背景，凸现在筏上人视野中的，则是由砾石、卵石和黄沙构成的进身颇宽的平滩，上面满布着成丛的灌木。入秋后，绿的依旧绿，黄的却黄出不同的层次，有鹅黄，有赭黄，还有浅红、深红与紫红；灌木林已美不胜言，更有一丛丛的芦苇、山荻和茅草，随处点染着。我也去过了白洋淀，那里的芦苇是大片大片地生长着，而我们青箬溪的芦荻茅草却只都成丛而并不密聚成片，因而别有风味——它们长得比灌木林更高，细长的叶片高高蹿起，又优美地弯下，仿佛摆定着一个个曼妙的舞姿；最令人魂萦神驰的是它们那从叶片中高高耸出的花穗，有的如火炬般，闪着银红的光芒；有的如巨大的狐尾，肥圆而洁白；有的如侧垂的折扇，有的如倒撑的小伞……当它们至远而近又渐次退出我们的视野时，真如聆听着一首无字诗的吟诵，又如谛听着一首无音乐曲的演奏……

阿杉，杜甫曾说"春水船如天上坐"，我们那天可说是"秋水筏如天上过"啊！

能够忘记吗？在那如诗如画、如梦如幻的境界中，你我的心不仅仿佛贴在了一起而且撞击出了火花……当筏老大背对着我们用力撑篙时，我们紧紧地拥抱，并贪婪地互吻……

阿杉，唐人张志和的《渔歌子》词"青箬笠，绿蓑衣，斜风细雨不须归"，引出我多少思乡之情！对了，我刚才还忘记谈到那滩林上的箬竹，它们长得离水远些，所以从筏上望不真切，但它们散发出的那一股股特有的清香，却时时弥散在潺潺的溪流之上，青箬溪正是以它们命名的啊！写到这里，多么想吃上一个用刚采下的箬竹叶包好蒸熟的粽子！

阿杉，我问你，倘把易安居士的词改成"只恐箬溪舴艋舟，载不动许多……"那末尾的一个字，你将如何填写呢？

再这样信笔写下去，该大大影响我明天的工作了，就此打住……盼你快些回信！

阿杉致阿柑

阿柑：

告诉你一个最好最好的消息：县里决定开发青箬溪风景区，县里投资五成，地区投资三成，从民间集资两成，决定在半年内打出一定的知名度，并且尽快修好通往青箬溪畔的公路和有关的旅游设施。

我已自动申请转到县里新成立的青箬溪风景区管理局，这些天来投入了紧张的制定开发规划的工作。我们都沉浸在兴奋的情绪之中！

原来咱们县真是捧着金饭碗讨饭吃！竟不懂得自然风光便是"无烟工业"的雄厚资本！一年年让青箬溪在那里白白地流淌，竟不懂得她便是县里现成的摇钱树!

经过近几年的努力,咱们县到去年已摘掉了"贫穷县"的帽子,相信青箬溪风景区开发出来以后,要不了多久,咱们县就能戴上"富裕县"的桂冠!

你说得太对了,青箬溪自有漓江、九曲溪不能取代的独特风光,那滩林美景的确是独一无二的。水质的清纯,堪称"天下第一溪"!

已经有位五十年前从咱们县出去的台胞回来游过青箬溪,世界上好多风景名胜区他都去过,他说绝不是因为乡里乡情才格外地偏向青箬溪——他评那景色的"全球一流"。他也去过了湖南的张家界和四川的九寨沟,他预言我们青箬溪必将很快同那两处地方齐名,会引来无数游人竞睹芳容。

阿柑,为青箬溪自豪吧!别看她以往"养在深闺人未识",只怕"一朝选在君王侧"("君王"就是游客)之后,真要令"六宫粉黛无颜色"哩!

寄上一份我起草的《开发青箬溪风景区规划(草案)》,你一定要细细研读,并提出你的宝贵建议!

本想再多写些——实在还有许多话要说,但明天一早要接待一个县里专门邀请来的"作家书画家青箬溪采风团",这自然是为了把青箬溪的知名度尽快打出去——我是牵头接待这个"采风团"的,诸事烦冗,只好忍痛打住。

"只恐箬溪舴艋舟,载不动许多……"那最后一个字,我本已填好,但现在且不说;因为,或许有更好的字眼可以代替哩!

等你的信!

阿柑致阿荻

阿荻:

我给阿杉一封长达二十页的信(付了超重费一元整!)至今已近一月,他竟不给我回信,真真把我气死!

那封信其实完全可以在你们县政府大院的壁报栏上公开张贴！我主要是对他起草的那个《开发青箬溪风景区规划（草案）》提出了一系列尖锐的批评！

故乡为了进一步繁荣昌盛，将原本不为人知的风景资源开发出来，吸引中外游客，赚取旅游收入，并以旅游带动物资交流和文化教育的发展，我这个毕业后留在大都会高等院校中任教的青箬溪人，难道会不理解、不支持吗？

然而我忍受不了阿杉起草的那个"规划"！

阿获，你现在是县环保局的技术员，从我、阿杉和你在县一中同班上课时，我就佩服你思考问题的冷静、全面和细致，我想县风景区管理局搞他们的开发规划，你们环保局一定是全力协作的吧？你一定也看到了阿杉起草的那个"开发规划"，你能首肯吗？你不痛心吗？你不生气吗？

按阿杉的设计，将在青箬溪分段设置"垂钓区"、"旅游区"、"滩林野炊区"、"皮筏艇冒险区"、"汽艇嬉戏区"等等，等等。我以为除"垂钓"一项可以容忍外，其余各项，都万万不可开设！

我知道，县政府早已明智地禁止在青箬溪畔开办形成污染源的工厂和作坊，所以这么多年来青箬溪才保持住了处子般纯洁的身躯；然而，旅游本身，倘处理不当，也会形成要命的"旅游污染"啊！

阿获，我不明白阿杉为什么不给我信。阿获，难道我阿柑真被误解为"一朝入都会，便任故乡贫"了么？

阿获，你知道我昨夜做了些什么样的梦吗？

我梦见青箬溪那晶亮莹清的水，把我浸润在一派温馨之中。忽然有刺耳的马达声，一艘艘飞速作S形运动的汽艇，从我的身体——不，从我的灵魂上碾过……我费力睁开被汽艇激起的水线击中而针刺般痛疼的双眼，于是，我发现自己被浸没在一片发出腥臭的、流着蓝红绿紫色泽的油污之中……耳畔有游客们近乎疯狂的开怀大笑，空中飘落着枯叶般的人民币，而我的心在梦中紧缩，并且我听到了自己闷住的哭泣声……

我又梦见密密匝匝的果树林。我，阿杉，还有你，都还是中学生的模样，还有当年同班的一些同学，我们在那果树林里嬉戏着，红的是杨梅，黄的是枇杷，还有硕大的文旦、长圆的柿子、半红半绿的蜜橘、小刺猬般的麻栗……那么多的果子一齐成熟，混合成一股浓郁的香气，红嘴小鸟喳喳地叫着，墨黑翅膀上有银斑的蝴蝶飞着……我们追追打打地跑出果林，于是我们来到了青箬溪畔的滩林，那里有成群穿牛仔装的男男女女在用砍下的灌木点燃篝火，他们在嘻嘻哈哈地野炊……溪边漂着空的易拉罐、破的塑料袋和包装纸……我一脚滑进了溪流，溪底有砸烂的啤酒瓶碎片，顿时刺破了我的脚底板，我不禁尖叫起来，而这时溪上却漂过一只橡皮艇，坐在上面无动于衷地望着我的，竟是阿杉——现在的阿杉。他手里抱着一厚册《规划》，只顾把那《规划》打开，于是从那《规划》里乱七八糟地飞出了许多黑乎乎的东西。这些东西倏地变得很大很大，洒落在溪滩两边，形成一些水泥的亭子，一些简易房式的旅舍和餐厅……一座水泥亭子触目惊心地逼近到了我的身前，它的顶部用油漆漆成了鸡屎黄色，它的柱头则漆成了鸡血红色……我不禁捂住脸哭出了声来……

阿荻，我现在真的非常非常难过，因为阿杉不给我回信，因为我身在都会而心驰故乡……阿荻，我是不是对故乡旅游业的开发太过分苛求了？我的焦虑是不是太奢侈？现在离暑假还有那么久，我一时又回不去，真令我心悬意牵……阿荻，我明知青箬溪的开发对于故乡确是桩好事，可我内心深处却甚至于祈盼她继续"养在深闺人未识"的好——也许她的价值，还在可以"摇钱"之上……

阿荻，你会给我回信吗？

阿荻致阿柑

阿柑：

我犹豫了好几天，才提笔给你写这封信。

接到你的信，我就觉得有许多话要对你说。可我必须先找到阿杉。阿杉前些天从风景区的重点开发地枇杷村回到县里，我趁他得闲的时候，在县府大院后面的金鱼池畔叫住他。我走近他身边，先问他："阿柑给你来信好久了，是吧？你怎么一个多月都不回她信呢？"

阿杉一听这话，脸上的肌肉就绷得紧紧的，他淡淡地问我："你怎么晓得？"

我就跟他讲："阿柑给我来信了。"说着我便从衣兜里掏出你的来信，递给他。

阿杉却不接。他白了一眼，说："她给你的信，递给我干什么？"

我就又跟他讲："这信其实等于给你的……"

阿杉没等我说完，便把手一摆，牙筋抖了抖，说："这种事，怎么好等于……"不待我再解释，他便转身走掉了。

这几天即使在一个食堂里吃饭，他也总躲开我，连目光也不往我身上扫。

我不生阿杉的气。我理解他。我可以负责任地告诉你，阿杉一如既往地爱你，爱得非常认真，非常深沉。

所以他的爱心不能承受你给他的那封长信所给予他的刺激。

所以他不能容忍你给我写了信这个活生生的事实。

我想他这些日子里一定始终盘算着给你回信，但我替他想想后，也觉得真是不知从何说起！

开发青箬溪风景区，发展我县的旅游事业，我们县环保局当然与旅游局密切协作，其实几乎各个单位都积极地投入了这一协作之中。不过，因为各单位难免更多地从自己的角度考虑问题，因而，协作中有所争论乃至争执，也是必然的。

简言之，县里一部分人比较热衷于开发风景区旅游业的经济效益，而且期望能尽快见到较丰厚的效益，"官方"如此，民间也如此——我就知道阿牛（上学时他总欺侮你们女生）已经从城里订了快艇的货。这几年他从经营鞋带这不起眼的生意入手，已成了腰缠几十万元的个体户。他确实希望能在青箬溪中尽快开辟快艇嬉戏区（你说汽艇还不够准确，快艇即水摩托能在水中作飞速的抬升式和侧倾式弧形游弋，非常富于刺激性，一定能吸引许多年轻的游客），打算三个月内收回成本，一年内除交税外净赚它几万；而县里一些干部也企盼从阿牛一类的个体投资者和承包人那里尽快得到丰厚的税金和利润。当然县里也有另一部分人（我们环保局中似乎多些）比较着眼于保护青箬溪的自然生态环境。快速开发青箬溪旅游业的确有可能形成许多人预想不到的"旅游污染"，除了你梦中所虑的那些情形之外，我还可以补充上空气的污染这一项。

阿柑，不知你在家乡时注意到没有，我们青箬溪一带的地方，每天早晨和每天傍晚，常常是没有绚丽多彩的霞云的。人们常把朝霞和晚霞当做一种美景。当然，那确是一种美。但朝霞和晚霞的过分灿烂，特别是过度的五光十色，常意味着那地方大气中杂质的密度过大。我们青箬溪至少到最近仍没有那种景象。早晨，太阳鲜洁地升起；傍晚，太阳浑圆地降落到山背后；天际只有以太阳为核心的均匀的散射光，空气格外地澄净透明。也许正因为世代呼吸着如此鲜洁的空气吧，我们青箬溪沿岸村落里几乎没发现过肺癌的病例，再加上所饮用的青箬溪那天然矿泉水似的超常水质，我们这里年逾九十而仍然健康的老人似乎也格外地多……

阿柑，但是事情是复杂的。当大家坐到一起讨论开发风景区的问题时，阿杉就针锋相对地同我争论说："也许非洲的某个地方，那自然生态比我们这里更保持着原始的绝对无污染的状态，但却并不一定意味着那地方具有较高程度的物质文明和精神文明，甚至于，倒非常地贫穷落后……试问，青箬溪纯洁无瑕地流淌了那么多年，我们这个地区不一直没能富裕起来吗？要想富，一是发展工业，一是开发旅游；发展工业，搞小化肥、小化工厂，搞箬竹为原料的造纸厂，你们不同意，说污染溪水和空气；好，那就开发旅游，没想到你们还是心里头不甘心……是不是什么事也不做，就达到环境保护的目的了呢？"

阿柑，倘若你在场，你怎样回答阿杉呢？

　　县政府的指示很明确：青箬溪的旅游业要开发，环境保护的工作要过细；经济效益要保证，但不能急功近利破坏掉生态平衡。

　　阿杉他们的《开发规划》，必须两头兼顾，容易吗？阿柑，你确实不要对阿杉太苛刻、太挑剔了！况且那也不是他一个人的主意，而且又仅是个初步的草案，一切都还在探索中嘛！

　　我希望你不要再给我写信，而要再耐心地给阿杉写信。我打算把你给我的来信和我这封回信，都复印后送给阿杉一份——我想我设法搁到他办公桌上，他总不能真的不读。

阿杉致阿柑

　　免掉称呼吧！事情很清楚了：当我每天起早贪黑地为开拓故乡的旅游事业奔忙时，却有人蜷缩在大都会的蜗牛壳中说一些奇奇怪怪的话，行一些奇奇怪怪的事！

　　你早说过你学的教的那专业同环境保护很能挂上钩儿，原来听了也没在意，现在恍然大悟了！所以给"献身伟大的环保事业"的阿荻写起了长信，惺惺惜惺惺，信然也！

　　青箬溪滩林之美，原来我只注意到那茂密的灌木丛，还有入秋以后红得像珊瑚一样纠结到一起的江蓼，经你提醒，才知道还有那一丛丛的芦苇、山荻和茅草。但我以为你对芦苇和茅草的赞美也许都只不过是顺便而已，使你倾心的，其实单是那山荻吧？火炬般高高耸出的花穗，还"闪着银红的光芒"，谁比得了呢？

　　这些天我很累，累一点好，可以忘记一些应当忘记的事……

　　不过还记得"只恐箬溪舴艋舟，载不动许多……"的试题，最后一个字应是什么？现在可以肯定地告诉你，不必另外苦苦寻觅，千古名句本不必更动——当然还只能是一个"愁"字！

　　的确，对于我来说，"怎一个愁字了得"！

但清夜扪心，却异常坦然。

别了！我要离开梦境，踏牢现实！

顺告，明天我们将接待头一个正式的旅游团，是从广州来的——他们除了乘筏、垂钓和旅游外，也还要在指定的滩林区野炊。

阿杉致阿荻

阿荻：

同在一个县府大院里却以写信的方式联络，我想你一定并不怪讶。因为你的做法比这更离奇——把人家给你的来信和你给人家的复信都复印下来，悄悄地搁到我的办公桌——夹在我那新到的《旅游》杂志中。

这封信不是复印的，但我也附了一封复印的信给你——是写给她的。

我想你们心心相印是必然的。我承认我嫉妒，但我决心压抑下这冒着毒焰的嫉妒。或者，就让这毒焰把我烧成一股浓烟吧——啊呀，不好，那就又污染大气了，或许会使青箬溪上出现百年不遇的艳若桃李灿若珠宝的朝霞或晚霞！

坦诚地说，这些天我确实一直在苦苦地思索，我们人类同大自然究竟是什么样的关系？记得小时候——大概才小学五年级吧，头一回到城里去，头一回去动物园，在动物园的一堵墙壁上，见到了一条语录，是一个苏联人叫米丘林讲的。记得是这样的意思：我们的任务不是等待大自然的恩赐，我们的任务是向大自然索取！当时不大懂，后来渐渐佩服起这个见解来。难道我们不应当具备这种气概吗？我们的老祖宗荀子也早就强调过：人定胜天。我们生在青箬溪边，长在青箬溪边，不错，青箬溪是个美得不得了的美人，但我们难道就应该做这个美人的奴隶吗？难道不应该是美人向我们作出贡献吗？

明天我们风景区的头一个旅游团就要到来了，我们的旅游大巴士已经开到城里火车站恭候，我们的第一位导游小姐阿芳也已随车抵达那里。这个旅游团将给我们县带来第一笔旅游收入。不管你，还有那位念念不忘"山荻"的女大学士怎么想，反正我是只感到无比的快慰！

但我又忍不住要告诉你，经我们摸底，来旅游的主要是四十岁以下的年轻人，他们来这里，除了想看风景，也几乎都提出来一个朴素的问题：有什么好玩的？他们岂止想垂钓、游泳、乘筏、坐快艇、野炊，有的还提出来要打猎，要在深水区潜水，并且要求我们除了提供食宿外，还要提供咖啡厅、酒吧间、卡拉 OK、电子游戏、保龄球、打靶场、歌舞厅、录像室、棋牌馆……更有的要求我们出租摩托车和摩托艇，好让他们在陆上和水中都能"自由驰骋"。因此，要青箬溪保持原有的纯洁、宁静，是绝不可能了！处女终要出嫁，新娘终要受孕，我以为这都是自然而然的事。

我的心现在平静了下来。

祝愿你们永远志同道合！

阿荻致阿柑

阿柑：

我还是要给你写信。附上了阿杉给我的一封信，你可先看那封信，看完了再接着看我这封信。

你应当更加明白，阿杉是那样地爱你，以致于你要再让他误会下去，他或许会正式找我决斗的！

你一定要马上给阿杉写信，写长信，告诉他你是多么爱他。

关键是我们必须帮助阿杉找回失却掉的心理平衡。

其实阿杉内心深处同我们并没有多大区别。他爱青箬溪如同爱你，是一样地诚挚，一样地深沉！

我知道，当广东来的那第一个旅游团离开后，在风景区管理局同我们环保局联合召开总结会前，阿杉一个人偷偷地哭过。

男儿有泪不轻弹。何况阿杉！记得吗？上初一时，有一回他从溪边最高的那株械树上摔下来，小腿错位性骨折，疼得一张脸煞白，豆粒大的汗珠挂满额头。当时我们围着他，全都傻了，你竟"哇"地替他哭了起来。连一贯自夸最勇敢最有办法的阿牛，也皱鼻子咧嘴。阿杉却一滴眼泪也没掉下来，还冷静地指挥我们，告诫我们不要对他乱扶乱抬。他让你跑回你姑姑家，去把那张竹躺椅搬来，后来我们就齐心合力用那张躺椅把他护送到了县医院……

然而阿杉这回偷偷地掉了泪。我知道，我对谁都不说——除了你。

你应当理解阿杉，深深地。

第一个旅游团并没给我们带来多少收益。这倒不算什么。任何生意总要先付些学费，从小赚乃至不赚甚而小赔起步。阿杉不为这个掉泪。

为的是青箸溪失去了童贞。

尽管阿杉他们作了很周密的安排，又向旅游者宣布了若干的规定。然而，还是有个别旅游者把饮料瓶投手榴弹般地掷入溪中；从竹筏上往溪水里唾痰、扔烟蒂、橘子皮、易拉罐者有之，找个僻静处往溪水里小便者有之；更没料想到的是有几位业余画家，他们画出的水彩画和油画固然挺美，但他们毫不犹豫地在溪水里涮洗他们的画笔和调色板……规定野炊时要在一定的灶位上，只许拣拾确已枯干的枝叶当做燃料，却偏有极个别的游客随意砍伐拔取正蓬勃生长的灌木；至于任意粗暴地拔摘芦苇、山荻和茅草，就不止是极个别人的行径了……还有游客把随身带来的手提录放机音量调得极大，惊走了世代栖息在青箸溪畔丛林中的红嘴山雀，它们还会飞回来吗？小小的鸟魂该怎样地惊诧而战栗？……

罚了一些人款，事后又组织枇杷村小学的孩子们到溪边拾了一次"荒"，然而，想想吧，这还仅仅是几十个人的头一批旅游者；最近各处报刊上已经陆续刊载出了前些时应邀而来的那个"采风团"的作家们和书画家们的文章、作品，青箸溪作为新的旅游胜地的名声确已开始"远扬"，估计随之而涌来的将是数百、数千直到上万——到暑期时，会有很多大学生乃至高中生成群结伙地自发而来。他们并不组成统一管理的旅游团，必定会满处乱窜而随心所欲……那时候，将罚不胜罚，即使天天发动县里小学生拾荒，也将拾不胜拾……

而旅游设施的建设谈何容易！旅店、餐馆且不论，公共厕所就来不及安排。试想，倘每天有1万人同时出现在青箬溪，那他们一天的屎尿加起来至少就有1万斤，如不能妥善处理而使哪怕是十分之一渗流入溪，那么，一天一千斤，一个月就是3万斤，一年呢？两年呢？青箬溪该成什么模样？该散发出什么样的气息？

而把一切方面都筹划好、安置好、管理好，谈何容易！经费不足，经验不足，人手不够，精力不够……

还有本乡本土那些看到赚钱机会逼近眼前便眼发红心狂跳手乱舞脚胡蹬的人物，比如阿牛，他几乎天天跑到阿杉那里吵闹，从办公室一直吵到宿舍——因为风景区管理局还没决定开设快艇旅游项目，而阿牛订下的快艇卖方又不让退货，所以他不依不饶地缠住阿杉，要他们管理局或者允许他将快艇下水兜揽生意，或者赔偿他的损失……

阿杉内心里该有着多么复杂的情绪，多么深沉的痛苦，多么热切的期望……

给他你最纯真的爱！他需要的不是廉价的安慰，不是浅薄的嗔怨，不是"站着说话不腰疼"的无味空论，不是徒增新误解的强颜幽默……

相信你会马上给阿杉写信，为了你对他的一片痴情，也为了你对青箬溪的永不会泯灭的魂牵梦萦的爱！

阿柑致阿杉

阿杉：

在这静静的春夜里，我在台灯泻下的光圈里，给你写信。

我要告诉你，最近我交上了一个新朋友，是个金发碧眼的老外，她叫弗萝娜，是去年到我们大学里来教德语的外籍教师。她汉语说得不错。我自前年开始进修德语以来，颇有长进，现在也能用德语跟她交谈。我们俩把中国话和德国话掺和在一块说，加上手势，足能完全了解对方表达的意思。

为什么跟你提起弗萝娜？

因为，我想你会同我一样地感兴趣——弗萝娜在德国属于我们称为"绿党"的社会团体的一员。

我向弗萝娜讲到了故乡的青箬溪，讲到了在开发旅游业和保护环境之间所产生的困惑。她说她的故乡也有一条晶亮可爱的小溪，属于莱茵河的支流，那小溪也是永远流在她的心上、她的血管中……

我想把弗萝娜的一些看法，尽量扼要地报告给你，供你参考。

他山之石，可以攻玉嘛。

弗萝娜说，中国人把他们一伙称为"绿党"，其实不够准确。他们不认为自己的组织是一个狭义的政治性团体，按字面应称他们为"绿的"，他们站在整个人类的立场，着眼于整个世界的生态。她很为自己是一个"绿的"而自豪。

"绿的"是不是一群致力于环境保护的人士？当然，她说，可以这样看，但这是从较低的层面上看。

最初，"绿的"面对着城市人的乱扔垃圾，感到痛心疾首，发起了一次次结伙到公共活动场所特别是旅游地"拾荒"的行动，把不文明的人们弃置的废物脏东西——捡拾搜集起来，集中处理掉。那时着眼的还仅仅是个环境中的"观瞻"问题，用中国话说，也就是清除"脏乱差"现象。后来，他们着眼于从环境同人类健康的关系上做文章，采取种种手段，同城市、乡镇中的水污染、空气污染、声污染（即噪声）现象做不懈的斗争。又渐渐从消除污染转到更着重于预防污染，后来更致力于把环境保护当做一门科学来研究，在保护天然植被、野生动物方面尤其下工夫，以维系地球上食物链和生命圈的良性循环……

以上种种，都属较低的层面。我问她高层面是什么？据她讲，那已构成一种哲学，一种世界观，一种观察和处理事物的总体把握。

她说，米丘林的那个说法是不对的——尤其是提出向自然索取的功利主义口号。人类同大自然应该平等相处。把大自然当做对立面，动辄强调"与大自然开战"，提出"征服自然"，都是违反规律的。宇宙、世间的运作规律是要相互和谐。把大自然当做敌人向大自然无情索取，必将受到大自然更加无情的报复。或许在一时、在局部，人类确实能用强制的手段从自然中索取到一些好处；但长远而言，整体而言，人类对自然的蔑视和掠夺，必将造成生态的紊乱以至毁灭，如不及时刹车，及时改变，人类无异于自杀。弗萝娜说她没有研究过中国古典哲学，荀子所说的"人定胜天"究竟是什么含义，她不懂，但中国还有老子，老子那顺应自然的思想，在德国和整个西欧都长久地引起着哲学界的重视，她个人以为就人类与大自然的关系而言，老子所强调的那种和谐精神是正确的。

弗萝娜一再强调，人类应当同大自然做朋友。人类更应该把自己看成大自然中的一个有机的组成部分。有些对大自然的破坏，比较容易觉察，例如乱伐森林、毁害植被、污染水域、工业粉尘、光化毒气、城市噪声、核物质扩散、大气中臭氧层的破坏、对野生动物特别是鱼类的滥猎狂捕等等；另外一些生态环境问题就比较容易被一般人忽略，如城市建设的无计划性所带来的对人的心理压抑，水利建设以及公路、铁路和航空运输飞速发展所带来的地貌变化和时空感的变异，其中也包括旅游作为一种越来越普遍的人类运动方式所派生出的一系列复杂效应……

阿杉，你在心平气和地读我写下的这些外方人的"怪论"吗？

你想到些什么？"好个阿柑，不讲该讲的，倒跟我讲外三路的什么弗萝娜！"

是的，偏跟你先讲一通弗萝娜！

弗萝娜岂止是"外三路"，简直是"外四路"！她还有古怪的哪！她说，他们一些"绿的"近来结成了一个小组，专致力于研究人类同昆虫的关系问题。她说，几乎全世界各地域各民族的人都视苍蝇、蚊子、蟑螂为必欲干净彻底消灭的厌物，总体而言，"昆虫界"里招人类痛恨的角色确乎出奇的多；而现在弗萝娜他们却要问：昆虫真的那么应当被人类憎恶吗？苍蝇、蚊子、蟑螂等等"败类"，消灭到什么程度才恰当呢？人类连虾蟹那样狰狞的东西都吃，且视为美味，为何却几乎不食昆虫呢？其实许多昆虫都富有高蛋白、精脂肪和对人体极有裨益的微量元素，本应成为人类最简便易得的优质食物……当然，弗萝娜承认，在这个课题上，他们常陷入两难境地，常在困惑的泥塘中不能自拔……

阿杉，陷入两难境地，在困惑的泥塘中一时不能自拔，这是整个人类时时都会遇到的情况啊！

且不去管"外四路"的弗萝娜，且说你我吧……好，就先说我，我就既想单刀直入地跟你讲些什么，却又觉得还是先跟你讲讲弗萝娜的好，我就对你的那些误会那些嫉妒那些恶言恶语深深地感到困惑而不得解脱！

多么企盼不是在这台灯下写信，而是同你面对面地促膝交谈啊……

你现在是怎样的一副"尊容"？还在板着脸，生我的气吗？

写到这里，我的气倒涌上来了！

亏你心里头钻出了那样一些怪念头，说出了那样一些怪话！什么我既然爱青箬溪滩林上的山荻，也就等于我钟情于阿荻，什么"惺惺惜惺惺"，诸如此类。你这个傻瓜、坏蛋、嫉妒虫、讨厌鬼！

真想一头扎进你怀里，用我两只拳头狠狠捶你的下巴、你的鼻子、你的额头！

……不过，阿杉，我终于还是心平气和了。扯扯弗萝娜，对于我们的烦躁和焦虑毕竟有一种中和作用——她的一番议论，不管对不对，终归启迪着我们：人类到处生存，人类也经常困惑，因此，我们关于开发青箬溪风景区的种种争论，其实也并非什么特别稀罕的事情——那是我们生存中的一种正常状态，一种并非导致消极而恰恰能导向积极的困惑。困惑引出思考，思考启动智慧，智慧能开出物质和精神的并蒂花朵！

阿杉，我们为什么要心浮气躁、徒生误会和自寻烦恼呢？

我多么不愿向你认错啊，但是，我不得不承认，首先心浮气躁、徒生误会和自寻烦恼的是我，而不是你！

现在我意识到，像我这样坐在千里之外，只凭着一腔感情，对青箬溪风景区的开发指手画脚，那是很容易的；而你们，脚踏实地的开发者，每迈一步都多么艰难、多么沉重啊！

我知道，经受了最初阶段的种种得失忧乐后，你们正灵敏地调整着纸面上的规划，并更为慎重地启动着实际中的运作……

我想象自己又回到了故乡，回到了青箬溪，同你在一起，又坐在那质朴的竹筏上——那竹筏由十多根大毛竹捆扎而成，筏头上翘，那是用炭火把毛竹烘烤后加以弯曲而成的，还带着焦黑的痕迹……筏老大点篙进发，我们相依相偎在竹筏后部的小竹椅上；竹筏时而摩擦着溪底的卵石滑进，时而跃过浅滩，进入深流，似空无所依，这时我们只感觉溪流天宇合为一体，真是飘飘欲仙……

阿杉，在那悠然飘进的竹筏上，你向我指点着：那边小山冈上的点景亭，并非水泥构筑，而是就地取材，以杉木为柱、蓬草为顶，与周遭自然生态相当和谐；那蓊翳的竹丛中露出一角的青瓦白墙建筑，便是精心设计建造的杨梅庄旅舍，那里有三百张雅洁的床位和必要的卫生设备；那边是溪边最宽阔的一片滩林，供游人憩息的坐凳是从附近溪谷里找来的鼓状大卵石，自然天成；烧烤架都是反复研究测量后才加以固定的，并有附近村民专门供应游客燃材；皮筏艇游览项目不拟上马，而改为了舴艋舟半日巡览垂钓游——古老的舴艋舟为新时代的游客们带来了意外的喜悦；岸上的阿牛不再对我们横眉竖眼，因为他正承包着三只专供游客聚岸参观的鸬鹚捕鱼船，所带给他的收入并不比用咆哮的水摩托提供强刺激为少，瞧，他正朝我们招手憨笑哩……

阿杉，你拥着我的肩膊，附在我耳边，轻轻对我说："我们青箬溪张开双臂迎接游客，并不单是为了向他们显示一方水上的优美，更不是单为了赚取钞票，我们是对他们进行美的教育，进行一种内蕴丰富的文明熏陶……"而我则附和着你，也轻轻地说："我们要让越来越多的游人懂得，人类同大自然应该平等地相处，应该相亲相爱、互补互慰……"

这时候，对，就是这时候，你会直视着我的双眼，问："你……还不能做出决定吗？"

阿杉，我也直视着你的双眼，我回答说："决定了，教完这一学期，我便申请回到故乡，回到青箬溪畔，到风景区管理局——或者，你不介意的话，你一定不会介意——到县环保局，加入到你们所从事的那桩事业之中……而你我，将在县城里，或者竟在枇杷村，筑起我们温馨的小巢……"

阿杉啊，我和你，共乘一架竹筏，那从小把我们哺育大的青箬溪水，将永远托举着我们，带我们驶向人生中更坚实也更璀璨的阶段……

阿杉，"只恐箬溪舴艋舟，载不动许多……"那末尾该添的一个字，还用说吗？你一定同我一样，也在默诵着……

1991 年

天伦王朝

他和她在天伦王朝饭店美食街的廊子里迎面相遇。

相对一笑。

他要了一客美式公司三明治套餐，她要了一客意大利通心粉套餐。

以粉红色为基调的厅堂很大，座位很多。尽管厅堂正中也食客寥寥，他们还是找了一个隐蔽的角落。

把盛套餐的托盘搁到淡灰色的桌面上，落座到粉红色的椅面，他们又相对一笑。

他吃他的公司三明治。照例狼吞虎咽。

她且不吃蚌形瓷盘里的通心粉，先小口小口地用叉子叉圆钵子里的蔬菜色拉吃。这是惯例。

他没有变。她也没有变。相互发现没有变。又都想到其实不该变、不必变，都想到根本就不该有那么个变没变的前提，于是，便又相对一笑。

他还没走成。她也还没走成。

他还是那个老问题：万事俱备，只欠东风——没弄到美国大学的全额奖学金，不敢轻易进秀水东街的美国领事馆。现在是拒签后要隔半年才能再去签。

她却有个新问题：原来联系的那所日本语言学校经调查确系注册在案的正经学

校，但却陡增了学费，因而必须再紧急筹款，不过，这也并非始料所未及。

他并不怎么着急。

她也并不怎么着急。

他和她又相对一笑。

他和她协议离婚已经三个多月了。

名副其实、货真价实、地地道道的好谈好散。

三年多的婚姻算什么？一场梦？不。他们的婚姻没有梦，不是梦。什么也不算。不好算。

都快吃完了。他们相对一笑。

他父母都是部里的干部。父亲正局级，母亲正处级。最大的社会存在优势是住房。在京城二环路边上最佳地段的宿舍楼的最佳层次最佳方位，他父母分到相靠的两个单元，一个大三居的单元父母自己住，一个独居的单元供他娶妻成家。有哥哥姐姐，但他们都自己有住房、有配偶有子女，有他们自己的生活，加以离得远，所以除电话联系和逢年过节的探视外，已是彻底同这个家断裂开的生命体。

他却一直没同父母分离。尤其是同好几年前就到了年龄说要退休但据说是工作需要究其实是需要工作的母亲，他们娘儿两个实在是难舍难分。结婚以后，他依然到大单元的厅里去同父母一起吃饭。妻子也乐得吃现成饭。但妻子偶尔想跟他单独做饭吃，"做着玩儿嘛！"却几乎总不能实现——头一个他反对。他说自他住进那独单元后，他那个厨房除了烧开水，就从未让油烟熏过，何必"破戒"。更何况父母那边还有保姆。保姆不光管做他们两老两小的饭，也管洗他们两老两小的衣服——先在洗衣盆里用肥皂搓一遍领口袖口，再开动洗衣机，最后管晾、管收，甚至还管把晾干的衣服叠成两摞——大单元的一摞，小单元的一摞，偶尔弄混，老两口和小两口里阴性的一方便总免不了要责备保姆几句。但总体而言，他们那两个单元里五个人的生活，应当说是满打满算的小康，从外人的眼光看去，实在是没有道理不和谐。

她的父母都是出版社的编辑。父亲是副编审，也有三室一厅的大单元。一间十二平方米的住房是她这个独生女儿的"终身居室"，即使她出嫁了，成了那一家的妻子和儿媳了。这边的闺房却没有丝毫的变化，无变化还并不是指的室内家具物品情调氛围没有变化——而是闺房主人的出入率入住率同未嫁时相比，实在是并没有减少到质变的程度。她一周里总有两三天要回家。"娘家"这个语汇在她父母心中口中，已淡到不能再淡的地步，她自己的心中口中则简直没有此二字的踪影。倘若她对同事说："我回家。"那么便意味着她要回到这个出嫁前的父母的安乐窝中来。她对回到婚后的那个独单元去使用的语汇是："今天我过那边去。"

她父亲不坐班，常常是一个人在家里审阅稿件，眼睛看累了，便站起来走动走动，走动的路线，照例是弯进女儿的闺房，进到闺房，摸摸这儿，弄弄那儿，特别是望望墙上女儿小时在公园中搂住他肩膀笑成一朵花的大照片，便觉得身心大畅，比吸食了一管北京蜂王精或中华乌鸡精或太阳神口服液或振华851营养液或昆明宏达田七口服液都要提神。他常常习惯性地把女儿床头柜上的一个六年前他从香港带回来的银苹果形带金叶子装饰的零食罐掀开看看，倘若发现里面空空的，便会连连摇头，嘴唇啧啧出声，心中不免责怨老伴和自己竟如此粗心如此渎职，没有及时给爱女往里头装填她最喜欢吃的美国大杏仁和开心果！

美国大杏仁和开心果离这楼不远的稻香村食品店就有零购的，差不多四十元人民币一市斤，虽然贵，女儿在婚前便已嗜之成癖。女婿也一样。小两口也并不都依赖老四口供应。小两口的经济状况不错。在"那边"，女儿女婿象征性地交六十块钱，便算既付了饭费也付了房租水电费也付了保姆费，而到这边，女儿是回家，女儿又不是外人，所以一概白吃白喝白拿。女儿女婿的工资不高，但乱七八糟的外快不少。女婿为出国已辞去了铁饭碗，辞职后到一家旅行社"帮忙"，收入反比捧铁饭碗时多；女儿是一家报社的"开发部"的成员，"奖金"很不少；他俩婚后从未将各自工资合起来过，但也并没产生多少经济上的矛盾——小单元里的组合柜呀、席梦思床呀、转角沙发呀、彩电呀、冰箱呀以及吊灯、床头灯、茶具、酒具乃至壁毯、高级艺术风铃……都是老四口加上其他亲友为之置办、馈赠的，小两口自己出资的只有壁纸、地板砖、组合音响三大项的若干小项目；结婚以后他们的香巢是应有尽有，毋庸再增添什么大件的东西，双方的收入最大的份额便是置衣帽鞋袜，而他们也确实相敬如宾，钱虽不合到一处，但你赠我一件高档羊毛衫，我赠你一双合资厂的半正宗耐克运动鞋，这类的事经常出现；倘若一方想买更昂贵的东西，如她想买一套爱德康的新潮套服，他想购一身真正从德国运来的阿迪达斯运动衫，钱不凑手，一声"借我点"，便可立即得到响应，而且贷方会忘记催索，可当借方归还时，贷方倒也不辞，多一点少一点也不细点，相对一笑。所以说她自家闺房床头柜上银苹果零食盒的空虚，她自己发现时也并不会责怨父母，恐怕只会啧怪自己怎么忘了补充——而父母特别是满头银发但颜面红润的父亲一见零食盒空虚便立即前往稻香村去买来美国大杏仁加以充实后，她懒洋洋地回到家中，恹恹地往床上仰面一倒，抓过银苹果掀开盖子用食指和拇指一摸，感到美国大杏仁充沛得捉一得二时，也便只当是自己什么时候又买回来一些装进了一把，她原并不在乎父母的这一类"小意思"！可她父母特别是父亲这些年来对她的"小意思"简直是有增无减，愈演愈烈。父亲到稻香村买来美国大杏仁和开心果填满那苹果后，喘吁吁地坐回到书桌前，心里甜滋滋的，渐渐气平，再看那摊开的稿子，原来只觉得平庸，此刻却感到别有意趣，璞玉天成！

他和她在结婚三年多以后却离婚了。

他和她的同事、朋友们都不理解。

有种种猜测。

性生活不谐调？从三年多不生育这一表象来看，似症结在此。其实不然。他们相互性要求不那么强烈，但绝无不谐调的问题，更无不育症的问题。他们是主动地、自觉地避孕。他们不想在三十岁以前要孩子。结婚时他们才一个二十七，一个二十五。他们想快活几年再说。甚至永远不要孩子他们也愿意——不愿意的是老两口，他们原答应在三十岁以后生育，更多的是出于"为他们老家伙生一个！"但后来双方都想"出国深造"，不生育的理由便更充分了，老两口也都不再提及——起码是在把他们双双送出去以前。第三代要落生在"尤耐特司代茨奥弗阿美利加"那就好了，二十年以后便天然是一条美国好汉。总之他和她的离婚同性生活呀生育呀诸如此类的问题完全无关。

感情不和？性格冲突？有"第三者"插足？也不是。他和她两人之间直接性的感情冲突，细想起来竟一次未曾发生过。要说性格，那就不仅毫无冲突，简直极为投契。小两口在各自单位下班前常常电话约定，不回他父母那个家吃饭，也不回她"自己家"吃饭，而一起到外面吃饭——高档的正宗饭店他们吃不起，低档的个体小饭馆他要么嫌脏嫌差要么嫌没有情调没有特色，他们总是约在西式快餐店见面，一同吃西式快餐。

"加州牛肉面大王"的牛肉面很好吃，相对也便宜，才三块八毛钱一碗；厅堂布置得也雅气，但食客如云，有时要在门口排队等，因而为他和她所不取。对他们来说，厅堂雅致和氛围轻松第一，食品口味可屈居第二，而价格略高则在所不惜。

他们常去的有：前门或东四的美国肯德基家乡鸡快餐店；宣武门内的加拿大邦尼炸鸡店和绒线胡同口内的义利快餐厅，还有香港大快活快餐店和 555 快餐厅以及红宝石西饼屋；崇文门的日本三宝乐集团开设的西式快餐厅；王府井的美尼姆斯法式快餐厅；隆福寺街东口的汉堡包大王店；东直门外的必胜客美式意大利比查饼店；建国门外美丽华美食城翠亨村茶寮旁边的山姆叔叔快餐店……后来他们又发现一些豪华大饭店附设的快餐厅不仅价钱并不像原来所想象的那么吓人，而且往往厅堂装潢得更其洋味十足，更其雅致，遮蔽光配合着遮蔽音响喇叭传送出的淡淡浪漫抒情曲，营造出一种特有的情调和氛围，更为可爱；因为座位一般永远不满，一份快餐吃毕后，再要上一杯咖啡红茶或一客冰激凌 椰子汁，便可以在那里对坐很久，无论喁喁谈心，还是商议私事，都方便而舒适。就以爱到西式快餐厅消磨时光这一点而言，他和她的性格之相契合便充分地显现出来了。他和她思想上都很开放，他常同旅社的年轻女同事谈谈笑笑乃至打打闹闹，她即使遇上也见怪不怪，她在报社堪称一枝花，风过生香，自然有蜂来蝶往的情形，她便主动得意地讲给他听，讲时她咯咯地笑，听毕他也笑，也颇得意。真正的"第三者"，无论阳性或阴性，并没有在他们之间出现过。

然而他们结婚三年后离婚了。

离婚以后,他们都依然爱吃西式快餐。所以会在天伦王朝美食街的快餐厅里邂逅。

他吃完那份美式公司三明治套餐,又去取了一杯热咖啡。

她没把那份意大利通心粉快餐吃完,不吃了,却又去取了一份双味冰激凌。

对坐着,他和她相对一笑。

"我真受不了你妈!"她说。

"我真受不了你爸!"他说。

还说这个干什么? 她自问。

怎么又说这个? 他也自问。

总算离开你妈了! 她想。

总算离开你爸了! 他想。

对望。

合算我是跟你妈离婚。

合算我是跟你爸离婚。

谁是第三者?

合算是我?

合算是我?

可笑!

他妈的!

她用小勺小口小口地吃冰激凌。

他喝了一大口咖啡。

相对一笑。

她受不了他妈,受不了受不了受不了……受、不、了!

一般的受不了,就不去谈它了。那回,那一回……天哪!

那是一个星期天。头天晚上她和他去了必胜客,吃了奶酪丝和番茄酱热喷喷发出浓洌气息的比萨饼,喝了蓝带牌罐啤,后来又去了卡拉 OK 歌厅;回家后他们轮流洗了澡,上床后他们有过几乎可以称作是最成功最尽兴最曼妙的一夜……当天光从窗帘缝中斜射进来,映到他们那张雅致的大床上时,他俩仍然紧偎着酣睡,如同两朵含露的玫瑰花蕾……

然而睡意未消的懵懂中,她感到有一个肥胖的物体移到了床前,并且听到一种令她惊异的声音:

"胖胖!什么时候了!还只管睡懒觉!你怎么搞的!怎么昨晚上又忘了吃药!"

她揉开双眼,惊异地看到是婆婆正站在他们小两口的床前,身上系着围裙,手里拿着个药瓶子,满脸慈爱的笑容,又夹杂着真诚的嗔怪,双眼的视线焦点正落在揉眼的丈夫脸上……

天哪!她是他的妈,她并不以为他娶进妻子来以后,她同他的关系便需进行某些调整,她仍掌握有一把开启他们这个独单元的钥匙,并且她在这个早晨毫无心理障碍地旋开了他们这个单元的大门,又大摇大摆地走进他们小两口的卧室,并且毫不犹豫地走拢他们的床前,她满心里只有她的小儿子,尽管这个儿子早已超过了法定的自主年龄,不仅有独立的公民权,而且也已大学毕业,走上工作岗位,而且已经娶妻成家,甚至除了有一床大鸭绒被遮挡住是赤裸裸地成双成对地拥卧在一起……但她却只觉得他是她的儿子,就同当年她走拢他的幼儿床,看见他光屁股拥抱着绒毛小狗熊时,那心情并没有什么不同;她总大惊小怪、咋呼呼地对待他在餐桌旁出现的几声咳嗽,她给当年的中学同学如今中医学院的一位权威打了很长时间的电话,遵那权威之嘱去王府井那家最权威的百草中药店,买了最权威的厂家所出品的最权威的一种纯生物原料的片剂,连续若干天地督促她的宝贝儿子吞服……尽管儿子已经这么大了,而且如今也并非当年的小胖子那种体型,她却仍然叫起来左一声"胖胖",右一声"胖胖"!

"您!您……出去!请出去!"她忍不住坐起来,扯过一件衬衣遮住胸部,红着脸对婆婆嚷,"您怎么跑到这儿来了?请出去!"

他也坐了起来,并且也很尴尬,他也恳求地说:"妈,您瞧您!我们还没起啦!

您先出去嘛！"

他那妈妈却并不吃惊，并不生气，尤其对她——她后来理解，婆婆的不对她生气，就如同不会对当年胖胖拥在怀里的小绒熊生气一样，甚而有时也还会用手指头刮刮小绒熊的鼻子，笑眯眯地说一声"好乖哟！"

婆婆望了她一眼，说了声："你也小心冻着！"便又双眼只盯着她的胖胖，絮絮叨叨地敦促他漱完口以后便立即服药，因为她计算过，倘若胖胖再过半小时还不服药，那距昨天吃药就超出十二小时了。而据那位权威叮嘱，这药只有按时连续服十天作为一个疗程，使其在血液中保持一定的浓度，才有真正的疗效……

后来婆婆走了。后来她同他大吵。他试图向她说明，他也不喜欢他妈这样，但他妈确实没有恶意也没有邪念……她吵累了，便一摔门回自己家了。在自己家里她不便于说出心里不痛快的原因，而偏她爸爸妈妈又看出来她不痛快，又偏想问明白她为什么不痛快，仿佛他们真能赴汤蹈火为她排除掉那不痛快似的，结果弄得她更不痛快，大不痛快，她又在家里大吵了一通，还摔了爸爸从景德镇带回来的青花瓷瓶……

她受不了他妈！她知道，即便他顺利地办成了出国手续，真出去了，他心里头最当成一桩大事的，便是接他妈去那边"探亲"，他们母子确实是情深似海，难分难舍……他还并没有走成，还没有弄到全额奖学金并且还根本没希望得到签证，他妈妈便已经开始唉声叹气，开始声称胸闷气促、心肌梗塞……餐桌边常常停筷哀鸣："胖胖你真走了，我非倒下不行！"胖胖便说："那我不走不就结了吗？"她也故意说："他走了，不还有我吗？"人家却只沉浸在自己的思绪中，对这些话充耳不闻，倒是她老伴一旁说出的话一针见血："她是又想吃鱼，又想吃熊掌！"

……她终于作出了决定：跟他离婚。

他原来并不想跟她离。

但经历过半年前那桩事后，他也便作出了离婚的决定。

确实，非离不可！他妈的！

……那天是她的生日。婚后，她的两次生日，他都依她和她父母的意思，去她家陪她过生日。但那天他实在没有兴致去她家。他头几天就对她说了："你已经结婚了，你有自己的家庭了，你的生日应当在自己的家里同丈夫一起过了。"她对这道理倒并不反感，但她歪歪嘴角，冷笑说："话倒不错。可我们真能两个人一起过吗？到头来恐怕还是成了你爸你妈——特别是你妈掺进来和的一件事儿。我都能想象出来，就算生日蛋糕是为我定做的，上头都用红奶油浇出了我的名字，可你妈切下第一块以后，一定忍不住还是要往你跟前的盘子里搁一那叫做惯性作用，对吗？"他便建议："我们就干脆在外头过。我有个好主意，你开名单，不要超出十个人，我跟红宝石饼屋的老板谈谈，让他们给个特价优惠，到那里给你搞个生日派对，如何？"她一听挺有趣，便点头应允了。

谁知生日前一天，她父亲便打电话来，先是打到他们所在的旅行社，让他们两口子一定要"回家给甜甜过生日"。说是他已从美尼姆斯西餐馆订了一个拿破仑式蛋糕，也买好了三打彩色生日蜡烛，并且"她妈妈还准备了几台中西合璧的好戏"，等等，等等，任凭他怎样推辞、解说、恳求乃至哀求，都不能让那位岳父改变主意。当晚又把电话打到他父母那里（他们小两口房间有分机），纠缠不休。他父母对媳妇的生日本来没有很高的热情，当然支持亲家的安排。好在她自己接过电话筒冲着父亲撒了一顿火，告诉那边第二天红宝石饼屋的派对都邀好人而且也交了定金了，她都这么大了难道就不能自己过回生日吗？难道后天再回家吃那拿破仑蛋糕就不成吗？……但是她从撒火、撒浑渐渐变为了撒娇和讨饶，因为，据接过电话筒的她母亲谈，她父亲因为恼怒、失望和伤心，心脏病发作，已脸发白、嘴唇哆嗦，简直要晕死过去了！

她终于让步，并动员他让步，把那派对改在了生日之后的第一个星期天，得罪了人（因为改期的通知来不及使所请的朋友都及时知悉了），还浪费了钱（饼屋扣下了三分之一订金），她同他到"自己家"过了那个生日。拿破仑蛋糕确实棒极了。岳母烧出的那满桌生辉的中西合璧生日餐也确实令人叹为观止。大舅子大姨子两家打来的祝福电话也确实情深意切。她也确实很快活。他却满肚子不高兴。他尤其看不惯岳父，无论是那言辞还是那神态表情。左一声"甜甜"，右一声"甜甜"，二十八岁的小媳妇了，当着她丈夫，怎么还这么样地叫唤奶名？灌了几盅白酒，那两眼便总直勾勾地盯住女儿，满脸堆出不得体的笑容，倒好像罗密欧在望着朱丽叶似的！

她一口气吹灭了蜡烛，欢呼一声犹可说，怎么就可以一把将她揽进怀里，脸挨脸地眯眼亲热，虽说你是她父亲，可旁边坐着的是堂堂的丈夫！

……使他终于忍无可忍的是，当他也喝得半醉，决定留宿时，岳父却吩咐他睡在厅里的长沙发上！连她也觉得吩咐是无效的，招呼他去她的闺房，并且对那满头白发满脸赤红的父亲说："爸，您别管了，我能安排！"而那位父亲却莫名其妙地阻拦到底，手舞足蹈地说："不行！不行！不能去甜甜的屋子！就在这厅里，这沙发一放倒靠背就是张很舒服的床，就在这儿……"

结果是两个喝得半醉或者说差不多都是全醉的男子大吵起来，他愤怒地冲进妻子的闺房，把床上的一个枕头朝着进来的岳父脸上扔过去，大声地吼："你给我滚！她是我老婆！"……后来四个人全吵起来，乱成一团，其情景不堪回想。

这样，他和她很快便达成了共识——他们必须离婚。

"怎么样？"他问。

"咱们离成了，最高兴的是我爸。"她说，"他庆幸我终于又回到他身边。"

"那你当然知道，你走了，最高兴的是我妈。"他说，"她庆幸不再有人夺走她的爱，或者说，至少不再有人分享她的爱。"

"可我爸真是个好人。"她说，"一个世界上最慈祥的父亲。"

"没错，"他说，"我妈也真是个好人，一个世界上最富爱心的母亲。"

他们相对一笑。这一回相对的时间和笑的时间最久。

天伦王朝饭店在北京灯市口大街西口路南。是一家四星级豪华大饭店。它的二层楼面有号称亚洲第一阔大的内庭——确实，即使是有周游列国经验的洋人，一迈进那高大开阔、中间绝无撑柱、穹隆上的玻璃棚罩壮丽辉煌的内庭，也不禁要发出喝彩：真了不起！

这家饭店的名字也真好——天伦王朝。

1992 年 1 月 13 日写毕于北京安定门绿叶居

画星和我

写过一篇《歌星和我》，意犹未竟，再写《画星和我》。

得从一条小街上的一个小邮电所说起。"邮电所"是我们小街居民的叫法，其实它大概应称作邮政所，因为小小的一间屋的门面，陈旧的柜台后只有一位戴眼镜的圆脸女士坐着，可以汇款取款、寄包裹、买邮票、寄挂号信，只是不能打长途电话和拍电报。大约二十年前，我在那小街的一个小杂院里一间小平房内娶妻生子，每月总要去那邮电所给家乡的父母汇一点钱，办完事总要倚着柜台跟女营业员闲聊一会儿。冬天，那邮电所没有现成的暖气，得生煤炉子，她总把炉火烧得旺旺的，将自带的饭盒放在炉子上烤，使小邮电所里弥漫着一股浓郁的菜肴味儿。站在柜台外同她聊天，真同置身在一个人家的客厅里，有一种亲切而随意的感觉。

有一回我又去汇款，只见那女营业员脸色煞白，应对失常，仿佛刚受了什么惊吓似的。一位去取款的老大妈想必已同她闲聊了一阵，见我去了忙着汇款，便对我说："你别急，让她先定定神吧——那群小痞子，可把她吓坏了！"一打听，原来是小街上几个胡闹腾的小学生，不知从哪儿逮来一只小花猫，用手推子给推了个"阴阳头"，又给脖子上挂上个"三反分子"的黑牌子，"批斗"一通之后，把它扔进了邮电所，把女营业员惊吓得尖叫了起来，他们则一哄而散。原来如此。当时已进入"文革""斗、批、改"的阶段，对人的批斗已不那么频繁，也不那么刺激了，所以我淡然一笑，安慰那女营业员说："别在意！瞧您，怎么还在冒汗……您的胆儿也太小了！""她胆小？"老大妈却立即反驳我说，"每天来这儿上班之前，她要从地安门邮局取出流水款来；每天这儿关了板，又从这儿把汇出的款送回地安门，来回骑个自行车，一半路是穿小胡同，要遇上那号贪财的坏小子，她一个女人家，怎么得了？可这么些年，她也总没胆小过，不是吗？"谈到最后，老大妈把脸朝向女营业员，似乎在发动她对我做出进一步回答，那女营业员用手帕揩着脸上的汗，又整整眼镜，表情模糊地说："这不是什么胆大胆小的事……"

几年后，"四人帮"倒台了。我儿子也高到我大腿根了。再去邮局，他就像尾巴一样，总跟着，还常常要我抱起来，好满足他那"柜台里头有什么呀"的好奇心。每当这时，女营业员便笑眯眯地伸出套有薄薄塑料指套的手指刮刮他的小鼻子。在我印象里，那位女营业员几年里似乎并无任何变化，当然绝不显得"越活越年轻"，但也纹丝儿不见老。她于我似乎是一个与时间无关的社会环节。她的服务态度挺好，从没让我感到过不快，但似乎也没有哪次格外地更好过。她是一种因平淡无奇而令人感到完全可靠的客观存在。

可是，有一回我把儿子抱起来，循例让他叫"阿姨"时，儿子却拍着小手欢呼起来："嘿！有个叔叔！叔叔！"我定睛一看，果然有位个头不高、模样平庸的男人，在柜台里火炉边热饭。女营业员不等我问，便淡淡地向我介绍说："我们那口子……"

她们那口子！原来她也有丈夫，想必也有子女，有她自己的家庭，有她的个人生活和个人天地……这本是天经地义的，但因为我从没有想过，因而看到她丈夫，也还是颇感新奇。汇完款少不得又闲聊几句。问她丈夫在哪儿上班，说是在食品公司禽蛋分公司的蛋品仓库工作。这天轮休，闲着没事，所以来这儿帮帮忙。

离开那小小邮电所后，我很快也就把他们都忘了。

儿子上小学了。去邮电所汇款没有尾巴了。办完事便可以更从容地聊几句了。有一回聊完新出的特种邮票，便完全出于无心地问："您爱人这阵怎么样？还在蛋品仓库吗？"

"他呀，"女营业员淡淡地回答，"泡病号，在家呢。不干别的，光画猫。"

一开头我没听清也弄不懂她说的"画猫"，后来听清弄懂是画上了画，专画猫，也便淡淡一笑。人是得有个业余爱好才能填补空虚啊，我想。

又一回汇完款，闲聊，女营业员有一搭没一搭地问我："您能不能给想个法子，让我们那口子挪挪窝……"原来她丈夫整天在家里画猫，入痴入迷，单位意见很大，医院也不再给病假条了。单位领导找了她丈夫，说你要愿意专门画画儿，赶紧自己联系调到文化部门去，要不，你就得上班，再不上班，可就上报除名了。我听了这情况，既不同情也不反感，只淡淡地又问了几句，告诉那女营业员："调文化部门谈何容易？拿我们出版社来说，进去当美编总得是美院或工艺美院毕业的，自学成才的不是绝对不行，可您爱人不画别的光画猫，那是专业画家、画院里的画家才能享有的待遇。再说蛋品仓库算企业单位吧？从企业转事业，报批手续麻烦着哩，除非特殊需要，可哪个事业单位会单缺画猫的人呢？"

女营业员频频点头，没有叹息。看来她并不为丈夫的处境焦虑。

后来我写了几篇小说，出了点名，渐渐稿费多起来，进出那小邮电所的次数也大大增加，与那女营业员聊天时的兴致也不断提升。我又问到她丈夫情况。据她说与单位达成了妥协：单位准许他白天在家画猫，晚上到蛋品库去值夜班——实际上就是去同鸡蛋鸭蛋鹅蛋一起睡觉。又说她丈夫头两天画满了一千只猫，这几天正在实行"变法"云云。

再后来我不仅成了专业作家，还有机会出国访问了。我们首次出访的作家代表团团长是个老"外事"。他说除了公费置备的礼品外，最好每个代表团成员都能再凑些礼品，否则怕应付不下来。而所去的地方是日本，一般的中国小工艺品日本人不稀罕，更不能像到巴基斯坦或南斯拉夫那样用万金油之类的东西当小礼品，最好带一点中国画去——不一定是名家的，也不一定是大幅的、装裱好的，一般看得过去的，小幅的，托一下，只要是真迹，送一般的人，就既体面又讨人喜欢。他又说，如今稍有点小名气的画家，那画就很难求，一般都不能白拿，而我们的礼品费又很有限，因此，他启发我们说："最好找那些完全没名气，但其实画得还好的人，听说我们能把他的画带出国去，送给洋人，那无异于帮他出名，给他免费作宣传，他一定会白给我们的……"代表团里当即有一二位便说，他们有那样的朋友，要几张不成问题。我岂甘人后，便也说我认识一位画猫的朋友。话没说完，团长便望着我点头说："猫最好！我知道日本人最喜欢猫！而且猫也没有意识形态色彩，无论是左、中、右哪方面的人士，送猫都很得体——你就去求点猫画来！"

一言既出，驷马难追。我不得不去找那女营业员，去要她丈夫的画。说实在的，我要画时真捏着一把汗。对于他们，那倒没什么，画得不像样，我当面称谢背后扔掉就是，可我怎么跟我们访日团的团长交代呢？

女营业员听了我要猫画的一番说明后，只是祝贺我有机会出国访问，对于画儿的事只淡淡地说："好，我回去跟他说说，也不知道他画的那些个猫，拿不拿得出手……"

说好第二天我去邮电所听回音，如应允再去他们家，谁知当晚我们一家刚吃完饭，便有人敲门。打开门，那女营业员和她蛋品仓库的丈夫竟一同老远地赶来了——送来一大抱猫画，让我尽情挑选，也可以统统留下。

说实在的，我大吃一惊。不是觉得那丈夫画得有多么好，而是没有料到他画的各种形态、表情的猫，都比我担心的那种拙劣要高出许多。我想这样一些猫画拿去给日本不那么重要的交往者，应该说是过得去的——这毕竟不是印刷、仿制品，而是手绘的真迹啊。

妻子对那些猫画给予了远比我热烈的赞叹。上小学的儿子也对画欢呼着。那画猫的人满面通红，搓着一双小手，似乎有点不知所措。他妻子——那营业员却只是淡淡地问："您看能行吗？"

我给予了肯定的回答。两口子尤其那丈夫显现出一种如释重负的表情，只说才知道我要出国，早知道他会专门画一些更精心的。又殷殷地问我哪天启程，还需要什么……

我从他送来的一大堆猫画里挑选了 10 张，拿去给我们访日团的团长看，他点点头说："行呀行呀，也算是件礼物吧！"

临行前一天，妻子正给我熨衬衫，那画猫的人又来了，对他的不请自到，我和妻子都有点别扭，但也只好请他坐，给他倒茶。原来他是赶画了一张九猫图，自己花钱装裱成了一个横轴，巴巴地给我送来。展开一看，是用工笔和写意相间的笔法画了九只正在嬉戏的猫，有白的波斯猫，有狸猫，有黑猫，有黄猫，有花猫……神态颇为生动，构图也挺精心。他仿佛怕我见怪，搓着手，近乎哀求地说："您给带出去吧，送给谁都行……"

我的行囊早已打点完毕，已然是"多一分则太紧，少一分则太松"，第二天只待穿上出国的"行头"等车来接了。已无容纳他这轴画的余地，但又不好扫他的兴，便含混地向他道谢，他却直到我把他送至院门外，还在搓着手说："您带出去吧，送谁都行……"

第二天车来接我，妻子把我送进车里，司机问："再想想，落下什么没有？护照、机票……"我摸摸胸口，摇头。妻子却叫喊起来："对！还有一轴画儿，你搁在小柜上忘拿了！等等！我去取来！"我来不及拦阻，她已经一阵风去了又一阵风回来，把那轴画塞进了车窗，我只好把这多余之物带走了。幸好到了机场，同去的一位成员的行李包还有空隙，我便把那轴画塞进其中。

日本之行自然丰富多彩，不在此细说。只是都快要回国了，团长说原本因为到意大利度假所以不能同我们相会的那位大作家，提前回到东京了，他不仅乐于同我们相见，还邀我们全体到他私宅做客，这当然是一桩值得高兴的事——但团长又说，可惜我们把较为像样的礼品全送光了，而到他家去，是不能不送点纪念品的，这可怎么是好？有那调皮的成员就说："岂止像样的礼品送光了，就连不像样的礼品也差不多没了，我看不如把别的日本人送咱们的礼品，挑出一样送给他吧！"大家都笑起来。这时那位行李里塞有《九猫图》的成员就指着我说："他可以做出贡献！也不知是个什么东西，让我带来带去这么多天，难道现在还不该出手吗？"团长就问我是什么东西，我没作答，那家伙就抢着说："反正有体积，有分量，绝对能算个大礼品！"大家全笑了，我脸上烫烫的。

谁知团长看过后说："行。"又谁知到了那日本大作家富丽而又雅致的宅子里，将那轴《九猫图》展示给他时，他竟大表赞赏，连说"不敢当不敢当"、"礼重礼重"，又问是谁的手笔，团长便问我，我便把题字落款指给他，告诉他画家的名字，他凑拢了看，直到把那名字的每个字笔画搞清，又连说："好，好，真好，真好……"

从那大作家宅第回到所住的新大谷饭店，在电梯里团长对我说："你这位画猫的朋友挺有心眼啊，九在东方人心里是个吉祥的数字，他不画七只猫而画九只猫，妙妙妙！"我觉得团长像在学猫叫，不禁笑出声来。

回国以后我忙着搬家。搬到离原来住地很远的新居民区的一幢楼里去住。临搬家前我跑到小邮电所，向那女营业员告别，同时嘱她通知他们支局，凡我的信件汇款包裹什么的，一律转到新址去，说到最后才想起来请她代问她丈夫好，并再次感谢他给我们的日本之行提供了那许多礼品画。她微笑着同我告别，临了淡淡地说："我岁数到了，过不了几天就办退休手续了，你以后就是再来这儿，也见不着我了。"我望着她，感到惊讶。因为我一直觉得她是一个凝固在某个不老也不小的年龄上的人，自打我认识她以来，十多年里她那模样简直没有一点儿变化啊！

某日，我在新居里写一篇新的小说，忽然有人敲门，我不耐烦地走去开门，门外是那位画猫者。我只好打起精神接待他。

画猫者那天头发蓬乱，胡子拉碴，一身中山装破旧而寒酸，搓着那双细嫩的小手，两眼里充溢着一种渴求人听其诉说的神情。我请他坐。他坐到沙发上，两只手落到膝盖上，不住地摩挲。我给他倒了杯茶，问他可有什么事情。他脸憋得通红，好像做了什么见不得人的事。半晌，才结结巴巴地讲出了他的来意。原来，他真是陷入了极大的困境：妻子退休了，每月不仅没了奖金，退休金也只有原来工资的70%，而女儿在外语学院英语系还没毕业，他自己呢，已经让单位给停薪三个月了，单位说如果他再这么昏天黑地地只顾画猫,连值夜班都值不好——那夜班要求中间起来巡查两次,他却去了倒头便酣睡到天亮,在他当班时已发生过三起十多箱松花蛋被盗事件——那就不仅要停他的薪,而且要将他除名,在这种情况下,他迫于无奈,便向单位宣称自己可以借调到我们系统的外事部门,专管礼品画事务。他恳求我帮他向我们系统的外事部门说说,哪怕不给他开工资,只给他开封借调的公函,使他不至于被革除公职,就行;他将无偿地向我们系统外事部门提供出国访问及国内外事活动的礼品画……

听了他的倾诉,我对他生出许多同情,心想无妨去帮他说说,所以我安慰他,倘若我们系统外事部门真的借调他来,那不会不给他一份临时工资的;又设想倘若他干得不错,也许我们系统外事部门会设法把他正式地调过来。他的眉头舒展开来,说等我的回话,还给我留下个传呼电话的号码。我都快把他送出门了,他忽然又转身向我,搓着那双让我看去总不那么顺眼的小手,表情相当古怪,嚅嚅地对我说:"我……我……您知道吧?我其实挺清白,没干过坏事……不过,我档案上记着,我知道,记着哩……那一年我才19岁,刚参加工作,是银行的会计……您别误会,我没贪污……我只是想一鸣惊人,想当英雄模范,上报纸,戴红花……就跟一个同事,合伙儿搞了个假现场,搞得好像有几个匪徒来抢我们储蓄所,而我们进行了英雄搏斗……我们把自己都弄出了血,储蓄所里满地撒着钞票,后来公安局的人和单位里的人都来了,公家的钱一个子儿没少……但是我们没能成功……没过两天就找我们个别谈话,最后我们都承认了。是假的……"画猫者鼻子抽动着,但不像是哭。他为什么突然向我坦白出这么一个古怪的污点?档案上有的?这在我听来其实也算不得什么,那一年他才19岁,我19岁的时候也想当英雄模范,也想一鸣惊人,也有过种种荒唐透顶的心理活动,只不过从未有将之付诸实践的机会和胆量罢了。

他走了。我好半天定不下心来,那一天就再没能把小说写下去。

我还真去跟我们系统外事部门的负责人讲了,他只当个故事听,末了笑笑说:"没必要借调这么个人。调来更不可能。不过倒可以低价收购点他的猫画,总比去荣宝斋那类地方买礼品画节省许多。最近又有个团去法国,你看能不能再让他送点儿猫画来，咱们五块钱买他一只猫，如何？这对他可不无小补啊！"我刚想把这事揽下来，他却又连连摆手说："不行不行，他可怎么给我们开发票呢？我们可又怎么入账呢？这样吧，只能是出访的人员想自费购买礼品时，你帮着牵个线儿，让买他的猫……"轮到我摆手了，我吃饱了撑的，管人家自费礼品的事儿？

后来我就把这事撂到了脑后，也没给画猫者打传呼电话。他也没有再来找我。

一晃我儿子长到我肩膀那么高了，眼看小学就要毕业，有一天他放学回来，没顾得扔下书包就气喘吁吁地向我报告说："爸，楼底下停着小汽车，倍儿新的尼桑，里头来出个大胖子，倍儿亮的皮鞋……他敲开一楼李奶奶家的门，可嘴里说着您的名字……"我把他后脑勺一推，让他去洗把脸，心里多少有点纳闷：谁呀？怎么嘴里说着我的名字？

没过几分钟，那大胖子就找到我家来了。简言之，那人我根本不认识，他辗转得来我的地址，弄错了单元号码。他给我看了介绍信，原来是中央一个大部的，是该部管外事的，他们接待了一个日本大财团的代表团，代表团团长的夫人向他们提出一个要求，希望帮助买到一幅日本某大作家厅堂所挂的《九猫图》的画家的猫画。那阔太太说她问了荣宝斋和北京几乎所有卖字画的地方，都回答说没听说过这么个画家的名字，也没有收购过他的画，但那阔太太竟患了心病似的，在华期间只为寻觅那画《九猫图》的画家忙碌。他们部的副部长已将帮助这位太太满足心愿的任务交给了他们，因此他们经过多方试探，终于找到了我们系统的外事部门，又从那里知道了我的地址，因此冒昧地跑来打搅，希望我提供线索。大胖子用一方大手帕揩着脸上的油汗，仿佛生怕我明明知道还故意"留一手"，又跟我讲起道理来：这个大财团将给我们一个大项目一笔可观的低息贷款，因此，满足大财阀阔太太这一合理的要求，关系着国家利益云云。我哑然失笑。去到乱糟糟的抽斗里找那张给我留下的传呼电话号码，那号码后面也便有地址，是在一条大胡同里的一条中等胡同里的一条小胡同的一个杂院。我居然没有把那纸条扔掉，薅了一阵终于薅了出来，立即递给了来访的大胖子。来访的大胖子拿着那张纸条，如获至宝，不仅皮鞋倍儿亮，脑门也倍儿亮，真是上下生辉了。

又过了半年的样子，有一天晚上妻子下班回来，手里舞动着当天的《北京晚报》对我说："看呀！人家成了画猫的专家啦！这下出名啦！"

我接过报纸细看，是一条"本报讯"，称那位前邮电所女营业员的丈夫是"自学成才的画家"、"其猫画在东瀛倍受青睐"、"目前正创作一幅别开生面的《百猫图》，但画面上却只画了九十九只猫，意味无穷"、"据悉其《百猫图》尚未画竣，已有日本××××基金会画廊驰电订下，一俟完成，即赴日展出"云云。

接着不久，星期天我们两口子和小学毕业的儿子去电影院看一部外国电影，前面演了个加片，是中央新闻纪录电影制片厂拍的《祖国新貌》，忽然映出了一段，是专门介绍画坛新星的——正是他！他在镜头面前多少还是有些局促，我注意到他不执画笔的一双小手还是在下意识地互相搓动。我没注意影片上所展出的那些画幅，包括那幅用摇拍镜又推成特写的《百猫图》，我注意到关于展示他家庭生活的一组镜头，他的妻子竟同我头一回见到时几乎是一模一样，据电影的旁白解说，她从小就爱猫，家里一直养着许多只猫，这是她爱人画猫的灵感源泉所在，电影里还穿插了若干他们家的猫的镜头，也算不清养了多少只，只记得有画家妻子录下的几句画外音："我们家都爱猫，他画猫，我养猫……"虽给推了个大特写，但那妇人的表情和语气都淡淡的。这一小段电影大约统共也就两三分钟，却对我们全家产生了巨大的心理影响，下面本来很精彩的一部悬念片也显得稀松平常了。

又有一天，妻子下班回来讲，她在地铁站遇见了画星的妻子和女儿，那妻子还是那么朴素，女儿可是花枝招展，一身的名牌，脖颈上还戴着闪亮的波纹金项链。又报告说，人家这下生活可富裕了，手里大包小包的，全是从友谊商店买出来的高档货——可这些都不算什么，最让我妻子兴奋的是，没想到那女儿外语学院毕业以后，已到一所市重点中学当初中英语教师，而那中学正是我儿子升学考试的志愿表上填的第一志愿！那年轻的教师应允，倘若我儿子分数出来略差个三分两分的，她可以去向校长求情，把我儿子收下。

儿子升学考试的分数出来了，比那所市重点中学所要求的分数恰恰低了三分。妻子急得不行，硬要我跟她一起立即奔赴画星的家去找那年轻的教师帮忙。为儿子前程计，我只好硬一硬头皮，同妻子一同去了。

这回我算是画星家的不速之客，犹如几年前他闯到我家一样。他正在挥毫作画，也犹如当年我正在伏案爬格子。他开了门，面带惊诧，显露出极短暂的不耐烦的神情，即又迅即以一个颇为热情的微笑掩饰住了，也犹如当年我那德行。令我们两口子尴尬的是，他妻子和女儿都出去了，据说当晚恐怕要住在女儿姥姥家，因此我们不得不把托他女儿帮忙的事，转述给他，他虽招待着我们，又倒茶，又拿来上好的芦柑，并连连地说着："没问题，没问题，这个忙是非帮不可的，估计问题不大，不大……"可我总觉得他脑子里转悠着的，还是画猫的情绪。我们交谈时也便有几只猫走到了沙发面前，有一只腮毛丰满的金银眼的波斯猫大方地跳到了妻子膝盖上，她便搂着她，抚摩逗弄。画星自己则搂着一只通体墨黑的眼睛像黄玉般晶莹的紧毛猫。

我细观察眼前的画星，他头发梳得整整齐齐，胡子刮得干干净净，穿着一件米黄色的正宗鳄鱼牌 T 恤，脸上虽有不少皱纹，但气色红润，坦然地对我们微笑着。我和妻子你一句我一句地问他，他简洁明了地作出回答。他已经正式辞职，专门在家画猫。现在是上门收购的单位互相竞争着来买他的画。他说钱确实已经挣了不少，但他是严格完税的，因此不像外面传的那么邪乎——他的画卖给东洋人或海外华人（西洋人偶尔也买），大头还是归国家、归画店，剩下的也不全归他，他得的只是小头。当然，他那个小头，也往往比我这爬格子爬出的大部头多，而且，他一个题材可以重复着画。

"你现在可真是苦尽甘来啊，"我艳羡地说，"不像我，虽说也算出了点名，可烦恼不断！"

"我心烦的事也不少啊！"他对我们说，"你们瞧我住的这房子！老房子，狭，不够住且不说，洋人来了，不好招待啊！人家倒不嫌这房子老，越是这曲里拐弯的胡同里的这号老院子，人家倒兴许越觉得有趣，有的来了不光看我的画儿，还看我们的院子，看院里那棵大枣树，看我们院那破旧的垂花门，看院门口那对砸得豁了嘴的小石狮子……可他们有哪位忽然想上厕所时，可就坏事了！你们走进来的时候瞧见了吧，公共厕所离我们院门有三十米开外，这还不说，那里头就算再有人打扫，以他们那种生活习惯，生活水平，能忍受吗？有一回一位来看画的日本太太，勉强进去方便了一下，出来迈出没几步就忍不住弯腰吐了一地……还有一回是个西洋太太，我们只好请她到里屋坐痰盂，可她坐上去又撒不痛快，最后还是憋着叫来了出租车，赶回宾馆解决问题去了……"

他以这个话题跟我们聊了半天，我们问他为什么不买个新居民区的单元房搬过去住？他说按当时的政策还不允许他这样的人买。所以他就跟有关部门提出来，他愿意捐几万块钱，改造他们那儿的公共厕所，好让来拜访的外宾能够使用，并且也使附近的居民受益。

"你可真是学雷锋，做好事！"妻子赞叹说。

"哪儿呀，要像你这么看问题，那就好了！你们猜怎么着，人家死活不同意，说公共厕所是公共的，让你个人出钱修，那不成了你个人的了吗？我说我把钱捐给公家，修了还算公家的嘛。他们说研究过了，不行，不合适。现在这样的厕所符合中国的国情，不能单为了几个拜访你的外国人兴那个土木！我原以为街坊邻居会支持我，他们可以不出一分钱，大大改善这方面的生活条件嘛，我还提出来，里头附设淋浴，搞成个大型的卫生间，以后每月的电费、水费也都由我一个人付。可街坊邻居们也没几个帮着我，有的知道了这事以后，倒还甩脸子给我看。有一天我从外头回来，还听见有人在我背后嘀咕说：'摆什么阔，要修厕所把你们家整个儿变成厕所，自个儿跟洋人一块儿用不结啦！'你们听听！这让我从前胸凉到后脊梁，弄得我这些日子都不好意思到公共厕所里去了……"

他把情况介绍到这个程度，我们也就无法再表示什么。他便站起来让我们看他的画，有挂在墙上的，有从大瓷缸里拿出来的，也有的还没裱，从柜子里取出来，一摞摞的——清一色全是猫，除了猫他绝对不画别的，当然，偶尔为了表现那猫的活泼娇憨，点缀一些个线球、蝴蝶、耗子、花瓶、灯台什么的。说实在的，我真不觉得有什么了不起之处——同当年画的《九猫图》时相比，只不过是更娴熟了而已。他似乎又并不练习书法，因此画上的题字实在难以恭维，印鉴也不怎么讲究。同许多明星一样，他的成功与其说是才气与勤奋使然，不如说是机遇与侥幸所赐予。最后他主动送了我一幅画，是一个立轴，画的是一只写意的黑猫，上头还题了他自己拟的一首诗。他为送我那画还专门到案头用墨笔补上了请我和妻子"雅正"的一行小字。我和妻子自然连连称谢。

我们告辞时又千叮咛万嘱咐别忘了让他闺女帮我们儿子说情，好进那市重点中学，他蔼然地一叠声应允了："忘不了！哪能忘！"又让我们不要再大老远地跑来，告诉我们他家已有了直通电话，并让我们记下电话号码，我们也让他记下了我们家的电话号码。他后来一直把我们送出小胡同又送出中胡同，还要把我们送出大胡同，我们执意要他回去，说到了大胡同便认得路，不会走错了，他这才挥手同我们告别。

往公共汽车站走去时，妻子心情大畅，她说："今天的访问收获不小，真圆满啊！"

我心里却想，收获是有，但似乎缺了点什么该有的……什么呢？等车时我望着天上残缺的月亮，忽然悟出，画星同我们聊了那么久，竟没有对我说出一句这样的话来："都亏那回你去日本送出了我的那幅《九猫图》……"是呀，他竟只字不再提，仿佛不曾有过那么一回事似的。我觉得自己的心上，有点空荡荡的，很不自在。

我儿子靠画星女儿帮忙上了那所重点中学。我电话里道过谢，妻子领着儿子买了些水果去当面道过谢，画星的妻子后来又来过一次电话，妻子接的，对方仿佛埋怨妻子不该提那些水果去，妻子当然说："你们什么都不缺，那也实在算不上什么谢礼，也不该送礼对不？那不过是咱们中国人串门儿的一种习惯罢了……"双方最后都约定"有空一定来玩"，但后来大家都没有空，也就没有再来往。

儿子升入初二的时候，有一天我偶然问起那画星的女儿还教不教他们外语，他说："早换教师了，听说她到美国留学去了！"

这以后画星知名度继续冉冉上升。开过一次成功的画展，电视新闻里有报导，尽管大概不到半分钟，但有他和他画的猫的大特写，还有若干政界、文化界知名人士在镜头上闪现。又在一本杂志里看到一位名家写的长达一万多字的报告文学，附有若干张照片，从照片上看他发福了，而他妻子似乎仍是从前的那么个平淡无奇的固定模样。再后来在一位朋友那里看到了一本精印的画册，是非公开出版物，这本专门介绍他"其人其画"的画册前面有一位大名家为之作的序，有他的小传，以及他的一篇言辞锋利的自跋。他并没有想到送我一本。正如我出的新书并没有想到送他一本一样。

儿子已经长得比我还高了。有一天门铃响，儿子去开门，迎进来的一对夫妻我们乍望去简直不认识，倒是他们二位一招呼我们，我们才认出是画星夫妇。他们是来告别的，要去美国。女儿为他们联系好了，一个什么什么基金会请画星去那里两年。显然他们一去便未必返回了。

画星最大的变化是派头。派头主要还不体现在质地优异制作精致的花格呢西装上，而是那一头已然花白的头发。那发型该怎样形容呢？仿佛清末民初的刚剪掉辫子的男子，他一头黑白相间的头发披在耳后，下部剪成一条直线，一望而知是大艺术家。他一双小手不再互相搓动，而是坐下后优雅地置于沙发扶手之上。

画星的妻子总算有了一些变化。但那变化并没体现在面容上，她依然是朴素的发型，一副老式的眼镜，也依然不显老，连头发也不呈明显的花白状。她的变化体现在衣着上，她穿着一身暗紫红的洋式套服，里面带花边的绸衫领口处别着一枚闪闪发亮的蓝宝石领针，耳朵上没戴耳饰，但手上却有一枚金戒指。说起去美国的事，她只淡淡地说："可惜带不走我那些可爱的猫，只好都分别送给邻居亲戚们了……"

他们坐不住，因为包了一辆出租车，还要转几家，分头去辞别，车就在我们楼下等着。

画星辞别时才带了一本他那精印的画册给我。他注意到他送给我的那幅黑猫立轴挂在了窗边，他走过去看了一下，证实那画上已有明显的水渍，我便向他解释，是头年夏天晚上忘了关窗，暴雨骤来，雨水打湿的，他脸上显出很痛惜的表情，眼里闪着不快的光，嘴里却没说出什么来。我猜他心里一定在想，我真不懂事，这样一来，那画原来如果值一万，这下可就贬值到六千了……

画星去美国有三年了吧。抄袭《歌星和我》的结尾以作此篇的结尾：画星于我是不知所终。我想我于他亦然。

1992.1.15

春闺梦

仲春。柳絮逐队成球，到处乱飚乱滚，居然飚进了楼道，滚进了电梯。

"浪荡柳絮因风起……"七楼的一位女同志随口说了一句。

"是'颠狂柳絮随风舞，轻薄桃花逐水流'……"十楼的一位胖胖的男同志彬彬有礼地纠正她。

挤在电梯里的人都笑了。

我的笑声尖而急促，爱人也在笑，她的笑声比较柔曼。她拽了拽我的衣袖，提醒我不要失格。

我们住十二楼。出得电梯，待电梯门关上，爱人就责备我说："哪有那么好笑！"

也是。哪有那么好笑？也许仅仅是因为正当春天，春光烂漫，心情便无端地舒畅。

"你看人家十五楼的那位，人家就不笑。"

爱人总是对的。我们下电梯以前，电梯里只剩下我们和十五楼的一位男同志，人家确实就没笑。他一直紧挨着我们站着，"颠狂柳絮"也好，"轻薄桃花"也好，这类的字眼都没让他脸上现出笑纹，大家笑的时候，独他不笑，仿佛一个人低着头在那儿出神。

春天也不笑。这人有点怪。

我们搬进这栋楼有一年多了，因为这是座所谓的"板儿楼"，就是说楼体呈偏平长方形，立面从当中又稍微朝两翼张开，远望看有点像一本展开的巨书，因而住进了无数的人家，是散分给不同单位的，当中还有一部分属于商品房是卖给了个人的，所以即使常在电梯里相见，甚至像那天那样因为一句很普通的对话大家便笑一笑，却往往也并不认识或不大认识，借故笑一笑，也无形中有增加一点人际滑润剂，实行睦邻友好政策的用意。毕竟大家都等于是一本巨书里的字词。

柳絮不那么颠狂的一天，我走到电梯口正遇上那天那位不笑的主儿，他比我先到一步在那儿等电梯，我便向他一点头，他也便向我一点头。他问我："刚下班？"我点完头便也问他："您也刚回来？"他便又一点头。

那正是电梯利用率最高的时候，从显示牌上看出来，电梯几乎是每上一层便要停一次，等到了顶层再落下来恐怕得好几分钟。

没话找话说，我便问："您跟哪儿上班哪？"

他告诉了我，我没大听清，因为这时候楼外有个收废品的正在吆喝。他那话的尾音上有"公司"两个字。他在公司做事？我不由得再打量他几眼，此公穿着套时下已经不仅不时髦而且相当落伍的中山装，敞着领口，里头露出的衬衫领口也不怎么洁净，我想他一不会是外资或中外合资公司的雇员，二也不会是外贸口的进出口公司干部……也许他是废品公司——即废旧物资回收公司的业务员？……

电梯居然没等那么久也就落到底层了，我跟他和后来赶到的邻居就都站进去。让别的衣衫时髦光洁的邻居们一对比，他就黯然失色到几乎不再存在的程度。我本想回到家里跟爱人聊上他几句，比如这人怎么这么乏味呀，怎么一点儿特点也没有……但一进屋就闻到一股鱼香肉丝的厚味，这香味立马使我把他遗忘得干干净净，我搓着手，满心里只打算着迎接一顿美好的晚餐。

初夏的一天，按节气还不该那么闷热，可是忽然热得邪乎，傍晚人们便纷纷下楼纳凉。离我们楼不远便是修整过的护城河，河边有柳树，还有些开着红花黄花的灌木，我和爱人便到河边柳荫下散步。这时我偶然又看见了那主儿，一条蓝裤子，一件素白的圆领衫，正在水边弯着腰，也不知在出神地看着什么还是在闻着什么……我便有一搭没一搭地对爱人说："瞧那不爱笑的主儿……他这人怎么一点特色也没有？不高不矮，不老不少，不胖不瘦，不美不丑，要不是他又出现在眼前，你让我回去闭上眼，打死我我也想不出他完整的模样儿来……"爱人便说："要那么多特点干什么？真人不露相。咱们这楼里藏龙卧虎的，什么能人没有？"

说的也是。听说有个邻居就是腰缠百万的个体户，在八九个商场租赁了柜台卖服装皮鞋，但我也总没认准了他，知道楼下常停着的那辆血红的夏利小轿车是他的，不过我没遇上过他上下车。还有个邻居是个挺有名气的作家，平时在电梯里遇上，他穿得随随便便的，说是随便，是指并非西服革履，往往一条牛仔裤，一件 T 恤外罩一件茄克衫，脚底下一双千层底黑布鞋，但懂行的都说那随便里不仅透着潇洒，也透着小康，因为所穿的 T 恤、茄克衫和牛仔裤都是名牌货，如果遇上他胡子刮得光光的，一身国产西服，一双擦得倍儿亮的黑皮鞋，系着斜条纹的领带，脖子一望而知是拘束得难受，那没错儿，准是这小子有个什么外事活动，楼外头准有辆公车在等着他。但这作家这些年好像既不写诗也不写小说也不写剧本也不写评论也不写散文也不写杂文也不写童话也不写寓言，除了参加各种社会活动，就是经常在一些杂志的尽后头看见有他署名的文章，多半是介绍一个什么企业，又多半是重点介绍一个什么总经理，还总配得有照片，那照片上不是他，而是那位总经理。据说这也就是作家得以保持一身名牌的诀窍。我们楼里的文化界人物也不光是作家，我一直跟我爱人在打赌，就是我们楼里住着钢琴家，因为经常有优美的钢琴弹奏声飘进我家窗户，据说有些邻居对钢琴声非常厌烦，可那没办法，因为我们楼的造价决定了它不可能采用昂贵的隔音材料，但我却不讨厌那钢琴声，我觉得有那琴声才显示出我住在一个相当高尚的区域。但有一回我和爱人步行下楼——这是难免的事，电梯经常出故障需要维修——大概是下到第七层时，累了，便站在那儿且尽情喘息，这时便从 701 室里传来铿锵的琴声，正是经常从我们居室窗户飘入的那一组旋律，我便对爱人说："怎么样？果然有钢琴家吧？就住这里头。"但我话音没落，701 室的门就开了，一个主妇端着簸箕出来，要到楼梯拐弯处的垃圾口倒垃圾，这时我和爱人就不约而同地朝门里望去，结果我们就都看到了，是一个顶多只有十岁的小女孩坐在钢琴前弹琴，后来打听出来她是音乐学院附小的学生，走下楼以后爱人就说我输了，因为我说楼里有钢琴家，就凭那些个旋律；我却认为赌还可以打下去，因为焉知若干年以后，那小姑娘不会在国际上夺个大奖，俨然是一代钢琴家呢？不过对于我们楼上或许住着一位相当著名的京剧演员，我们之间却并无分歧，不赌输赢，因为偶尔会有咿呀的青衣唱腔从空飘入，犹如仲春逐队成球的柳絮，而我们很轻易地也就判断出那名演员便是那一回吟出"颠狂柳絮随风舞，轻薄桃花逐水流"的胖先生，我们知道他的工作单位正是北京京剧院，而他的长相也确实很像我们从照片上看到的程砚秋，当然，我和我爱人对京剧都是十足的门外汉（我爱人或许应称门外娘？），不过不管怎么说，有这么多文化界的人士为邻，总是一桩可以引以为雅的事。

当然楼里也住着许多行业和本人都不招人注意的人物，正所谓芸芸众生，我和我爱人不消说都是，那位毫无特点的在什么公司里做事的主儿更是。

且说那天正当初夏却出奇的闷热，我们附近的护城河边便有几位小伙子穿着小裤衩要下河游泳，这时我和我爱人就看见那主儿走过去劝阻那几个小伙子，小伙子们哪里听得下他劝，都在那儿抡胳膊或小弹跳作准备活动，巴不得快点下河图个凉快。

我和爱人走拢过去。只见小伙子们你一句我一句地对他说：

"我们去年游过，这河水挺干净的！"

"底下没什么水草，也没什么扎脚的东西，挺安全的！"

"这儿也没戳着'不许游泳'的牌子！"

"你也跳下去凉快凉快吧！"

那主儿却认认真真地说："不成，我可闻出来了，水里有酸！准是桥那头掉下了什么污染物……"

听他一细说，小伙子们全二乎了，直听得我和爱人也目瞪口呆。

那主儿敢情有一管怪鼻子。

后来小伙子们都没下水，还帮着劝别的想下水的人别冒失。再后来那主儿和不知怎么找来的搞环卫的人在桥头果然找到了一个污染物，捞了上来，我和我爱人没走近去围观，我们回楼时听说，那是一个装过强酸类物质的容器，怎么会掉在护城河里，谁丢的，正调查中……第二天一早我到阳台上偶然地朝护城河那边一瞥，只见河面上确有一道忽宽忽窄的污染带，还漂着些银白的点子，细一想，准是些被毒死的鱼。

后来天气太热，有一晚我独自下楼散步，在护城河边遇上了那主儿，想起他及时劝阻了小伙子们下水游泳的事儿，不由得比平时尊敬三分，便由微笑、点头、搭讪，发展到一块儿散步、聊天。

便问他鼻子怎么那么灵。

他说也并不特别灵。只是对各类工业用酸，比较敏感罢了。

便问他可是在化工厂工作？一问便心内自责，人家不是说过是在公司工作么？果然，回答我是在化工公司工作。化工公司是干什么的呢？搞化学工业生产的？科研的？设计的？……敢情都不是，是属于物资系统的，向生产部门科研部门及一切需要化工原料的部门提供有关物资的，现在物资部门不仅在为改革、开放加薪燃火，自身的机制也在改革，也在开放……他大约从我表情上看出了一种掩饰不住的隔膜，便停下脚步，叹口气说："我在这一行待了整整三十八年了，眼看就要退休了，可就连我的亲友们，也总弄不懂我究竟是干什么的……现在为了省事儿，我就跟他们说：我是一个商人！他们听了就总是笑，觉着我是故意跟他们逗闷子——其实我现在确实是一个商人，一个很大的商人，我卖的是很要紧的货哩！"

听他一聊，我也才明白，他果然是一个官商。他是化工公司的副总经理，专管硫酸、硝酸、盐酸以及别的几种液态的具有强腐蚀性的大众原料的供应工作。说实在的我就从来没有想到过世界上还有这一行，还有这样的经理，还有这样的买卖。

但是听他聊天毕竟是枯燥的，他不怎么会形容，缺乏风趣，毫不幽默。当然我从他聊天里知道，他原来也是正牌大学毕业生，50年代中期从天津大学毕业以后，分配到物资系统的，他爱人跟他是大学同学，专业略有不同，现在是搞食品机械的，比如现在我们经常吃方便面，但我们很少去细想方便面是用什么样的机器做出来的，他爱人便是搞那机器的，头些年那样的机器都是从国外引进的，目前正在进行国产化，而机器的生产也离不开物资部门的原材料供应，原材料里也经常离不开讨人嫌但又必不可少的，例如具有强度腐蚀性的液体原料，例如强酸……

那天跟他聊完，回到家吃西瓜的时候，我忍不住跟爱人和孩子说："这楼里真有些个莫名其妙的人，干些莫名其妙的职业，管些莫名其妙的东西……"

事后想起来，这话大不敬。其实这个世界对硫酸、硝酸、盐酸之类的物资的需要，不说超过，那绝对是不亚于对诗歌、小说、散文之类的文学作品的需要，因而那个不起眼儿的主儿的重要性，不说超过，那绝对也是不亚于那位总随随便便穿着一身名牌服装的作家。

究竟谁莫名其妙呢？能说人家是莫名其妙吗？

接着就有一桩完全可以改编成电视剧的事情在我们楼里发生，这个可以以纪实风格拍成半拉小时的节目，在电视台的类似《法制天地》那样的栏目里播出。

事情也并不复杂：楼里的一个姑娘，不知是出于什么原因，是喜新厌旧呀嫌贫爱富呀水性杨花呀还是堂堂正正呀，总之，她跟搞了一年多的对象吹了，那对象不知怎么的就转爱为恨，由恨生恶，恶胆包天，竟在一天下午，窜到我们楼里，打算用一瓶强酸，洒到那姑娘脸上，毁她面容，以为报复；谁知他一上电梯，偏遇上了那主儿，那主儿就闻出了强酸的味道，又发现他神色不对头，便警惕起来，后来便跟着他出了电梯，最后将他的犯罪行为制止在爆发之前，不但保住了那位姑娘的如花容貌，也使得那团"颠狂柳絮"最后仅以被批评教育收场而避免了锒铛入狱。

这件事又一次证明了那主儿确有其不寻常的一面。

又是一个酷暑之夜，在护城河边一台儿乘凉，我就问那主儿，他怎么会鼻子那么灵敏。

他说他不仅长期在城郊的强酸供应站工作，"文化大革命"期间，更连续好几年天天干搬酸坛子的工作，那时候有所谓"地富反坏右，敌特走资臭"之说，共计九种人，他属"臭老九"，所以被罚改造的时间相当长，整天跟这些酸打交道，使他的嗅觉有一种很古怪的变化，就是任那最芬芳的花香最喷香的饭菜，他都陷于麻木而再无反应，然而只要是工业用酸，哪怕还离得老远，或者份额很少，他却都能"一鼻定准"。他说因为多年跟酸打交道，再小心再有劳动保护措施也难免让酸嘘着烫着，所以他脸皮比别人的粗糙，手上胳膊上也净是些疤痕，我说那当然，还代他补充说，我看出来，他因为多年搬运那些酸坛，所以背有点驼，而两只胳膊，从汗背心里露出来，恕我不敬，对比于身体其他部分，有点过于粗壮，使人联想到螃蟹夹子——我说出这话便有点后悔，亏得爱人不在身边，如在，一定得使劲拽我的衣角，不待我说完就会代我连声道歉；但那主儿听了却并不生气，竟还点头，只是对我说，十几年前也就基本上不再手工搬运了，目前储酸、分酸、泄酸、装酸、运酸都有了若干种较为先进的手段，劳动强度和危险程度已大大减轻，不过，他又说，现在很难找到城市里的年轻人去干他那一行，目前主要是用一些农村来的合同工，但就连这些农工稍微熟悉了城市生活以后，也都纷纷跳到别的槽里面去……

　　我对他那一行始终还是隔膜，但跟他算是越来越相熟。我原本早上起不了很早，更懒得下楼锻炼，后来大夫提醒我，再不养成早练的习惯，不仅会越来越胖，而且很可能会出现心血管方面的疾病，所以这一阵我有时就起个大早，也像一些早练积极分子那样，到护城河边去跑跑步，或跟着人家练练气功。有好几个早上我遇上了他，奇怪的是他手里拉着个粗陶坛子，我一看就猜出来是装盐酸一类东西的，心里只觉得好笑，不禁问他："你怎么早练也不离你的本行？负重行走拿什么不行，非拎个酸坛子！"他也不解释，含混地向我点点头，管自走开去，走得老远……我倒知道如今开始时兴负重功的锻炼方法，一般是拎沙袋，看来他这人虽缺乏风趣，但延年益寿的欲望一点儿不比常人低。

　　后来一天在电梯口遇见他，他出我意外地穿着一身西装，脸上红红的，像抹了胭脂，他那么个其貌不扬的人物，脸皮又格外粗糙，那么一打扮，反倒瞧着比平时更别扭，正疑惑呢，他主动告诉我，说正式退休了，公司里刚给他开完欢送会，多喝了几杯，都有点醉了。我同情地望着他，心想这以后他整天窝在家里干什么呢？我总觉得他这人毫无业余爱好，他那些个强酸方面的专业知识，那管专能嗅出酸味的鼻子，怕也难找到挣外快的路子，是不是该建议他养养热带鱼，或者加入集邮大军呢？

　　但一个物资部门的退休干部究竟难以成为一个被我这等市民关注的人物，我有很多天完全把他忘怀了，我倒是一直关心着楼里的那几位个体户，原来开夏利车的那位已经把夏利车倒出去，买了辆更漂亮的桑塔纳了，而且哄传他将到白俄罗斯的一个什么城市去承包一个百货公司；那位作家身上的名牌衣裤已经都只剩六成新了，却不见他穿出新的名牌来，跟他搭讪的时候也偶然问过他，何不写写物资部门的报告文学，楼上那位退休的主儿就挺有挖头，他那管鼻子，赛过检测仪，作家却耸耸肩，坦率地说："他们一千字能给出个什么价儿？要写，还是一特区，二乡镇……"我没问那些地方一千字给他多少，不过我想就是再多，见到那到白俄罗斯开商行的大款，傲气冲天的作家也只得气短，京剧演出目前很不景气，但见到楼上那位文质彬彬的京剧院艺术家我还是毕恭毕敬，而且我越看他越像程砚秋，我知道剧场不景气并不妨碍有功夫的艺术家出国访问、讲学，我想这位牢记"颠狂柳絮随风舞，轻薄桃花逐水流"诗句的艺术家，他的前途仍是灿烂的……

转眼到了中秋节了。附近的文化馆演出厅有演出，多数节目是业余的，但据说住在我们这个区的一位名歌星答应最后出场。我爱人是那位歌星的崇拜者，为了表示不嫉妒，表示宽容，显示我海洋般开阔的心胸，我陪她去了文化馆演出厅。歌星既然最后才出场，我们何必急着进场？且在休息室一隅吃冷饮。

传来了叮叮咚咚的钢琴演奏声，非常熟悉的旋律。我便对爱人说："怎么样？你输了吧？人家能独奏，这么大个场子，跟歌星前后同台，算得一个钢琴家了吧？这冰激凌的钱，你付！"

爱人居然认输。这说明她兴致很好，一般来说，她只有在兴致好的时候才认输，认得越快，便说明她兴致越好，成正比例。但她兴致好的时候又偏爱挑衅，她笑吟吟地说："你猜，今天歌星唱哪两首歌？"我当然马上就猜出一首，为她所肯定，因为那首歌是歌星的成名作、代表作，是他头一次上电视时一炮打红的歌；但第二首唱什么就难说了，爱人咯咯咯地笑，说如果我猜对了，一会儿散场以后她请我去灯光夜市喝扎啤，如果错了呢？我就得请她吃铁板烧……说实在的我既不想猜对也不想猜错，我根本就不想猜，那歌星今天不来了才好哩！

这时忽然从场子里传出来幽咽婉转的京剧唱腔，还传出一些内行观众喝彩的声音，我和爱人本来也并未为之所动，但我们邻桌的几位大款——从他们戴的金戒指、金项链、超薄型拱形金表上，不难判断出来，他们当中有一位大概就是我们楼里拥有桑塔纳和在白俄罗斯投资的那主儿——却似乎挺在意地站了起来，捻着手中的洋烟，还互相招呼着说："程派青衣，够地道！""《春闺梦》，多年没露过的戏码！"……朝场子里走去。

这几位四十啷当岁的大款居然也懂得京剧？懂得程派？知道《春闺梦》这戏码？也要去欣赏？就算是附庸风雅吧，这附庸的段数也真不低！

我和爱人就都情不自禁地站了起来，也尾随着他们进了场子。

这才发现楼里许多邻居都在那儿坐着欣赏，那位爱穿名牌服装的作家也在，还随着台上的唱腔微微地摇头晃脑。

我和爱人找了两个靠边的空子坐下，朝台上望去，显然是男扮女装的程派青衣正扮演着剧中的张氏，舞动着水袖如游丝天外坠来地唱着：

> 细想往事心犹恨，
> 生把鸳鸯两下分，
> 终朝如醉还如病，
> 苦依熏笼坐到明，
> 去时陌上花如锦，
> 今日楼头柳又青，
> 可怜侬在深闺里，
> 海棠开日到如今……

我便凑拢爱人耳边说："这戏是从唐诗'可怜无定河边骨，犹是深闺梦里人'敷演出来的……"

爱人一撇嘴："就你门儿清！"完了又嘻嘻一笑："颠狂柳絮随风舞，轻薄桃花逐水流！"

我便点头，是呀，十楼的京剧院人士，到底是科班出身，非一般票友可比，这程腔真是如怨如诉，百转迴肠，就是外行听着，也实在有如青溪泻石、柳浪闻莺……

一个段落唱完，场子里爆发出一阵"好啊——"的喝彩声和一片拍掌声，我也正拍着巴掌，忽然爱人一转头之间，像遇上了鬼一样，脸上现出一个惊恐莫名的表情，还不由得紧紧地搂了一下我的胳膊，我便问她："怎么？"她说不出话来，只是扭头朝后望着。

我便顺她目光朝后望去，一望，也不禁一惊，一愣。

原来我们楼十楼的那位京剧院人士，正坐在我们后面一排，正瞪圆了眼睛，全神贯注地朝台上望着，耳朵像耸起来一样，聆听着台上传来的唱腔。

哗！原来台上扮演张氏的不是他！

不过稍一定神，我也便笑上了自己，兼赞爱人，我附在爱人耳边说："怎么啦？楼里除了他，就不兴再有另外的程派青衣吗？"

话虽这么说，心里头也还是疑惑。这事实在蹊跷。

我便换到后一排，坐到京剧院人士旁边的空位子上，趁舞台上的张氏在两个唱段之间暂且只表演些身段，问他："您今儿怎么没上？还当是您哪！"

他颇吃惊地说："我？怎么会是我？我哪会唱！"

我便问："咦，您不是京剧院的吗？"

他说："是呀！"

我问："那您怎么不能唱呀？"

他反问我："京剧院的，就都能唱吗？"

我还没答出来，他就笑着告诉我："我在京剧院一直管总务，这几年主要抓基建……"

嗨！

这倒还不算啥，他底下的话让我大吃一惊：原来在台上唱戏的，是那位有一管专能鉴别强酸的鼻子的主儿！

"真的是他？！"

"当然！难怪他唱得这么地道，你没见着过吗？退休以后，他天天提着个坛子，到河根那儿的旷地上对着坛子练嗓子。"

敢情是这么回事……

"他好这个有几十年了,当年在天津大学上学的时候,在学校业余剧团里就常唱《三击掌》、《锁麟囊》,有小砚秋之称……'文革'前合撂了十几年,这十多年又拾起来,这不,今儿个真是老凤又展翅凌空了!……"

我在惊诧中再朝台上望去,我承认,经人提醒以后,能感觉到确实是他,但那已经出神入化的舞台形象,又分明又是另一个存在……

轮到那红歌星上场的时候,我把爱人撂在场子里,由她去全身心地崇拜、癫狂,我退出到场外休息厅,那时候休息厅里空无一人,连小卖部的售货员也欠出身子,胳膊肘支在柜台上,瞪圆了眼珠子,耸起耳朵听着场子里传出的歌声和狂热的应和声,只有我全无投入那歌声的心绪,我坐在小圆桌边,点燃一棵烟,一口接一口地抽着,我一时也不能理解自己,为什么被一出《春闺梦》刺激成了这样……

1992 年 6 月 14 日于绿叶居

笑星和我

　　说来一点儿也不好笑，那天我接到一个电话，传来的声音很生疏，我当时心情正不好，便随口给他一句："不在！"撂下电话我坐在沙发上继续发呆——那是我日常功课之一，呆人有呆福，我最喜欢人家说我"呆头呆脑"——谁知电话铃又响，我抓起话筒，还没来得及言声，那边就说："怎么不在，您就是呀！"

　　我跟他在电话里抬起杠来：

　　"谁说我是？"

　　"您说您是！"

　　"我说了我不是！"

　　"您是说了一句'不是'，'不是'这俩字儿确实是您说的，说'不是'的不就是您本人吗？"

　　"我就不是！"

　　"您这句子不完整，您应该说：'我就不是我！'句子完整了不是？"

　　"那成什么逻辑？！"

　　"是不成逻辑，可咱们要那么多逻辑干吗！"

　　"那要那么多完整的句子干吗？"

　　"一行有一行的吆喝不是？我们这行，死抠逻辑非饿瘪了不行！"

　　"你以为干我这行非得句子完整吗？写那'意识流'讲究的就是破碎的句子！懂吗？"

"您承认您就是您了吧！"

"贫嘴！"

"您还少说了一个词儿——滑舌！"

……

就这样，我掉在他坑里了。

我跟这位笑星在此之前只有不过三面之缘，因此他约我为他写个喜剧片剧本，我没等他说完就一口回绝：

"我这人天然不爱笑！我的爱好是发呆！"

"请对了神不是！发呆是笑的升华，笑的结晶！"

"我几乎没从头到尾听过你的任何一段相声……"

"烧对了香不是！我就是想请出个这样的菩萨，给我点化出一个崭新面目！"

"我不愿触电！"

"您远离电门，您就拉出个本子完事，电我触去，想必我也不至于给电个三长两短……"

"我没那兴致！"

"当然，您那兴致我哪儿够得着，就是我练出了布勃卡撑竿跳的那份儿功夫，也越不过您那兴致的横竿呀！"

"所以别找我呀！"

"嗨，您呆着也是呆着，划拉划拉，挣点不挣白不挣的钱，填补填补您那兴致，何乐而不为呢？"

少不得问能有多少"填补"，一听，真他妈发呆了，真他妈呆不住了，真他妈不呆白不呆不升华白不升华不结晶白不结晶！

这就掉在他那坑底儿里了。

敢情掉坑底儿还不算完，那坑里面还有横着的地道，还得往里头爬，笑星之所以有那么大的"触电"勇气，那么不在乎我的"干瘪"，敢那么给我开价，除了别的因素以外，关键是他有一位海外投资者，那主儿跟他是正儿八经的亲戚，他称"七叔"——是按族谱叫的；他们的祖上，是我们近代史上的一位极著名的人物，不仅每部《中华人名大辞典》那类的"纸砖"里必有该人的词条，而且据说最近一次高考历史试卷里还有一道试题以该人名字为正确答案，净值 1.5 分，有的考生就因为少了这 1.5 分，痛失被第一志愿学校录取的机会；当然近些年辞典里关于该人的词条不断地被"调整"，使该人的子孙后代的脖颈渐渐扬起，终至扬眉吐气。笑星原来对这一家庭背景讳莫如深，如今不仅任街上的小报渲染这一事实，而且也同几十年离散各方的亲友们——取得了联系，海外的这位七叔，不过是其中之一；海外的诸亲友，七叔还并非最富有的，但七叔对笑星事业上的成就最引为骄傲，故愿投巨资给笑星拍片，已请到台湾一位新崛起的导演执导，一位大陆名摄影执机，一位香港名剪辑执剪，一位香港一流的女演员因同该家族有姻亲关系，故已应允友情演出；至于找到我编剧，笑星的那些个说辞全是虚的，关键是他那七叔扬言一定要找个知名度高的——按说大陆知名度高的作家颇多，但他向那七叔列举出一些名字，报至我名字时，七叔把茶几一拍，定夺说："就请他编啦！"于是我就有了挣那不挣白不挣的钱的机会，但我还呆着连个提纲也没划拉哩，笑星又来电话了。

"怎么着？不是先给我一个月的时间构思吗？打哪门子的岔！"

"我七叔又打纽约来了。"

"他是你七叔，不是我七叔。"

"他想见见你。"

"我不想见他。"

"他是出品人。"

"知道！出品人就是投资者，老板；可他买的是我的剧本，我到时候给他本子，他把钱付我，不就结啦！现在见哪门子的面？"

"他慕你的名嘛！"

"我卖笑不卖身！"

说完这句我有点不自在，毕竟这话对我对他都有点那个。

"嗨！你呆着也是呆着，离开你那窝儿出来活动活动，散散心，何乐而不为？"

这样，我就不仅掉进了他那坑底儿，还得往那里面的横洞里爬。

他说好到时候拿车来接我。那时候到了，门铃果然响了，我开门一看，不是他，是个毛头小伙："我接您来了！"

"我不认识你。"

"我认识您！"

我说我等的是笑星。

"他让我来的，他跟七叔一时脱不开身，怕您久等，所以让我及时赶来。"

"他们能准时到达约定地点吗？我可不愿意坐小轿子去那儿等人！"

"他们叫辆出租车赶去，咱们跟他们前后脚到，谁也不至于久候。"

我便跟那小伙子下了楼。

我认识笑星的车，血红的，"夏利"；那车也血红，也"夏利"，但我瞥了一眼，扭头就打回。

小伙子拉住我："您这是怎么啦？"

"不对！"

"怎么不对？"

"这不是他的车！"

"怎么不是他的车？"

"你这车顶上有'小坟头'，是出租车！"

"嘿，您说话吉利点行不行？他的车就不兴出租啦？"

"我坐过他的车，前些时候他还开车拉过我……"

"瞧您说的，'前些时候'，这日子头，一天能有十八变，就不许他把车改个花样呀！"

"这么说你是他雇的司机？你就甘心让他剥削？"

"您不也是他高薪雇佣的编剧吗？谁甘心不让人剥削呢？"

我本想纠正小伙子，我不是他而是他七叔……的，可那又有何区别？倒也是，如今谁甘心没有人剥削呢?

"上车吧您哪,我看您对眼下的社会有点子跟不上趟儿,那您怎么练活儿?您在家里呆着也是白呆着,上车跟我白话白话,还能体验体验,何乐而不为?"

我斜了他一眼,歪歪嘴角,上车。

去的是五塔寺。那是北京动物园后墙外的一个小风景,为一般游客所忽视,所以四季人稀,很适合于我们聚谈——在笑星七叔下榻的那家大饭店当然不行,他们那个家庭的人简直是川流不息;在别的饭店宾馆或大的风景点也不行,因为笑星在劫难逃,一定会被里三层外三层地围观;就是五塔寺,原来我们也没十分的把握,但后来证明那选择是无比英明的——不是我们几个都英明,而是我英明,这地点是我选的,笑星知道个名儿,却从未逛过,他那七叔从前连名儿也没听见过。我们去的那天正当深秋,天高云淡,一派蔚蓝,大理石雕就的五座金刚宝座塔轮廓花纹格外清晰。最喜人的是塔门前的两株银杏树,都已粗壮得两人绝不能合抱,高过塔顶,树冠亚赛穹隆,叶片金黄,其间缀满肥硕的白果,人行其下,如笼金雨,而熟透的白果悠然坠落,又恍若天赐银珠。虽有若干先后而至的游人,都是专门去那里赏景的,但无一人注意到笑星的存在。

一同细品过金刚宝座塔和那银杏树以后,我与笑星、七叔来至后院的回廊,回廊的墙上镶着些书法石刻,庭院里栽着些柿子树,叶片殷红,柿果蜡黄,我们且坐在矮矮的廊栏的栏板上闲话。

"纽约哪儿有这样美的景色看啊!"七叔感叹道。

"您的普通话说得真不赖!"

"普通话?啊啊,哪里哪里……"

"七叔说的是'国语',他1948年去的台湾,住到1963年才去的美国,后来也不断地回台湾……"

"以后少不了台湾、大陆两边都要跑啦!"

"大陆这边的亲戚更多些吧?"

"倒也未必……不过他是我亲堂侄啦,至亲啦!"

"又成了'星'，出大名啦！"

"成了'星'？！成了精！妖精！……你哪儿知道，国外的亲戚里，老一点的，有好几位对我干这行不以为然，说是我们这个家庭的后代，就是要饭也不能堕落到优倡一流里去！七叔给我投资拍片，他们全都反对！"

"不要理他们！"

"大陆这边，就是你们族里的老人，也都把你'成精'当做美事儿吧！"

"有什么美的？"

"别得了便宜还要卖乖！名上的事儿且不说，且说你那利上的事：你这些年'走穴'，捞了多少？置了大单元，买了'夏利'车，还贪心不足，如今居然把车承包给了个小伙了，心安理得地当起了刮钱的车老板！你跟《骆驼祥子》里头的刘四爷有什么区别？……"

"他那单元么，还过得去；那车算辆什么车，太寒酸了嘛！"

"我也是百无聊赖……你哪儿知道买车容易养车难！一是没搁车的地方，总搁楼下吧，指不定哪天就让人撬了；我老到外地演出去，车就是不丢，谁给我保养？……让他去开，一是他崇拜我，巴不得；二是我让他交的款，比哪个全民、集体车队定的标准都低一半还多……"

"可你一 call 他的 BP 机，他那'蛐蛐'一叫，不就先得给你义务劳动？"

"这么个搞法，在美国是违法的，也不会有人这么跟你合作！"

"这边法律上没禁止……我可是尽量少 call 他，今天是因为亲戚们缠得太久，非分头来这儿不可，才 call 他一回……"

"反正你是利欲熏心！"

"您呢？说是整天发呆，其实心眼子里头转悠的，还不全是沽名钓誉的事儿！"

"那倒也是！咱俩的区别，是我把名儿搁在利前头，你把利字搁在名儿前头！"

"这像画的，形不似，神似！"

"两位都是妙人！"

"自然！就拿我来说吧，跟着穴头哪儿都去，有一回去的地方，方圆几十里连一个抽水马桶也没有，我一个下午连演了五场，在台上我动不动就来个'骑马蹲裆式'……"

"那是什么段子？"

"管他什么段子！我哪个段子都来回用这个姿势……这姿势能把屎憋回去不是？……"

"观众饶得了你？"

"差点把我们给撕了！"

"去法院告你们吧？"

"观众是如醉如痴！他们哪儿是听相声，他们在台底下乱成一团，激动得不行，指指点点：这就是谁谁谁，那就是某某某……他不是刚跟老婆离婚吗？他不是搞黄金走私给薅起来了吗？……他们的乐子就是见着了原来只能在电视上瞧瞧的真佛，你上什么段子，来个什么姿势，他们都无所谓！……结果我把那泡屎一直憋回北京……"

"那种地方，为什么要去呢？"

"嗨，分的MONEY多不是！越是小地方，越觉着稀奇不是！别看抽水马桶还没有，那地方老百姓的兜可也鼓起来了，为看名角儿，10块20块的门票全不吝！在那儿憋两天不拉屎，带回个五位数不成问题！跟你们实说吧，头几年，歌星影星笑星，原始积累阶段，哪位没这么憋过屎？当然啦，如今都不将就啦，去哪儿，都起码得下榻个俩星仨星的饭店宾馆，MONEY得先拍出来，还得附上完税单……"

"人模狗样的！"

"也有孙子样的时候，比如前些个日子，去一个大学参加他们一个什么艺术节，如今的大学生，光知道听摇滚乐，我们就受冷落了不是？那天我上的是传统段子——《关公战秦琼》，你猜怎么着？底下整个儿'闷场'……"

"那是你玩意儿不溜！"

"说完了，稀稀拉拉有几个教员鼓掌，我们还没下台呢，一个大学生就从观众席里站起来，大声提意见说：关公战秦琼，这一点也不好笑，这样的演出是'后现代主义'

艺术的典范——‘后现代主义’的特征就是‘同一空间里不同时间的并置’，‘后现代’
是最新潮的，最前卫的，讥笑‘后现代’，是一种愚昧的表现！……”

“好嘛！”

“哈哈哈哈……”

“别光让我自我表扬呀，你们那一界，您本人，就没有光彩焕发的事迹吗？”

“哪能让你们专美呢！”

“你们怎么说来着？‘诺贝尔情结’，是这么个名儿吧？”

“什么？”

“就是各的个儿的心里头都惦着去得那瑞典文学院的诺贝尔文学奖……”

“心里想，嘴上骂：什么玩意儿！”

“典型的‘作秀’！”

“先别说那么远，且说国内的奖，先就打听，谁是评委，谁虽然不是可影响大大
的……就——给他们送书……”

“这无可非议嘛！”

“送完了，一细打听，哎呀！……”

“这是怎么啦？”

“有二位送错啦！他们跟这评奖毫无关系！”

“那送他们瞧瞧也没坏处嘛！”

“不行！钱我得用在刀刃上！”

“你那书能值几个钱？”

“几个钱也是钱！再说，再说……”

“说呀！”

“这儿没外人吧？”

“没外人，非亲即友。”

“那书里头，我还夹得有东西呢……”

“钱？”

"当然不是钞票！能那么构思吗？能那么古典吗？现代主义都落后了，'后现代'也算不上多新潮了，'解构主义'时髦得也差不多了……咱们的招数，得又新又奇又妙灵……"

"妈耶！您那作品要能达到这段数就好啦！"

"你懂什么！'功夫在作品之外'——这是得奖的妙诀！"

"究竟您在那书里夹了些什么？"

"嗯……这个嘛……您得尊重我的隐私权，对不对？"

"哟哟……怎么嗲声嗲气的？您这是男作家还是女作家呀？"

"你外行了不是？"

"他怎么外行了？"

"你该'门儿清'呀！现儿今，讲究的是'中性造型'，男人看他像女人，女人看他像男人，或者喜欢他像男人的女人看他还是像男人，喜欢他像女人的男人看他还是像女人……世界潮流嘛！"

"哈哈哈哈……不过，美国人，大多数，趣味不是这样的……"

"这是港台通俗文化的趣味！"

"你管它什么趣味哩！我混了个奖是真的！"

"完全都是这么样吗？"

"当然不是！可乌烟瘴气的事儿，这几年确实不少！……"

忽然响起了掌声，原来，还是有十几个游客认出了笑星，并在一旁围观了我们一阵；跟着就有几个人上前请笑星签名，我忙和七叔走开，去看金刚宝座塔两侧的石雕。我跟七叔抱怨说："才刚我明明是'逗哏'的，他不过是'捧哏'的，可您看，人家还是认他不认我……"七叔还在笑，不一会儿，笑星摆脱开崇拜者，跟我们会合，他笑说："都问我，那新的搭档叫什么名字？"我说："你别臭美！谁跟谁搭？你给我捧哏我还不要哩！"七叔开怀大笑，连说："珠联璧合，珠联璧合……"

那一年冬天笑星去美国探亲，我把拉出的本子让他给七叔带去，我严正声明：

"好赖就这一稿，我听不懂'修改'俩字儿！"

他一脸职业性笑容："好说，好说……"

"不满意，就另请高明！"

"哪能，哪能……"

"有什么不能？"

"实话说，哪个导演真照本子拍呀？"

"那倒是……"

"到时候完全不给改动全须全尾保留的，也就您剧本封皮儿上的那几个字儿……"

这时他那一脸笑才有了点"内容"。

"说明白点儿！是封皮上所有的字儿，还是一部分字儿？"

"您圣明！我能打保票的，足有一、二、三……仨字儿！向毛主席保证！"

我俩相视大笑。

没几天就接到纽约的长途，他在那边报告："七叔很满意！"

"他看啦？"

"有仨字儿看得仔细，戴上老花镜看的，我向毛主席保证！"

"其余的字儿呢？"

"翻了足足有……18秒88！"

"实发！发！！发！！！"

"没错儿！拍出来能发就行！"

……

也不知过了几时，笑星从美国回来了，把稿酬送到我家，我把装钱的纸封往茶几上一撂，懒懒地问："七叔他好吧？"

"嘿，您别捏酸假醋的好不好？"笑星脸上一丝笑纹也没有，把纸封又搁到我手上，用食指点着，命令说，"点点！"

"还能少了我的？"

"废话！您还名作家哩！懂不懂规矩？里头有签收单，您点明白了还得给人家签字呢！"

"搞什么烦琐哲学……"

"还繁文缛礼、文牍主义哩！"

"可不是吗？你七叔个人投资，又不是有党组、党委、办公厅、人事局、保卫处等公家单位……"

"您懂什么叫投资吗？"

"好好好……签签签……听说你那'夏利'白给那小伙子开了，打算再买辆丰田，你七叔送你新车，也让你签单？"

"您这叫什么思路？他凭什么白给我一辆丰田？他虽然投资拍片捧我，片子出来归他，赔赚都是他的事；我跟您一样，也是拿酬金……"

"明白啦明白啦……不过我点完数了，我这份儿酬金怎么离一辆丰田差那么远呢？干脆我单买四个车轱辘吧！"

"您爱买吗买吗……依我说，您不如买四个高腰痰盂，拿回来一个沙发前头摆一个！"

"好主意！妙极了！我该为你的主意付多少钱呢？"

"一亿美元！十年内分期付款！"

"OK！"

……

一周以后，我给笑星打电话：

"……你七叔纽约的电话号码是多少？"

"怎么，要他追加酬金么？"

"你倒提醒我了……对对对……多少？"

他说一大串数字，然后问："您要去纽约么？"

"无亲可探，就不能去么？"

"只要七叔没离开纽约，您找着了他，他就算个亲戚嘛！"

"我倒没把他单看成一个老板，只是他未必不把我单看成一个花钱雇过的编剧……"

"那就看您二位的缘分了！"

当然！

我是由美国几所大学请去讲学的，我的看家节目是《中国当代小说叙述语言中的插入语》。我打北京直飞纽约从那里入关，在纽约讲了一次以后，参观了一些博物馆，临去华盛顿前，才有一搭没一搭地给笑星的七叔挂了个电话，没想到他一接听，竟极为热情。

"你现在在哪儿呢？"

我告诉他我在哪儿。

"你今天还有什么计划？"

"我……没什么计划了，就等着明天一早去华盛顿啦！"

"那好！今天我们一起玩玩！"

我原只想给他问个好，他这话一出来，我就憬悟：在我的潜意识里，还真是想跟他再聚聚，只是我觉得那机缘渺茫罢了——笑星告诉我，在美国探亲期间，七叔说是要陪着玩玩，但生意上的事也不知道为什么多到那个程度，到头来他们爷儿俩聚在一起的时间，归里包堆不到三个钟头！

"可是天都黑啦！"

七叔在那边笑了："真正的纽约生活，才拉开个序幕嘛！"

七叔说马上来接我，我住在一位大学教授家里，我懂得让七叔到人家住宅里来是不得体的，所以我跟他约定在离那儿最近一个地铁站口会面。

在等七叔的时候，我回忆着他的相貌，我怕到时候认不出他来了。七叔和笑星都是中等个儿，不胖不瘦，脸庞眉眼颇有些相像，但区别也真分明：笑星脸上天生挂着几分滑稽，而七叔脸上总自然地透出一种慈祥与威严相混合的表情。

我望着街上开来的汽车；笑星告诉过我，七叔有一辆奔驰；但七叔却从地铁里走了出来，并马上认出了我。说实在的，要不是他主动招呼我，我可不敢贸然去认他，主要是他那身穿着，完全出乎我的预料：大冷天的，他没穿大衣，不戴帽子，只穿个皮茄克——灰蓝色，上面还镶着些白色与红色的图案；皮茄克领子竖起来，但拉链又不拉满，露出咖啡色带碎花的丝围巾，整个儿是小伙子的打扮；不过我得承认，穿着上的飒利，把他那皱纹不多却条条很深的脸庞也映照得年轻多了，相比之下，我那西服大衣法兰西帽虽中规中矩，人却老气了！

"我们好好散散心！你想怎么玩？要不要去世界贸易中心顶上看夜景？还是乘游艇从哈得逊河一直逛到海里去？……TAXI！"

他叫了辆出租车，我们坐了进去，他让司机开到时代广场，说到那儿先找个酒吧，我们可以边喝边议。

时代广场最能体现纽约那万丈红尘的气派，我们钻进附近一家比较大的酒吧，坐在柜台前的高脚凳上喝威士忌。

随口闲聊。

……我说来纽约多日，还顾不上去唐人街，主要去了一些博物馆，去了充满小画廊和咖啡馆的苏荷。七叔说，对，唐人街去不去无所谓，既来美国，就该看最有美国味儿的地方，又说那回在北京，多亏我指点，才知道北京有许多极有特色的小风景，除了我约他和笑星去会面的五塔寺，他又去智化寺、白云观、法源寺、恭王府花园、钟鼓楼、什刹海、蓟门烟树等等地方，他说这以前亲戚们特别是与他有合作项目的中国机构的人士，总把他从一个大饭店带到另一个大饭店，带到洋里洋气的地方，其实洋气的东西他又何必非到北京去看呢？……

……离开酒吧我们又去了百老汇一家昂贵的夜总会，那里面有几十个美女同时出场狂跳大腿舞的表演，声光色电强烈到令我难以长坐的程度。于是七叔又把我引到一处收费更加惊人的地方，那里雅得不能再雅，古希腊风格的大厅里，只有一位穿素白色拖地长裙的女郎弹奏着三角大钢琴，曲调柔曼。在那里喝着鸡尾酒聊天，声音必须压低。七叔小声笑说："我这身衣装，你我这样的搭档，在这里很特殊，也许会被认为是一对同性恋者……不过你不必紧张，在纽约没有人去注意陌生人，我想你各处都见识一下，有好处……你饿了吗？"

我承认饿了。

"你想吃哪一种饭？西餐？法式的？德式的？俄式的？还是去吃印度饭？犹太饭？希腊饭？土耳其饭？也可以吃墨西哥的、巴西的、印度尼西亚的东西……或者我们去吃日本和食？在纽约，你有最充分的选择自由。"

我笑了："明白，不过我还是想吃中国饭。"

……七叔带我去唐人街的中国餐馆，我坚持要坐地铁去。我们从地铁出来后，七叔让我跟着他走，我东张西望，发现所谓唐人街并不是直来直去的一条街，实际上是许多条蛛网般的大大小小的街巷构成的，怪不得英文里把它叫做"中国城"。我发现街上来往的人们似乎有很多都认识七叔，凡看见七叔的都向他微微点头致意，但七叔却仿佛谁也没有看见……

七叔带我进了一家装潢得豪华到不堪地步的酒楼，领座小姐一见七叔媚笑到惊惶的地步……我们刚在一个红柱鎏金的单间落座，显然是经理本人闻讯立刻跑来了，搓着双手，卑躬屈膝到倒人胃口的地步……经理和七叔用一种我完全听不懂的方言对话……紧跟着已开始上茶，并布上许多的开胃小菜……

热菜还没上的时候，忽然来了一个搞不清是怎么找来也弄不清是什么身份的中年人，挨近七叔用更听不懂的方言急切地说了些什么，七叔开头很不耐烦，后来就打断他，跟我说："抱歉之至，我要离开一下……"正好经理亲自送第一道菜来，七叔便向他交代，我听懂了那大意，就是要他好生伺候、色色精细，有一句我更听得明白，绝无误会："他是我的人！"

那是我平生吃得最无味的一餐，经理看我那么些菜连一筷子都不沾，惶急得眼泪都淌出来了……后来就问我想怎么消遣？可以陪我到任何地方，寻任何一种快乐……

我撂下筷子就宣布我累了、困了，要回住的地方了，让他们立即把我送去。

经理直到陪我坐进了出租车，还在用极其蹩脚的"国语"向我求情似的絮絮地说："先生不到42街开心吗？……啊啊俗气了是吗？那去布鲁克林大桥旁边喝一杯热咖啡吗？……先生不是不满意我啦？……"

终于回到借住的那间客房中。一边热水淋浴我一边想，这是怎么一回事儿？

七叔真奇怪，细一想，最怪的还不是他匆匆离去……他和我聊了不少，但竟没有一句关于我那剧本的话，也几乎没问及笑星的近况，更未涉及那紧锣密鼓筹拍中的影片……

第二天我刚起床电话就响起蜂音，七叔打来的。

"真抱歉……"

"没关系……"

"有人送你去拉瓜地亚机场吗？"

"放心，没问题……"

"什么时候返回纽约？"

"两周以后。"

"回来你再打个电话吧……"

心里想哪儿还有那份兴致，嘴里却只好说："当然当然……"

可是两周以后，我回到纽约，头一天傍晚心里就痒痒起来，忍不住给七叔挂电话。几次都没人接，后来又多次挂，总没人接。笑星倒是跟我说过，这号码轻易不能告诉人的，当然不是他公司的电话。奇怪的是如今录音电话那么发达，他这电话却只发出最朴素的非占线的长间歇盲音……可想而知，他是离开纽约了。

我又在纽约待了一周，没再去唐人街；临回国上飞机之前，又挂了一次电话，还是没人接。

在飞机上，我竟为此惘然若失。

回国以后，过了十多天，笑星打来电话。

"……你在纽约见着七叔啦？"

"当然！他挺好！对我特热情！我也是回来就瞎忙……你看，都来不及接茬儿追你这颗星！……"

"告诉你：七叔去世了……"

我被电话烫了一下："没、没你这么瞎开玩笑的！……"

"是真的，那边亲戚发来了正式讣告……"

"你胡说！我上个月还跟他在纽约喝酒！他比我还壮！……"

"可讣告是真的，我也打了国际长途去询问……说是癌变，突发的，很快扩散到全身……他死得很痛苦……"

我再说不出一句话来。

后来笑星那部电影没拍成；七叔去世，资金不能到位，又没别的热心人投资，只好作罢。

一年以后，有个美籍华人朋友来北京，到我家做客时，闲聊中偶然提及，那边的人动不动就兴开枪……有个纽约的老板，华人，名门出身呢，说是去休斯顿处理什么事情，在一座停车楼的顶层，跟对头互相枪战，结果寡不敌众，被当场击毙……据说身上有 13 个弹孔……啧啧啧啧……

最近我和笑星通电话。

"……干吗啦？"

"待着呢……"

"这日子头，还待得住呀？"

"'我正在城楼观风景'……"

"'耳听得城外乱纷纷'——'噗嗵'！'噗嗵'！'噗嗵'！……"

"是呀是呀，都往海里跳哩。"

"您还守那空城干吗呀？连司马懿都下海了。"

"商海一人深无底呀。"

"不入海穴，焉得海宝？"

"你那公司开张俩月，捞了多少生猛海鲜？"

"嗨！别提了，连开张那天的花篮钱还没捞回来哩。"

"那花篮不都是人家白送的吗？"

"是有白送的，可一点，十个，能那么摆么？"

"是不能'死'呀!"

"所以我赶紧让人再买了八个……"

"每个花篮的缎带上,都写上你自己的名字……"

"哪能呢!自然都写上些'大腕'的名字,您的芳讳,也列在其中……"

"好小子!你侵犯我的署名权!我要跟你打官司!"

"太好啦!这么一闹腾,那些个让别人拐走的读者、观众,不就都能'回头是岸'了吗?"

"敢情你是要我帮你做广告呀!"

"嗨,您待着也是白待着,何不把您那功夫跟玩意儿转化为通货呢?"

"露出毒牙了不是!……"

我们照例地插科打诨,但我们谁也不再提及七叔。

1993.2.22 于北京绿叶居

竹里馆

　　他从街上拣回一只小猫，紧毛的，白底子上面有麻色花斑，小脸挺俊，鼻子和腮帮都是白的，眼睛周围与额头的麻灰色毛跟脊背上的连成一片，抱回家往沙发上一放，灯光下仔细看，很乖。

　　按说野猫都很脏，但他摩挲那猫，不由得说："乖乖！你为什么一点都不脏呢？"

　　猫用幽绿的眼睛看了看他，就低头舔身上的毛。

　　"你饿了吧？"他问猫，"吃不吃鱼片？"他一个人过日子，常常晚上就用面包夹鱼片当一顿饭。

　　他拿出一点鱼片当一顿饭。

　　他拿出一点鱼片，送到猫嘴跟前，猫居然让开，不吃。

　　"怪猫！别以为我会专门给你弄猫食！"

　　他自己吃了鱼片三文治，喝了一大杯咖啡，便坐到电脑前写东西。

　　猫跳到电脑旁，伸颈看显示屏。

　　"去！"他推猫，"我有两件事绝对不允许别人在一旁观看，一是拉屎，二是写作！"

　　猫跳回到沙发上，可两眼闪闪地望着他。

　　他也望着猫，对望了好一阵。

　　他忍不住对猫说："你这猫好玩儿！你有名字吗？我给你取一个吧！"

　　他还没想出来，就听那猫说："我有名字，我叫不喂。"

他笑了，"原来如此！我倒省事了！"

"我喜欢你这儿，你没有电视。"

"啊！"他不由得惊喜，因为已有无数朋友或算不上朋友的人到了他的房间，在发现他没有电视机以后，那反应都与此猫相反。

"你为什么也不喜欢电视？"他离开电脑，坐到沙发上，摩挲着那猫，想跟猫好好聊聊。

"喵——"

这声音把他吓了一大跳。

"你为什么不说话了？"他有一种被戏弄了的感觉，瞪着那猫，愤愤地命令，"说话！"

"喵——"

他不禁举手拍打那猫，猫却在他手落下之前跳到地板上，并以迅雷般的速度蹿到了书架顶上。

他和猫对望，猫两只绿眼一眨一眨，他两只眼睁圆，不眨。

"你怎么回事？！"他质问，"你开什么玩笑？！"

猫沉默。

"你以为我非要跟你说话！"

他回到电脑跟前，想继续往下写。

那是一篇小说，照例写些爱与死之类的东西，少不了撒些个哲理的胡椒面，自然采用"语言颠覆"的"本文"，特新潮。

有点写不下去，都怪猫，人类的文学大业如因此受损，唯此猫是问！

"你写的一点意思都没有。"

他惊喜地扭头，猫又回到了沙发上。

"是没意思，"他说，"你怎么批评都行，只是再别喵喵怪叫了！"

"别写了，出去玩玩儿吧！"

"到哪儿去呢？……"他笑了，"是不是你施个魔法，让我闭上眼睛，你吹口气，或者你让我喝点什么东西，我就到了一个不可思议的地方，并且变得跟你一样小呢？你以为那对我就有意思了吗？"

猫摇着尾巴，笑而不语。

这时他听见沙沙沙的声响，原来窗帘自动开启了，外面透进蛋青色的天光。

"你的本事也不过是让早晨提前到达罢了，这有什么稀奇？"

"到阳台上去，好吗？"猫一跳跳到通向阳台的窗门把手，猫没能出得去。

猫抬头看了他一眼，他原以为猫会弓起身子，抖起胡须，朝他呼呼发怒，没想到猫只是耐心地等他开门，他有点感动，不过忍不住说："你那么大本事，还非要我开门才出得去吗？"

他开了门，和猫来到阳台上。

猫跳到阳台拦板上，建议说："我们一起跳下去！"

他生气了："你有九条命，我可只有一条！"

说着用手去拍猫的脊背，谁知他的手刚沾到猫，猫便趁势一滚，他来不及反应，已经跟着猫从十四层楼的阳台朝下面跌落……

那跌落的过程极为甜蜜，只可惜太暂短。

……一条小河，他和猫在河这边，那边有更广阔的草地，草地尽头有一片树林……

"你既然那么大的本事，为什么不把我带到更神奇的地方去？"

"喵——"

"咦？！"

但是太阳从天边的树林后面升起来了，一刹那之间，他意识到那就是他渴望已久的神奇。

那些颜色，那光氛，那跃动感，那气息，那围裹到身上并往肌肤里钻的滋润劲儿，那撞击到心尖上的顿悟……全都莫可名状；确实，人类所赖以自诩为文明并作为交流手段的语言和文字，不仅苍白、幼稚、偏狭、浑沌，而且简直荒谬绝伦！

写什么小说！说什么话！读什么书！聊什么天！

从云霬中跳脱而出的并非正圆的太阳，是那么陌生，又那么亲切！

"这是你第几回看日出？"

"当然不是头一回，"他告诉猫，"我在泰山和北戴河都看过日出。"

"挤在好多游人当中，作为一种追求，一种任务，一桩大事……生怕云散不开……那跟这可不是一回事。"

"唔……"

"人至少能活七十岁，太小不算，从十岁算起，也有两万多个早晨，可是人到死的时候一算，能这么安安静静、随随便便地看看日出的，一般来说，大概也就几十个早晨……"

"你都说多了，一般恐怕不到十次！"

"看月亮要多些。"

"也未必。"

"多些。"

"大概是多些。中国人有月亮节，吃月饼；为什么中国人没有太阳节，不吃太阳饼？"

"喵——"

"你又来了！不要总在这种时候反常！"……忽然觉得已是夜里，周围都是竹林，小风习习，凤尾摇曳，猫竖起身子，打挺儿，眼睛闪着磷光……

"这又到了哪儿？"

"竹里馆。"

"这哪儿像竹里馆！"

"竹——里——馆——！"

还是没懂。

猫连后腿也立起来了，前肢弯曲，前掌按到腰上，伸长脖子，吟诵起来：

独坐幽篁里，

弹琴复长啸；

> 深林人不知，
>
> 明月来相照。

"啊啊，王维的《辋川集》里的《竹里馆》！"

猫姿态优雅地坐下了，是一种禅定式的趺坐，双掌相合。

"琴在哪儿呢？"他对猫的附庸风雅有点不以为然。

猫朝他身后努嘴。

他扭头一看，石案上放着焦尾琴，旁边还点着一炷香，案前有高矮恰适合于他的石凳。

"亏你想得出！现在有几个中国人会弹这样的琴？"

话音未落，原有的都消失了并立即变成了一架钢琴、一个西洋式落地大烛台和一个琴凳。烛台上插的淡紫色蜡烛伸着金叶般的火焰。

"倒也无妨一弹！"

他便坐过去，弹起贝多芬的《月光奏鸣曲》。

猫静静地聆听着，一阵风吹过来，幽篁婆娑起舞，烛焰跳荡；他久不练习，指法生疏，不断出错，未能终曲，便戛然而止。

"真美！"猫喝彩，并鼓掌；但猫掌劲鼓而声仍微。

烛焰灭了，几近漆黑。他刚想问："为什么没有月光？"立即悟到是没有长啸。

只觉得胸中有一团早就闷在里面的东西，忽然挣扎得厉害，从喉咙里往外涌，便仰头伸颈，一吐为快地从单丝到喷束、从小呻到壮吼、从矜持到放纵地长而又长地啸叫起来……

而猫也加入了纵情长啸，当然是人那样的声音……

天上有月光慷慨地泻下，每片竹叶都显出自身的妩媚，簌簌轻抖；月光吻着他，也吻着跳到他怀里的猫，他搂着猫，用他至真的感情吻猫的额，在莫可名状的月之精的沐浴下，憬悟地喃喃自语："亲爱的我明白了，你的名字不是'不喂'，而是'不为'；你拒绝回答每一个'为什么'，你是对的！"

　　此后朋友都知道他养了一只猫，一只很普通的猫；有时朋友或拉稿的编辑去他家，便可以看到那只猫懒洋洋地趴在高高的书架上，眼睛似睁似闭；在人们谈话的时候，猫会偶尔打个呵欠，然后叫一声——

　　"喵——"

1993 年 2 月 11 日于北京绿叶居

见 鬼

他抓到一个鬼，高兴极了！

立即给科学院打电话，请他们来目验，或者派车来把他和鬼一起安全地接走，接电话的没听完，说了声："胡闹！"便把电话掐断。

想了想，便给警察局打电话，接电话的正告他："我们活儿忙，且不收拾你；你小子要捣乱，非把你薅出来铐上不行！"

好不容易接通了市政府的电话，要求关注他的发现，及时责成有关部门来接收他抓到的鬼，电话里回答说，市民们来电提出的要求很多，不可能一一满足，但所有要求都将记录在案，经仔细研究后，凡属合理要求都会加以解决，请少安毋躁……

鬼在一旁笑，鬼说："你太糊涂！全世界的科学院都是无神论的大本营，他们会欢迎我出现吗？世上只有人犯罪，哪有鬼犯罪，你找警察局算怎么一回事？我又不是市民，更找不着市政府；再说，那回你们一条街的居民联名给市政府写信，要求及时解决下水道溢水问题，不是等了足有半年才来给修吗？……"

他不听鬼话，继续打电话。

跟他最好的一个朋友在电话里问他："昨天是不是又熬夜啦？"跟着便劝他还是要爱惜身体，正常作息……

另一个朋友哈哈大笑："老兄活见鬼，太妙啦！不过大家都忙，是不是？这会儿我正忙一件正经事，等忙过了咱们再臭聊！"

　　第三个朋友听完他的报告，停了停，诚恳地说："你该去看一下心理医生……"

　　第四个算不上朋友，听了很开心："你小子也有闹鬼的时候！谁让你这阵子那么红火哩！该！……"

　　自然不等第四个讲完就换了第五个。

　　第五个算不上朋友，只是熟人，冷淡地回应说："如今这世道，什么也提不起我的神来……"

　　算了！找第六个，第六个认真地建议说："你屙屎撒尿不要用抽水马桶，用一个搪瓷罐儿，攒足了，往他头上一浇，他自然就消失了！"

　　鬼在一边把舌头伸得更长，鬼眼乱闪，哇哇地叫："你不怕腌臜么？我哪里就会没有哩！到头来你还得给我洗澡……而且我先要甩你一身！"

　　他便安慰鬼说："我好不容易抓到你，目的就是要社会承认我是世界上头一个发现鬼的人，你要消失了，我不是白发现吗？"

　　为实现他的目的，他给一个神通广大的人打电话，平时不到万不得已他是不会求他的。

　　那人听完他的话以后，马上说："你不要再告诉别人，我马上去你那儿看货！"

　　他说："哎呀，我不是这个意思！我的这个鬼是……是非卖品！"

　　那人笑了："你小子也会跟我来这套了！好吧，你先开个价吧！"

　　他说："鬼会有人花钱买么？哦……我找你不过是想让你给我出个主意……我怎么才能让人们承认我的发现权……"

　　那人笑得更厉害了："你真是变精明了！好吧，你先付我咨询费吧，你支票到了，我自然给你主意，我开价不高，你嘛，老交情，九五折……"

　　他便掐断了电话。

　　但电话铃马上响了起来。

　　是刚才那个人。

　　那人对他说："你的货底已经让我知道了，这笔生意你不和我做，跟别人你都别想做成！我不会亏待你的……"

他说:"我确实不是要卖掉这鬼……"

那人说:"聪明!我们何必卖掉他!我们可以搞一个展览,门票贵贵的,而且观众要一个一个地往里放……禁止拍照、录像,广告上当然不能画出来……"

他忍不住说:"那谁会相信呢?"

那人信心十足地说:"找几个'托儿'还不容易!'托儿'都不懂?当然不是'托儿所'的意思,就是找几个人,给他们一些钱,用不着真让他们看那鬼,他们就会满世界给我们宣传,把我们的生意给'托'起来……自然有的人你给多少钱他们也不愿当'托儿',不过以我的经验,各行各业也都有见钱开眼的主儿,俗话说嘛,'有钱能使鬼推磨'……"

不知那鬼怎么听到了话筒里的话,附到他耳边愤愤地抗议:"胡说!我们鬼从不那样无耻!"

他不由得脱口而出:"你给钱鬼也不一定给你推磨!"

那人并不反驳,接口说:"我个人还没有这方面的经验,不过,跟人打交道,我敢说他一撅屁股,我就能知道他拉什么屎!什么样的'托儿'我没找着过!就咱们这档子买卖,我保证能找到顶着科学家名儿的人,来确证他是鬼;找个把警察来维持秩序也不成问题,市政府里我都能找着人来为我们说话;要不要找个议员,在议会为我们搞个《保护鬼发现权》的提案?……"

他竟一时说不出话来。

那人不耐烦了,提高嗓门说:"刚才我的那些主意,难道白给你了吗?你就是补我咨询费也不行!这买卖,咱们必须合作!"

他想了想,便笑着说:"我哪里真有鬼呢!不过跟你开开心罢了!"

那人说:"你有没有鬼其实都没有什么关系……这买卖我可以自己做,不过你既然先把这点子说出来,我不能霸占你的点子,我这人从不欺行霸市,我可以给你钱……不过你绝不能再跟另外的人提起这事,也不许你忽然自己又搞起'鬼展'来,跟我分庭抗礼!这是商业道德问题,也关系到你自身的安危!你开价吧!"鬼在他身边嗦嗦地笑。他忙对那人说:"我真发现了鬼!我真不想钱!我真的只为了名!我只要社会承认我的首发权！"

那人说："你为什么不要名利双收？你想提价尽管直说，何必跟我耍花枪！"

他赌气说："我把鬼牵到大街上，免费展览，谁爱看谁看……"

那人哈哈大笑："你正是因为怕这么干，惹出乱子，而且混乱当中，也就很难证明你是鬼的发现者，所以你才先打电话找人想辙……"

他说："我改主意了，我这就把鬼公诸于众！"

那人说："你准备了多少钱，赔偿被你吓死的人命？"

他一跺脚："我认了！……"

那人鼻子里哼出几声："你那优柔寡断的性格我太清楚了！等你真下了那个决心，我找的'托儿'早憋在你家门口了！没等你迈出门坎，我托的警察先找上你门查户口；我托的顶着科学家名儿的人先写好批判你反科学的文章；我托的市府官员必把你的城市户口销掉……其实还有更简便的办法，我让我托的精神病院的人把你送进那里头！"

他气得浑身乱抖。

鬼对他说："你还不把我放了？"他摔掉电话，对鬼大吼："就是放了你，我也脱不了手啦！"

鬼很同情他，便出主意说："你放了我，我去把那个混蛋吓死吧！"

他捶着桌子，反驳说："我为了一个出名都不怕你，他为了利能怕你吗？更何况他还想名利双收……他欢迎你还来不及哩！"

鬼直搓鬼爪子，也没主意了。

他从气恼、无奈、空虚，演变为大恐怖，终于搂住鬼痛哭失声……

1993 年 2 月 12 月于北京绿叶居

忘川酒吧

"……睢见了吗？那边——不是，不是那个胖的，那边，那边……对，对对，就是挨着绿萝图腾柱的那桌，那个发型最新潮的女士……"

"傍大款的吧？你认识？"

"换了别的人，这么七十二变的，自然认不出来……可她！天爷，除非我得了脑膜炎，成了弱智……她就是蜕一百层皮，我也能认出她来！她对我也一样，我们俩算是把对方都刻在各自的脑仁儿里了……算来我们十几年没见过啦，可也真巧，到这儿一坐下，抬眼一瞧，咦，偏她在那边……是呀是呀，变得厉害，我们都变得厉害……这几十年啊……"

"那男的肯定是个大款……"

"也不一定……你别总是大款大款的！别只对发财感兴趣……想当年我们插队的时候，什么款也没有，真的，有一天连一分钱也没有……那时候做梦也想不到中国会有这样的大饭店，这样的酒吧……这些梦一样的遮蔽光，梦一样的弦乐四重奏，梦一样的蜡烛盅，梦一样的石竹花……可今天这一切居然都是真的！瞧，她也在这儿，偏她也在这个酒吧，是梦？是真？我都糊涂了……"

"别大惊小怪的，犯不上，别让人家把咱们当土老帽儿……我看她，你那个什么，战友？当年还有什么别的称呼？农友？……她像是个常客，不像咱们……你要不要过去招呼她一下？"

"不着急，她一会儿也许朝这儿一望，就认出我来，她说不定会先过来招呼我，你知道吗？我是她恩人哩！真的，大恩人！你不信？"

"她朝这边抬眼哩！可她怎么一点也不在意你？她抿鸡尾酒呢……她笑得多媚！她跟她那大款——好好好，不是大款，她的情人吧——她说话那神气，多自在，多优雅！"

"当年她可没这个风度，说真的，她那时候还没我水灵呢……所以她做下那事儿，谁都没想到，真是想不到！怪了！会是她出那个事儿！人不知鬼不觉的……今天回想起来，我还是浑身起鸡皮疙瘩！……"

"做的什么？桃色的？"

"那时候我们连'桃色'这个词儿都不懂……后来知道去兵团的都乱搞了，我们那拨插队的可不一样，至少我们那个村的女知青们，我敢说大多数跟我一样，例假都来那么多年了，可对男女被窝里的那点儿事，还真是浑的——据说男知青他们回了宿舍经常说荤话，我们女知青再落后，在宿舍里也没说那个的，整个儿像座尼姑庵……"

"怎么着？那边那位西施，她例外了？"

"'西施'？还杨贵妃呢！……可不是，她蔫不叽叽的，人不知，鬼不觉，她倒做下那事了！"

"咳，什么时候，人也是人，是人就有那种事儿！"

"唉，一晃，都快二十年了……"

"得了得了，别嚼陈芝麻烂谷子了，过去的就让它过去吧……说点别的不行吗？"

"……那一天，就我们俩在宿舍里……"

"行啦行啦，蹩脚电视剧！我要换频道了……"

"……哪个电视剧也没演过那么一幕……可把我吓坏了……你得知道，我们俩那时候关系一点也不好，甚至于可以说是死对头……别心不在焉，那是、那是……那也就是人们所谓的青春，我的青春，当然，也是她的青春……"

"喝口马提尼吧，想点别的……青春其实只不过是一种感觉……这美国西梅味道很别致的……"

"不错，是一种感觉……那一夜我的感觉，怎么形容呢？……真可怕！……更可怕的是到了今天,除了我,还有她,除了那一夜里在那间屋里的两个——不,不是两个,唔,是两个……你看,你看你看,我……感到……"

"究竟几个?你这电视剧倒无妨演播下去……"

"她在那边笑呢……她怎么还没发现我?……当然,这酒吧是一组组的私人空间,我要不是凑巧坐在这儿,这么个角度,也不一定能发现她……你哪想得到,那时候,我们俩不仅不是朋友,而且,我们互相讨厌,为什么互相讨厌?那不重要,在任何情况下,人跟人总是会互相讨厌,就像人跟人在各种稀奇古怪的情况下也总会互相爱上一样……反正那时候我讨厌她,所以,一张大炕,每天晚上,我总是睡在靠墙的一头,她就总睡在靠灶房的一头……"

"就像现在这个酒吧里,你在凤尾竹这一头,她在绿萝图腾柱那一头……"

"人有时候就是各占一头……那年月,我不懂什么是失眠,因为白天要干活,很重的活……那一晚我自然睡得也很沉,忽然我觉得有个梦,我讨厌梦,就是美梦,比如被上调啦,有一盘热腾腾的熘肝尖端到跟前了呀……结果不但总是睁眼一场空,而且第二天干活准没精神……何况那天似乎是个噩梦——梦见地震了,咔啦咔啦的,有点地动山摇的架势……我坐了起来,揉眼睛,原来不是梦,不是梦是什么?晃晃头,扭扭脖子,地震般的声音来自她那儿,就是绿萝图腾柱下面,两个耳环一晃一晃的那主儿,她干什么呢?有那么睡觉的吗?……"

"她公然……就在那儿乱搞?"

"你这是什么剧本?可以这么拙劣吗?亏你还在文艺圈里混!"

"圈里就兴这个!"

"去你的!……我眯起眼仔细看……她背抵着墙柱,咬着牙挣命,下身拱在被子里,两腿一蹬一蹬……被子里淌出好多红水来——是的,一刹间我脑子里只有红水的概念,半分钟后我才断定那是血……可三分钟里我还是只知道往月经过量上想……突然她尖笑一声——的的确确,不是叫,不是哭,而是本能地尖笑,那是终于摆脱了累赘的一种生理性反应,让我毛骨悚然——可紧跟着的声音那就更惊心动魄:一声锐哭!是的是的,现在你当然全清楚了……"

"天哪！"

"……我一下子清醒到不可思议的地步，不知道以后我还能不能达到那个时候的清醒度，反正从那时到现在，到在这个酒吧坐在这盆凤尾竹下跟你这么个莫名其妙的人喝这杯我一点儿也品不出味儿来的什么马提尼，我都再也没那么清醒过……我马上冲过去帮她收拾那个婴儿——其实不是帮，而是包办，因为她只是还靠在那墙柱上，瞪着眼睛大喘气，我敢说她那时候是她一生中最糊涂的时候……我给那婴儿收拾了脐带，我去灶房里烧开水……我从灶房端来一大盆火，我看见她正把那孩子用一张报纸包起来，我就跟她嚷：你怎么回事？我给你找件衣服包他！她就披头散发地叫唤：不要！不要！我不要！我要从她手里取过那孩子，她不让，把报纸包起的孩子搂在怀里，孩子哇哇地哭，我急了，心想报纸太不卫生，我就取出自己一件干净的白衬衫，去强行从她怀里抢出那孩子，扔掉报纸，先用盆里的水给孩子净身，再用白衬衫包好——她先是呆呆地望着这一切，然后，她就用沙哑的嗓音对我说：帮我扔了他！埋了他！我一听这话，愣了，我望着她，她望着我，她又说：你帮我扔了她，扔远远的！我就走到她跟前，甩了她一个大嘴巴，她先是捂住腮，然后她没等我反应过来，就使劲扑到我身上，紧紧搂住我，嚎啕大哭……"

"……"

"……现在我仿佛不能感觉到那晚我们俩拥抱在一起的体温……我是从那一天才充分地意识到自己是一个女人，她哭她的，我却哭我的，我哭，是我这才知道她已尝过男人的滋味而我竟还是个寡女！我哭我还没有生过孩子，我哭我心底虽然也有过许多乱七八糟的念头，却没有一次勇于冒险的行为……而她竟什么都经历过了！我是瞎眼吗？我跟她整天混在一起，怎么连她怀上了孩子都一直没有发觉？怎么直到她当着我'流红水儿'，我都还是浑的？这就是我的青春吗？一个二十岁的女人吗？……哭着哭着，我嫉妒起她来，我把她重重地推开，自己坐到炕沿上爽性捂住脸幽幽地哭了个痛快……"

"后来呢？"

"我们没有再熬多久，就都回城了……她把那个男孩送给一户农民了，那两口子十几年都生不出孩子来……回城时除了一身衣服，我们把别的东西都留给老乡了——只有那晚包过那孩子的那张报纸，她折起来搁到了自己的衣兜里……"

"想必她现在还留着……看她现在的景象，绝对是柳暗花明又一村了，她那儿子，该早接回身边了吧……"

"也不那么简单……人家好不容易养大，你想送就送，想接就接，人家那儿是托儿所吗？更何况，那孩子还有他亲生的父亲啊！"

"是谁呢？"

"后来我问过，她始终守口如瓶……当然我和其他人都猜过，'嫌疑犯'的圈子也越缩越小——可我始终不知道，也没听说哪位站出来自己承认……"

"怪了，好汉做事好汉当么！再说那是自己的亲骨肉啊！"

"你们男人就是这样，从来都最会逃避责任！"

"包括我？"

"你想我把你当做例外？那有什么意义？……"

"也许现在跟她在一起的，就是那个孩子的父亲——那报纸包过的孩子，该有十七八岁了吧？说不定都到美国留学去了……"

"那张报纸，该还在吧？一定早就发黄了……我还记得那天的报眼上登的是哪条毛主席语录……而且记得里面有几乎一整版是大批判文章，批的是'唯生产力论'……"

"没想到今天来这儿，会惹出你这么浓酽的怀旧情绪……"

"这也是我们俩的缘分……你说怪不怪，这些年里，我遇上了不少当年的伙伴，可就是一直碰不到她，偏你带我到这儿，偏我坐在了这把椅子上，偏望过去那边那桌最显眼，偏她刚好几乎是正对着我……"

"她怎么偏没看出你来呢？你的变化就那么大么？"

"也许……也许是她那儿刚好有个射灯，把她衬出来了……也许她这些年比我顺，倒越活越年轻了……她怎么总是这样，以勾起我同情始，以惹得我嫉妒终！……"

"你看你看，他们起身了，看样子是不待了……你不跟她打招呼吗？"

"当然！巧了……喂，万红！哈，没想到吧？"

"……"

"秦万红，是我呀！瑞莲呀！汪瑞莲呀！"

"你——您、您……您哪位？"

"万红，你真的认不出我来了吗？我是汪瑞莲，我们插队的时候不是住在一块的吗？"

"你原来叫过秦万红？"

"不……她可能是认错人了……"

"秦万红，我怎么可能把你认错呢？"

"对、对不起……抱歉，我不认识你呀！"

"咦，你这是何必……你眼角的这颗'泪人儿痣'都还在嘛……我见到你是很高兴的呀……我坐在这儿望着你好半天了……你一点儿没显老，你比当年反倒水灵多了……我难道真的老得你都认不出了吗？定各庄大队，我们不是在那儿……"

"对不起，您肯定认错人了……咱们走吧……"

"万红！……这是怎么说的！"

"让人家走吧！你也许确实是认错人了！"

"没错！没有错！不会错！"

"坐下，再坐下……别激动……这地方不能太大声……算了算了……"

"真没想到……"

"别想了，这地方本来就不是让你想的，这地方是专门让你忘的……"

"我忘不了！……她真的忘了吗？她眼睛里……"

"那女人眼睛里冷冷的……那是最新潮的眼睛……"

"她总是走在我的前面！她如今又有了我不具备的一双眼睛！……"

"别去想她了，让她见鬼去吧！"

"……她眼睛里其实有那么一闪……"

"多余的一闪，功夫还不到家！……"

"多余的不是宝贵的？……"

"喝酒，喝……干了这马提尼，我们干脆再来点人头马……我们所来为何？难道是为了跟一个用报纸包过自己的孩子，并且差点活埋了那孩子，后来果然扔掉了那孩子的娘儿们叙旧吗？……"

"……"

"……那其实是很乏味的一个故事……"

"……"

"……并且那万……万什么？秦万什么……秦万红！她是一个多么无聊的存在！从前无聊，现在更无聊！"

"……啊，你才意识到么？我们不是正因为无聊，才到这儿来的么？"

"无聊才生事！……也许，那女人确实不是那个秦万红……"

"哈！你以为真有那么一个叫秦万红的么？"

"怎么？！"

"无，可以生有么！"

"你是无中生有？"

"……"

"你表演得真不错！"

"你配合得也真不赖！"

"她也够默契的！"

"连那位爷们也够'最佳男配角'！"

"这酒吧整个儿是一个大布景？"

"在一个大舞台上……"

"让我们演下去！"

"当然，离幕落还早着哩……"

"……"

"……"

1993.6.9 北绿叶居

玉虎坠

"喂，你吗？哈，是我，我呀……"

"谁？……哟！你！好呀，你能想起我来，给我挂电话呀！……在哪儿呢？在奔驰600上头吧？手里握着摩托罗拉吧？你能想起我来？！……"

"我在屋里呢。一个人。别逗，我有事求你……"

"求我？你求我？你会有事求我？我能为你大老板做什么事？"

"真有事求你，老朋友了嘛……"

"老朋友？不敢当！我们早就不是一个层次上的人了，不是一个台盘上的呀！你，你们那个世界，什么房地产呀，股票呀，期货呀，信贷呀……我连ABC都弄不清！还有你们那些个日常生活，什么豪门宴呀，烛光酒吧呀，KTV包房呀，桑拿浴带玉女按摩呀……我动员起全部想象力，也还是想象不出来究竟是怎么个情景儿……当然更没法子想象你在地中海裸泳，或者在拉斯维加斯狂赌的风采！……"

"你这张嘴，还跟当年一个样儿！对老朋友，就不能留点情面吗？"

"老朋友如今真是不敢当了！老同学罢咧！"

"好好好……老同学也不简单么！记得咱们在一个宿舍里，分一个窝头吃的情景儿吗？为了分匀，咱们用尺子好一顿测量！还代入了圆锥体公式……"

"我从那时候，就该看出来你是块经商发财的料！"

"那时候谁能想到，真能发财，发大财！"

"瞧你！臭铜味儿都窜我这边了！"

"唉！别老嫌弃我！就看在老同学的面上，帮帮我吧！"

"帮你？我帮你！帮什么？弄一船芬兰纸浆？向美国花旗银行代贷一亿美元？买下香港尖沙咀的十座大楼？……"

"那倒都毋庸老兄费心……说实在的，这些天我生意也做不踏实，心里头……怎么说呢……"

"原来是心理问题……怎么啦？坑蒙拐骗一溜够，良心上过不去啦？"

"只要不违反'游戏规则'，大面上过得去，空子那我们是要钻个够的……这方面我们这号人不去管良心不良心……我们只务实，不务虚！"

"这么说是私生活，私人感情，这方面的事咯……"

"本来这也不是什么难对付的事，你知道……"

"我知道？也许……是不是你那个秘书姐儿，那个狐媚子，那个妖精，你摆脱不了她啦？其实那岂止我知道，社会上凡知道你的，必知道她……你不是早就把她带来带去，招摇过市了吗？她的爹是你的私人厨师，你只觉得他做的菜还算能吃出个味儿来……你们那点子事儿，毫无新意，我要把你们那点子事当素材，写小说也罢，编影视也罢，无论我怎么添油加醋，精心烹饪，告诉你吧，如今都卖不动了！谁还看这号了无新意的东西！"

"可对于我来说，这不是戏啊，这是活生生的……"

"活生生的什么？你吃活生生的东西还少吗？醉虾，活鱼，也许还有猴脑……你就把她生吞活剥了，只要她愿意，只要民不举、官不究，你心里有什么过不去的！"

"你倒还让不让我自己说啊？我好容易专门腾出这么个晚上，生意撂到一边，也不去寻欢买笑，巴巴地给你拨电话，为的就是——"

"我告诉你，我今晚很忙，我要为一份杂志写一篇小说，人家答应给我千字百元的高稿酬呢！我如今……找我，也是要事先预约的呢！"

"那当然！不过，我可以花大价钱买你的这段时间，而且当然会赔偿你稿酬上的损失……"

"你以为！……"

"不是我以为不以为，是我的经验告诉我，一般来说，都是可以通过砍价，买下来的。"

"这个世界上还存在着许多的非卖品！"

"当然！我又没说要买你的尊严，我只不过是想得到你的帮助，一个老朋友的帮助，或者，一个老同学的帮助，如此而已，我本是没有想到买不买卖不卖的，是你提醒了我……"

"你倒打一耙！"

"我打自己一耙吧——是的，我不开玩笑，看在老同学的分儿上，你在电话里接待我一下吧！我愿付款，一分钟一百元，如何？当然你可以马上拒绝，但是你是知道的，如今我开价向来是接受即付的！"

"你！……"

"何乐而不为？"

"你这家伙！……"

"那么，你听我说……是这么回事儿，我今天买了样东西……"

"什么东西？加长卡迪拉克豪华车，还是十八万八千八百八十八元的镶珍珠宝石的金项链？……"

"那有什么稀奇？你听我说，是一块扇坠儿……"

"只不过是一块扇坠儿！"

"对，只不过是一块扇坠儿，当然，比一般的好点儿，是羊脂玉的，质地也许比北海团城琳光殿里，雕那个玉佛的还细腻光润；雕成个卧虎的形状；他们说是宋朝的，为的多要点钱，蒙谁呢？再说真是宋玉，买卖就都不合法了，文物部门就该挡驾了……蒙得了别人蒙不了我！我知道它是清初的，康熙那一朝的吧，当年真是拴在过扇子上，达官贵人，文人雅士，摇晃扇子时，它坠在丝绦上，显示出一种富贵的气派……"

"你也玩上古董了！真是有了钱，想玩什么玩什么！从古董到现代派，从比基尼女郎到人妖……"

"我用八千块钱买下它。"

"对你来说，八千算什么！"

"是，问题不在多少钱。问题是，这是物归原主。"

"扇坠原本是你的？"

"可以这么说……"

"可以？……"

"那是你嫂子，也就是我老婆……她家传下来的……她的一个高祖，属虎；那扇坠是专门请当年手艺最好的琢玉师傅琢出来的……"

"那又怎么样……"

"当年，我靠什么发起来的？我的起动金，哪儿来的？你还不清楚当年我们那点儿工资？我们哪有什么家底儿？……后来，她看我铆足了劲儿，破釜沉舟地要下海，她就从私房里拿出了这个扇坠儿……你猜我们拿出去卖，卖了多少钱，才八百块钱！后来我借了七百，用那一千五，启动了我的事业……"

"唔……不过，作为故事，这是很乏味的情节，没什么新意……"

"我却心潮起伏！……我没想到，谈完生意，去喝一点'人头马'，没走拢'巴'，穿过饭店的那个文物商店时，很偶然地望了一下柜台里头，忽然眼睛一亮！……原来我们的扇坠儿，那玉虎坠，竟流落到了这个饭店里！不相信缘分行吗？……唉唉唉……我靠它起了家，如今我的资财，你估算一下吧，比八百多了多少倍！可它的价钱，才只增加了十倍……我见到它，真是'惊呼热中肠'啊！……"

"这种感情，只能你去独享，我是无动于衷的……"

"独享？我……我本来还有几件事，我都撂下了，我下午就回了家……你明白吗？这赎回玉虎坠的快乐，应该是两个人的啊……"

"那倒也是。"

"可是我回到家……你猜，猜一猜，是怎么个情况？"

"我没有猜这个的兴致。"

173

"你无妨把这当做一个……一个虚构小说情节的练习，就是说，你试着设想一下，会怎么样，她会是个怎么样的反应？"

"还能怎么样，无非是，她很感动，接过那玉虎坠，跟你一起百感交集……"

"不，不是这样。"

"她不相信这是原先的那个……她现在拥有的珠宝太多了，她已经不稀奇，她有点无动于衷……或者，她高兴得跳了起来，她跟你前嫌尽弃……"

"不，也都不是。"

"啊，明白了……你以为你这么一来，她就原谅你了吗？你跟那个狐狸精，你们的招摇过市，你们黑日白夜的出出没没，谁人不知，谁人不晓，她能不门儿清吗？她早就忍无可忍了！你以为你这么一点点天良发现，就抵得了你对她好几年的伤害吗？"

"可惜，也不是。"

"到底是怎么回事，你就一根肠子通屁股地跟我说出来！"

"……我回去了，她很惊奇，因为我这几年从来没下午回去过；我承认，就是晚上我也很少露面……她那惊讶的表情我本来并不怎么在意，可是后来，我发现那表情像是粘在了她的脸上，不，像是长在她皮肉里了……后来我就拿出了那玉虎扇坠……她一见，她、她、她就……"

"哭了？"

"哭了我就不用找你帮忙了？"

"……笑？"

"她没哭也没笑，也不是感慨也不是惆怅，她是不仅吃惊，简直是慌了……"

"慌什么？"

"是呀，为什么发慌？我买回玉虎坠儿，绝不是想让她发慌！"

"她是怎么一种心理？"

"这个，我用不着你帮我分析，因为她很快自己就都说了出来，是的，她慌了一阵，就坐在我对面，死活不接那个玉虎坠，她说，她不……"

"不，不什么？"

"她说，那不行，她不跟我离婚……"

"你提出跟她离婚了？"

"没有，起过这个念，可从没说过。"

"说没说不能只限于语言的表达，你这几年的种种表现，已经等于说了。"

"我承认，可让我没想到的是她跟着说出来的那些话！"

"什么话？"

"她说，玉虎坠她不接，不仅不接，她还劝我干脆拿去送给她……"

"谁？"

"就是你说的那个狐媚子，那个妖精，那个厨子的闺女，那个跟我招摇过市的，出出没没的……她的正式职称是经理助理。"

"你老婆这样说，是一种抗议，一种讽刺！"

"如果是，我也就不必找你咨询了！……她竟是正儿八经地表达了那个意思。她说她现在很满足，住上了这么好的大房子，房子里有那么多原来想也不敢想的东西，包括原来想也想不到的东西。她觉得非常舒服，非常满意，现在她出门就打'的'，唯一的苦恼就是有时候等不来两块钱一公里的日本丰田'的'，只能凑合着打一块六一公里的国产'夏利'。她现在想上哪个高级购物中心就到哪个中心，在那里头想买什么就买什么，已经没有什么贵不贵的感觉。她也没别的什么爱好，在家就是爱看个电视，现在住的地方一间屋一个电视，大的五十几英寸，可以把几个频道的画面同时展现出来的，小的比烟盒大不了多少，睡在枕头上也能看……做饭收拾屋子有保姆，冰箱里的饮料喝不完，鲜亮的水果总放满了水晶玻璃盘；她说她别无所求！她知道我跟那个……那个助理好，她说我们尽管好去，她甚至建议我别那么在乎别人的议论，我应该干脆给那助理买房子，成立第二个家，而且，我就是总在那个家里住，她也没意见……"

"天哪！"

"是呀，我的天！她说她看《大红灯笼高高挂》，她说她就是里头的那个正房，最能容人；而且她又并不是黄脸婆娘，她的学历和我是一样的，需要她出场的时候，她一点不会丢我的脸……"

"她怎么会是这样的！"

"她慌，是因为她怕我一定要跟她离婚，而离了婚，她就没现在这样的名分了，她说她知道我这个人不是那种狭隘、小气的人，我即使跟她离婚，也必保障对她现在生活所需的一切供应，可是那她就会总有一种不安全感，她就会六神无主了……"

"这让我说什么好呢？"

"给你打电话，就是让你跟我说啊……"

"说什么？"

"为什么？为什么会是这样？"

"……没有陈世美，没有秦香莲……包公还有什么活计？"

"是的是的，这比那个、那个《铡美案》什么的更可怕……你还该知道……我后来离开了我那个家，来到这里，我在五星饭店的包房里，我打电话让那妖精来，她一进屋，我就跟她说，我决定跟老婆离婚，一离成，我就向她求婚！"

"她什么反应？别让猜，你马上说！"

"她吃惊的程度跟我那老婆一样！她还没坐下来，就连说：'那干吗？那干吗？'……我拿出那个玉虎坠，告诉她我是认真的……她却根本没听清玉虎坠是怎么一回事儿，便说：'不！'"

"她也说'不'？"

"是的，她很冷静地对我说，她确实喜欢我，她跟我干那些事的时候，心里没有勉强感，她在进入高潮时不停地说她爱我，那是出自真心……她喜欢我的风度，我的魄力，我的威严……喜欢她在公司里的这个角色，喜欢跟我坐飞机旅行，喜欢她的高薪，喜欢我给她的红包，喜欢我们新购入的 586 电脑，喜欢开公司那辆新日本'凌志'……但是我离不离婚那是我的与她无关的私事，她不介入……她从未跟我说过想和我结婚，心里确实没那么想过，她和我是相互自愿，才亲热，才上床的……现在我竟忽然提出这么一个令她意外的话题，她瞬间改变了对我的崇拜与痴迷……"

"这……这也是……让我说什么好呢？"

"就是要你告诉我啊，她们都怎么啦？"

"……是呀，现在又遇上这么个……既没有潘金莲，也没有西门庆的情况，那么，武松也没有用武之地了！"

"……她一个钟头以前走了，临走，她正经八百地提出辞职。"

"你买回一个玉虎坠，竟惹出了这么多故事！"

"你信吗？关于我的故事？我是最不喜欢虚构的人，我们这种人，只热衷于脚踏实地的设计而排斥浪漫的虚构……"

"我倒长于虚构，可你遇上的这两个女人，我确实虚构不出来！"

"那么，你给我提供解释！"

"我解释不了！"

"那么，我的电话难道白打了？"

"白打？你刚才怎么说的？一分钟多少钱来着？"

"……"

"……"

1993. 11. 6

傍

"……我叫孟淑兰，服务社介绍来的……"

"啊，对，对，请进……坐吧……是这样，你的材料，我在服务社看过了，挺满意；可还是想再见见，面谈一下；也不光是我们了解你，你也可以看看我们家情况，双向选择嘛，如果我们双方都觉着合适，你就搬来……其实我们家的家务事也不算复杂繁重……"

"您这儿我不看也愿意……服务社一说是您家，我就跟自个儿说：让你赶上了，巧！我还真想着找个文化人的家帮忙，其实，也是盼着有文化的，能帮我一把……"

"你上学上到……"

"不瞒您，没上完初中，这不是因为家里供不起……是因为闹心……"

"闹心？！"

"对，闹心！就是听见好些好些个说法，说如今城里满地是钱，都不用深猫腰，一捞就能一大把……心上就长了草，就不上学了，就跑城里来了！"

"不是刚来吧？"

"您一看就能看出来，刚来的能有我这个……这个模样儿？"

"也不光是模样……"

"我知道您那意思，您不好意思说，我既来了，我没什么不好意思的，我说吧：就比如，我脚上这双鞋，别说刚打远郊山村里来的妞儿她不可能有，就是……就是您，您现在穿的这双拖鞋不算，就是您门厅里的那么些鞋，也怕没有一双够得上我这个潮的……可见我在城里，混了挺长时候了……我知道，你们都愿意雇新主儿！"

"……那倒也不尽然……"

"反正，喜欢……怎么说来着？对，淳朴，淳朴的！这我得坦白，我乍进城时候，特淳朴。现在，现在我不敢蒙人……不是我不愿意淳朴……"

"你都做过哪些人家？"

"哪些人家？我，我……我乍进城，不知道什么服务社，就听说有那'三角地'，我也是就往那'三角地'一站，等人家来雇……"

"啊呀，我们可不敢到那种地方去找人！"

"可那儿，我敢说，个顶个全一色儿的淳朴！"

"你第一家去的哪儿？"

"第一家，不是个人家，不是当保姆，是让个体饭馆的老板雇去当小姐了！"

"当小姐？"

"您得说当服务员，对吧？那老板可一再交代，得让顾客把我们当小姐，所以我们不光要干活，还得涂脂抹粉……我的工作其实最轻省，后来就是站在门口，连吆喝带拉扯，往里引客。"

"啧啧啧……我见过，不伦不类的，我从不进那样的饭馆，本来可以进，你们那样的角色一纠缠，反而不能进了！"

"那是您，你们文化人……好多外地来的人，我们不拉，他就不一定进去吃，一拉，他们就进去了！"

"你怎么没做下去呢？"

"做了半年，发现还能找着更好的活儿……就跳槽去了个美食城，没多久就当上了领座小姐……您见过，就是那旗袍大开衩，一直开到大腿根儿的……角色……"

"那类地方，我们这样的人自己可去不起！"

"那是，我后来也明白，去那儿的，要么是开报销条的，要么就是花钱不眨眼的大款，有的我们也搞不清他算什么，又一律报销又花钱不眨眼……半年以后，美食城里的卡拉 OK 厅扩大装修完了，经理就把我调到那儿去了，那儿最大的油水是小费……"

"小费？别看我雇保姆，可上不起那类的娱乐场所，更没有给小费的能力……一般给你们多少小费？"

"也有不给的，给的也没几个说是小费，大多是付款时候除了 50、100 没别样的票子，他给了你不要你找就是了……碰巧了，也有单给你一棵两棵的，不过，那……那样的最好别要……"

"为什么？"

"您想想，能安着好心吗？"

"啊，原来你干过这个……"

"您看不起我了不是？您不愿意雇我了不是？"

"那……那倒也还不是……"

"随您便，我……我只是希望，您能听我说说……唉，您就是不雇我，光听我说说，我也知足！"

"你说下去，你为什么离开那美食城呢？"

"我在那儿挺受气，因为能在卡拉 OK 厅里当小姐的，就我一个是远郊来的土老帽，别的那些城里的妞儿她们就抱成一团，恨不能天天给我一大哄！亏得经理还算向着我，他也是得向着我，因为那些个妞儿下了班全回家，就我一个人，客散了在酒吧里睡折叠床，天天给他值班儿，工资不但不多给，还算他提供了住宿，扣了宿费，我拿的工资倒比别的小姐低。您说我能多喜欢那儿？我拼命要洗掉身上的土味儿，可我怎么也没法子洗干净，您现在看我，还不是一眼就看出来，还是有那去不掉的土渣儿！"

"土味儿并不一定是坏东西，为什么要拼命洗掉它？"

"那倒也是，我就没想到，那大款偏偏没看上那些个城市妞儿，他就偏偏看上了我！"

"大款？你让他看上了？"

"实话实说，我也是一心想傍他……"

"傍？"

"这可不是我们山里人的土话，这不是时下城里年轻人的时髦词儿吗？"

"……是好像听见过……我听起来可不像是个褒义词，是女性投靠有钱人，以便过上好逸恶劳的生活，是那么个意思吧！"

"我没您那么个思想水平，我当时真的挺高兴的，挺自豪的，因为，我总睡酒吧里，也不是个事儿，他又不是光玩玩我，他答应跟我结婚，我能嫁给个城里人，这不就是幸福吗？那些个城里的妞儿，我不敢说都一个心思，可至少有一半，她们整天琢磨的，就是怎么能傍上个大款，当然，最好是傍上大腕，最最好是傍上个又款又腕的！……可她们偏都没戏，天上的馅饼，偏掉我怀里了！……"

"那你怎么现在……好，好，你说，你说……你们，你跟那大款，有爱情吗？"

"爱情？实话说，我真的不太懂，什么是爱情？"

"爱情是没法解说的，那是一种感觉……"

"按说，感觉我是有过的……我在山里没上完中学，跟着我姨到集上卖红果的时候，每回都跟……我也不说他名儿吧，反正您知道那么个小伙儿就是了，他的摊儿总挨着我们的摊儿，有时候买主只看上他的，他就让人家只买我们的，有时候我们没卖完，他就把我们剩的买下，因为他家就在离集挺近的山根下，他们那个村，比我们的大多了，村前有条河，有时候，我们赶到那村前头时，他就正在那河里游泳，见我们到了，活蹦乱跳地过来，迎我们……我后来一看见他，心里就扑腾个没完……您说这是不是爱情？"

"没那么简单……你们谈过心吗？"

"怎么才叫谈心呢？……"我说不清。有一回下瓢泼大雨，我和姨回不了山里了，他就把我们请他家去了，他家跟我姨父家论起来也算亲戚，我记得喝过好烫嘴的玉米糁粥，我们俩就聊开了，聊得挺欢的……聊的是啥，全忘了，可有您说的那个……那个感觉……不怕您笑话，后来我夜里梦见过他，也怪，他在梦里，净把光溜溜的脊背对着我，脊背上还净是河里带上来的水珠儿……"

"有点味儿了……"

"爱情的味儿？"

"你自己去体会！"

"后来，有一天，我正在我们村外将花椒树上的花椒，他忽然汗头汗脸地直奔我跑了过来，倒把我吓了一大跳……他在那以前从来没上过我们村哩，他站在我面前，喘着气，跟我说，他参军了！我一愣，手里的笸箩就歪了，里头的花椒撒了一身一地……"

"他对你，那明明是有意思了！"

"可我，不知道当时是怎么回事，我把笸箩正了正，对他说：你当兵你就当呗，干吗非来跟我说？"

"哎呀！"

"他红头涨脸地望着我，我只管将花椒，他就猛一转身，从来的那路上脚不沾地地跑了，我眼里只有他那脊背一闪一闪的，我眼花了，就把手里笸箩一扔，蹲在地上哭了起来，用手揉了眼，眼里火烧火燎，火蹿进心里，我就干脆捶着地大哭……家里人找到我的时候，都以为我是让花椒烧了眼，都骂我笨！"

"后来，你们还见过吗？"

"……后来？……好久以后，我在城里个体饭馆门口当招客小姐的时候，有一天，天快黑了，有几个男的路过那儿，我上去动员他们进去喝点吃点，他们都差点就要进去了，忽然，那里头最高最壮的一个跟我恰好对了个眼，我心里一激灵，呀，那怎么是他呀！敢情他也进城混事由啦！……"

"他穿军装了吗？"

"不是军装，是便服，可那肯定是他，没错儿！我见他脸猛地红了……我不记得我当时又怎么着了，反正，他们就没进我们那饭馆，他们走了好久，我还稀里糊涂的……"

"这是最后一面吗？"

"不……可我扯得太远了……我原来要跟你说什么来着？啊，对，我终于要高高兴兴地傍大款了！对吗？”

"是啊，那到底是怎么回事儿？”

"我高高兴兴地跟他结婚了，我在城里，终于有了一个家！”

"那样的家，我们一比，可就寒酸咯！你们更得请保姆了吧？”

"您别光凭想象，我们那个家，也就跟您这差不多的那么一套单元，家具什么的都现成，可都挺旧的，更不新潮。他说，自打他离婚以后，一心扑在事业上，所以顾不得张罗家里，我说我来给张罗，他说你也不用操那个心，我们又不在家里招待人，弄那么堂皇富丽的干什么？你过得舒服不就行了？他也确实舍得让我舒服，他知道我最爱看电视，他就买了台最大最高档的帝王彩电来，让我过足瘾……”

"那你感到幸福吗？”

"说真的，到底什么又是幸福呢？”

"幸福，也主要应该是一种感觉……”

"那一开头我的感觉特好，他带我上街，进出的都是高档场所，我指什么他给我买什么，有时候我没指什么他也给我买，我还就爱吃肯德基炸鸡什么的，他说咱们能就吃那个么？他总是带我到大饭店的正经餐厅吃大菜去，有一阵子我一闻龙虾的味儿就恶心，可他是百吃不厌，还有那个鲍鱼，也不知道究竟好在哪儿……后来我不好的感觉越来越多，他渐渐不怎么着家，来了就说忙，飞外地了，我让他早点安电话，他支支吾吾的，总不当回事儿，我就总不方便，他说：你要电话，跟谁打去？他来了，反正有'大哥大'，打出听进都不再要另外的。这也罢了，他不来，又不准我随便出去，不让我把人约家来，我说寂寞，他就用两万块钱给我买了只板凳狗，我给起了个名儿，叫红果儿，他说应该叫查理、吉米什么的，不过那狗愿意我叫它红果儿……这也都甭说了，单说过夫妻生活，他来了，不管我那天身体怎么样，他要怎么着，我就得怎么着，不顺着他，他就……不瞒您，他就打我……”

"啧啧啧……你图他个什么啊！”

"要不是有一天忽然来了个人，我也就那么过下去了……”

"谁，谁去了？”

"是个女的，比我大，比您小，穿戴得别提多讲究……她见了我就说：'让我好找！原来在这儿！原来图的是点子野味儿！'

……"

"什么话！"

"我又不是傻子，我立马就说：你们既然离了婚，那就没关系了，你找到这儿也没用！"

"他那前妻是个什么样的人？"

"前妻？您先别急，您听我说……那女的听了我的话，忍不住大笑起来，笑得直揉胸口，末了瞪着我说：'什么？你跟他结婚了？'我说：'是呀！我们有结婚证！'我就取出来给她看，她一看就说：'傻大姐儿！假的！'我愣了，她问：'你们一块儿去登记了？'我说：'他太忙，是他当着我打电话，人家上门来给登记的呀！'她又笑得喘不过气来，大叫：'傻妹子，你整个儿一个法盲！'但她笑完了又满脸的苦水儿，说："这么一比，他对你，倒比我还强多了！'原来，他连假结婚的这一出戏，在占住她的时候都免了……"

"到底怎么回事儿？"

"他根本就没离过婚，他的老婆，还在老地方住着，他们的儿女，都老大不小的了。他就是用钱，包占住了好几个女的，用他自己的话说，他要时不时地换口味，所以我这样的野味儿的，他也养一个……原来我是他最省事的一个，连房子都没另外置，就用他一个出了国的侄儿的空宅子，因陋就简地把我给应付了，他给找到我们上的那位，可是买了商品房的，装修得跟电视里那个《豪门恩怨》的景儿似的……本来那是最得宠的一位，生让我给篡了位，所以千方百计找到我那窝儿里，可跟我一对茬口，嘿，准又有了新主儿，要不怎么我也十天半月地见不着他了呢！"

"哎哟！如今竟有这么样的大款！"

"您觉着稀奇吗？其实，据找上门来的那位跟我说，他算他妈的哪门子大款！一般地咱们说大款，是说那个体户，不管那钱是怎么赚的，是偷税了还是漏税了，总还有个白手起家的过程，他可好，敢情是通过不知哪道门子，从国家干部一眨眼成了翻牌公司董事长兼总经理，钱是全从银行里贷的，贷来就炒房地产，炒得怎么样咱们也不懂，反正他贷来就大把大把地花，那些花在我身上的，多半也都算在公司的'公关业务'账上，难怪他一点儿不心疼！"

"哎呀呀！那得检举他呀！哪能让这样的蠹虫把咱们国家蛀空呀！"

"那女的走了，我心里怦怦乱跳。偏那晚我那——算什么呢，不是丈夫，我也不懂什么情人不情人的——反正，他来了，我也不敢问他什么，他就要我跟他来，他有本《洞玄子》，是文言文的，他花钱让人给翻成白话的了，非让我读熟了，那里头讲了三十种干那事的姿势，他每回就倒换着让我那么伺候他，那天我真是没那个心思了，他见我不对头，就先骂，再打，再掐……我就急了，就把白天有人找来的事说了，他瞪圆了眼睛，先是还打我，后来就跟我说，那来的是个疯子，原是他的秘书，因为他离婚后没跟她结婚，她就总疯疯癫癫地到处造他的谣，到处乱告……他说他确实是真心爱我，我们的结婚证怎么会是假的呢？他就搂着我温存个没完……"

"你信他的了？"

"不信又能怎么样？我已经到了这个地步……"

"可怕！"

"……那以后的第三天吧，我去超级市场买菜。我自打跟了他以后，从来都是打'的'去最高级的购物中心，在那里面的超级市场买一般中国人买不起的东西，好比澳洲小牛肉呀，日本细点心呀，包装得跟工艺品一样的荷兰豆呀……什么的。买完了，从那里出来以后，虽说手里提的兜子重了点，您想我山里长大的，那又算得了什么？我心里憋得慌，不想马上钻进出租车的笼子里，所以我就慢慢地沿着人行道往前走，走哪儿算哪儿吧……谁知走着走着，就走到了一个地方，有好些个大红的车库门，后来悟出来，那是消防队。只见有好些个穿制服的男人，汗水把衣服湿得贴在胸脯后背上，正在那儿练什么功夫呢。说来也怪，我一眼就认出了他——您知道我说的是谁？"

"谁？"

"就是我梦里常梦见他脊背的那位……他没发现我，我可是愣住神看他，看了半天。

敢情他说的参军，是当了警察，当的也不是正经警察，而是这消防警……"

"你招呼他了吗？"

"没。那情况下也不能招呼他。我也没想招呼。我就走回家去了。我回到家也没觉得累，我把买的东西一样样搁到冰箱里。搁完了，我才忽然心里头闹腾，坐也不是，站也不是，忽然我看见了装花椒的小玻璃罐，我捧起来，拧开那盖儿，一股麻味儿蹿进我鼻子，直扑我心窝，我就哇的一声，一屁股坐到地上，大哭起来！"

"你心里想到些什么？"

"什么也没想，要说想，那是到晚上了，我饭也没做，没吃，红果儿摇着尾巴来亲热我，我一巴掌把它薅老远，我一个人和衣仰在床上，这时候我心里来回来去地想：我算干吗的？"

"是呀……"

"后来我就大声嚷：我，孟淑兰，是个傍大款的！我别的不会，就会傍！傍！傍！傍！……"

"唉唉……"

"再后来，我睡着了。连个梦都没有。"

"你终于决定不再傍下去！"

"谁说的？我第二天起来，一算，他留给我的现钱剩的不多了，如果他十天半月不再来，我只能取存折里的——那可是我的私房……我盼他快来……"

"他又来了？"

"他几天都没来。我就去银行。从银行出来，那条街上出了档子车祸……"

"常有这类的事……"

"常有？他妈的怪了！偏我有好奇心，偏我要凑过去看热闹，偏我就看清楚了，那被压死的，偏我认识！"

"谁？"

"你怕也想到了，不是我编故事，偏是她，真是她，就是那个找到我窝里的那个美人儿，她就是躺在血水里，也还显出那脸上使的不是一般的化妆品，身上穿的全是大名牌……可她那脸上那定住的惊恐表情，我就是这时候想起来，也还是一身的冷汗，心里头麻乱得慌……"

"这一定是他花钱找人干的！"

"谁是傻子？他当他只要大把地花钱，什么路他都能蹚过去哩！到了他没能逃过最后几关！"

"啊，原来你是这个大案的证人之一，报上登的我们看到过，只是除了他都没出名字，没想到服务社介绍的会是你！"

"报上没提火灾的事吧？"

"什么火灾？"

"我住的那个单元，着起了大火……"

"你……故意的？"

"谁说的？没烧着别家，没证据告我放火，也没人想告我……只可怜红果儿，独它可惜！"

"究竟火是怎么着起来的？"

"一定是我喝得烂醉，又抽烟，烟头惹的祸……我别的不记得了，我只记得，有个消防队员，从楼窗里钻进来；背上我，用带子把我捆在他脊背上，又钻出窗子，从云梯上，把我驮到了地上，救了我一命。我始终没看清他的脸，可我知道能是谁，因为他那又宽又厚又硬又热的脊背，是我……是我本来应该傍的……我梦里常见的……"

"你现在要傍他了么？"

"我从医院出来，去消防队找他，他不出来见我。我没死皮赖脸非见他，我走了……我打算从头开始，我到服务社登了记，我想到一个好人家当保姆，最理想是文化人的家里，我想着文化——我说的不是认字儿的那么个浅意思的文化，我是说，我整个儿想换换傍的对象……你别见怪，你别误会……"

"真没想到来的是你这么个人……说实在的，感谢你跟我开诚布公地讲了你的情况和你的想法……可、可……"

"您不想要我这么个保姆，我估摸着我都说出来准是这么个惨象……可您为什么不给我一个机会呢？谁都不愿对我伸出手来，那我，难道我……只有一条路，傍不上那判了的，就再去傍个没判的——有的倒也不是犯事的主儿……我只能去傍他们？！"

"别……可你也得容我们考虑考虑……"

"那……今天我先走人……哪天来听信儿？"

"后天吧……"

"那就后天，后天我再来，来您这儿？来服务社？"

"……来我家吧，其实……后天吧，后天一早！"

"那好，我后天一早来……后天见！"

"后天见！"

1993. 9. 9

贼

他钻窗而入。

迎面是一把椅子，摆放得很不得体——正对着那窗，按正常情况是不会那样摆的。

椅子上竖靠着一块从包装箱上撕下的纸板，上面用粗大的字体写着：

亲爱的！欢迎你来偷东西！

他愣愣地望着那些字。那些字不是用墨笔而是用大号油性笔涂的。

他环顾了一下所在的那个房间。昏暗。有一股令人发闷的气味——倒并不是霉味。

他看见椅子旁边的地面上，那没铺木质或塑料合成材料的地板更没铺地毯的水泥地面上，用白粉笔粗粗地画着一个指示箭头，旁边还写着：

亲爱的！朝这边走！

他用一只手摩挲着下巴，望着那惨白的箭头，足有十几秒钟。然后，他朝那箭头所指的方向走去。

他走进另一间居室。从居室屋顶的日光灯上挂下用报纸粘联在一起的一大条纸帘，上面用红墨水写着下列字样：

　　亲爱的！要偷快偷！

　　您要最值钱的，还是

　　最珍贵的？

　　最值钱的——

　　在那边组合柜抽屉里

　　最珍贵的——

　　在那边书桌抽屉里

　　均未上锁

　　竭诚奉献

他到组合柜那里，很快找到了钱，不算多，也不算少。

他犹豫了一下，才去了书桌那儿。

书桌上平铺着一张大纸，这回又是油性笔的字迹：

　　谢谢！谢谢光临！

　　请坐！

　　请拉开抽屉

　　放心！这时不会有人来

他回头望望，没有一点声息。

他坐在书桌前的椅子上，拉开抽屉。抽屉里有一个照相册。

他拿出了那个照相册，却懒得打开。

抽屉里还有什么？

……几张剪过的火车票，一些硬币，一个耳挖勺，一盒陈旧的万金油，一张显然并没有去使用过的电影票，若干写过字又撕掉的碎纸片，若干已经生锈的曲别针……

最珍贵的？！

他离开书桌，刚迈了两步，便一眼看见屋门边粘着一张大纸，上面写着：

呔，别走呀！
为什么您
不要最珍贵的？

他静静地站了一会儿，然后转身又回到了书桌边，他望望书桌上的照相册，猛地抓起；他抓的是相册的册脊，相册的内页一闪动间，便从那里面倏地掉出了许多的东西；开始搞不清是些什么，后来发现是一些心——没错，各式各样的心：有纸片般的心；有塑料玩具般的心——也许是生理课上所用的那种模型；有一颗心显然是泥巴团成的——它一落在地上就摔碎了；还有一颗非常红艳的心，却是一只氢气球，它朝上飞，最后顶到了天花板上；有搞不清数目的肥皂泡心，高高低低地在他身体周围相继破灭……然而他发现掉在书桌上的那一颗心很不寻常——那似乎是一颗真正的心！

是的，那颗掉在书桌上的心是一颗真正的心：它显然是肉质的，非常滋润，颜色非人工所能涂饰，并且，最触目惊心的是，它有节奏地跳动着，并发出隐约可闻的泵输血浆声……

望着那颗真心，他呆住了。

静。不，不是绝对的静，那颗心不懈的泵输声，虽隐约却如重锤一下下击打在他自己的心上。

他不由得弯下腰，小心翼翼地从书桌上捧起了那颗心。

心是温热的，触感难以形容——就像你生命中最难忘的一次肌肤相亲的开始阶段所战栗地感受到的那样……心在他的双手中依然跳动着，泵输血浆的声响似乎越来越强烈；他把心捧到眼的高度，注视着，只觉得自己的心乱了！

"不！"

他叫了一声，仿佛捧的是一团烫手的火，四面环顾着，本能地寻找一个安放那颗心的地方；他先想把那心放回相册，起码放回书桌上，可又觉得不妥，在环顾中他瞥见了厅里的冰箱……

他捧着那颗心，走到冰箱跟前，这才看清冰箱冷冻室拉门上用油性笔写着：

小心！这里面的东西

对您

有害无益！

他凄然一笑，用一只手稳稳地托住心，用另一只手拉开冷冻室拉门；他发现冷冻室里面满是瓶罐，于是他急促地把一个又一个的瓶罐取出，放置在了冰箱顶上——有一个瓶子在挪动中没放稳，掉在地上，当即砸碎了，他看也不看，只注意冷动室中腾出了多少空间，当他觉得有了足够的空间以后，他就极慎重地把那颗心安放进去。

关上冷冻室拉门以后，他徐徐吐出一口气来。

忽然单元门的门铃叮咚响。

他不加思考地走过去开门。

门外是一个陌生人。

他们对望了几秒钟。

"对不起，我敲错门了。"

他关上门，撞上锁。

这才吃了一惊，为什么竟去开门？

他注意到脚下破碎的玻璃瓶。

瓶里装过什么？

他拾起最完好的一块瓶体，只见那上面粘着一个纸标，上面标明：

B.SH.F

他若有所悟。

他到沙发那儿坐下，只见沙发上搁着个纸盒子盖，上面用油性笔写着：

别灰心！

您还会有更大的收获！

请抽支烟——烟在茶几上，火柴在旁边

好好歇歇，然后

您应该去卫生间——

那里有黄金！

庸俗！下流！他一边抽烟一边暗骂。

但是抽完烟他还是去了卫生间。

卫生间里的景象让他吃了一惊。那澡盆里盛满了沙子，用沙子洗澡？……啊，应该沙里淘金！

他把双手插进澡盆的沙子里，沙子冰凉，有水的感觉——他忽然意识到，沙是水的骸骨。

蠕动中他的手指触摸到了一样东西，他双手配合着把那东西掏了出来。

是一张发硬的饼？一张折起来的饼？

他把它掰开，原来是一面钟，一面本来应该挂在墙上的钟。虽然掰开了，仍然变了形，不过，令他欣喜的是，他发现那钟居然在走动，有一根黑色的秒针在扫描着钟盘；接着他就大吃一惊——他看清那秒针是在倒转，即与正常的钟走法相反，但再一细看，钟面上的十二个数码却与正常的钟无异，他又看出来，分钟的挪动也是倒转的……

惊异中他把钟搁放到澡盆尽头斜倚在墙上，他想先洗一下手再说，他转过身，面对洗脸池，他感到不对头——洗手池为什么那么高？洗脸池上的镜子更看不见了，怎么回事？

他站到小凳上,这下照着镜子了——啊,那是……那是……那分分明明是他本人,是他十来岁的时候!

……他看见镜子里,他的形象,迅即被一片绿莹莹的背景所笼罩;他不由得环顾,他发现卫生间里的那些粗的细的管道,全在变成树干或藤条,并且当着他继续地蹿出碧绿的枝条和翠绿的叶片……最后,他被绿伞似的树荫遮住,他的鼻子里充溢着新鲜植物脉管里流动的汁液的气息……

他从小凳上下来,坐到小凳上;他把双肘支在膝盖上,用手托住下巴,他觉得有一只手把一颗樱桃塞进了他的嘴里,他希望看到那个伸出手的人,可那个人没有出现,他却记住了那只手一伸之间给予他的感受,那是一只唯有他才懂得才爱极也恨极的手……那樱桃在嘴里是酸酸的,在心里是苦苦的,但甜的感觉是从哪儿来的?

……知道了,知道了,那甜的感觉……大滴的眼泪从他眼角溢出,热乎乎的泪水淌在他的脸颊上……那是泪水的甜味……甜甜的泪啊!

他忽然感到胸口被一团硬物硌得生痛,他站了起来,他不知不觉出了卫生间,他发现有许多纸片从他身上滑落下来,他低头辨认,啊,是钱,是不再挤作一团的钱……

他发现自己已在厨房外面,厨房门边用透明胶水纸粘着一张大纸,上面用红字写着:

欢迎欢迎!

热烈欢迎!

请进去随喜

切勿放过

他没进厨房,他大步走回厅里,他坐到沙发上,晕晕乎乎的,他抽烟、咳嗽,他用尽心力地想:我是谁?我在做什么?我想做什么?我为什么要做?我为什么要想?

门铃响了。

门铃响了又响。

门铃长长地锐响。

他坐着不动,仿佛石像。

门外的人不再按门铃,改成了用手敲。

笃笃笃……

乒乒乒……

嘭嘭嘭……

他置若罔闻。

门外没声息了。

他不知道该做什么,但感到必须做点什么,于是他去打开单元门。

门外有人,应该还是那个敲门的人。

门外的人同他对望着。

"啊,我以为……原来您在家……对不起,打搅了!"

他把门关上。

他回到沙发那儿,从容坐下。

1993. 5. 20

凤凰台上忆吹箫

她点了一杯"三原色"鸡尾酒。

她坐在高脚凳上，双肘撑着酒吧柜台，双掌合拢，目不转睛地盯着调酒师调酒。

"你能呀！"

"练练也就那么回事儿！"

"练练也就那么回事儿……这话不通，不合语法！"

"哈……老板撒钱给我不为语法……瞧，怎么样，三原色吧？一点儿不乱……"

"……倒是……哇，怎么这味儿！"

"掺的番石榴汁，就这味儿……"

"秋秋呢？怎么看不见？"

"几天没露了。"

"给炒了？"

"谁炒谁，谁知道？"

她撂下高脚杯，跳下高脚凳，匆匆离开。

大堂里全是生手，跟那调酒师一样。

举目无亲。

走出大堂。

出了自动扉，穿制服的侍应生迎上来，她看也不看那嫩葱，一辆出租车滑过来，侍应生弯腰给她打开车门，她潇洒地钻了进去。

"柳芳？"

"他妈的，是你！"

"我可没憋着你。"

"那是！不必……嘿嘿，你这往哪儿呢？不去柳芳！"

"去哪儿？"

"……丽都！"

"秋秋没见着？"

"她？步你后尘了！你会不知道？"

打开皮包，抽出一支烟。

又没去丽都。去了燕莎友谊商城。

了无意趣。

只有当你觉得有好多货物都那么诱人而又买不起的时候，逛商场才成为一种乐趣，如果几乎每一样商品你都买得起，并且无须付现金，只要亮出信用卡，便可轻而易举地不仅获得那商品，还外加双份微笑，那可乏味透了！

……忽然全身的血都往天灵盖上冲。

秋秋！

步我后尘！

……在挑金子。瞧她那模样！一年前，我也那德性么？……傻子！那新鲜劲儿没几天就会过去的！

别忙，别忙，让我瞧瞧，瞧瞧……他还有模有样的！别看差了，也许，是那边那个胖子吧？就那锉胖子也好歹六十分……什么？不是那胖子，还真是那……怎么着也得给个七十几分的……

他妈的，干脆过去，瞅个底儿透！

"秋秋！"

"哟……你怎么也……太好了！介绍一下：这位是庞先生；这位是吴小姐……"

"幸会幸会……"

"您好您好……"

三个人的脸都笑得比平常圆。

庞先生脸的半径首先回缩。

两位女士还拉着手，一位想抽出，一位捏得紧。

"庞先生就要跟我结婚啦！"

"是你就要跟庞先生结婚了……"

"那不都一样吗？……我们是……真的，……我们买房,可不能买柳芳那号地方的……"

她把手抽出，脸的半径大规模回缩。

"……我们刚到方庄看了四居的……""对不起，一会儿还有个PARTY……拜哎——"

气急败坏。

坐在咖啡厅一角，幽幽的遮蔽光，油润的凤尾竹叶片，淡淡的乐音，都不能消弥心头的……愤恨，对，愤恨！

恨谁？

恨秋秋？

秋秋早晚会一样地感到百无聊赖……

步后尘……每一步都踩着我的脚印吗？

……原来无所谓前尘后尘，经常是手拉着手，联体人似的……报考那饭店的时候，她公然对出面招考的经理说："我们俩，您得一块儿要！经理接口说："明白，只看上一个，那就得全不要！"……业务培训，文学知识讲座反正不考，净是坐那儿打呵欠走神的，唯独她俩，葵花似的仰头听着那大学副教授字正腔圆的吟诵……踏莎行，念奴娇，摸鱼儿，还有凤凰台上忆吹箫……还凑到跟前去提问，还一直送出饭店，还……宿舍里没别人的时候，就挤在一个铺上，敞开了聊那副教授……那风度，那眼神,那连鬓胡子,那喉结,那背影,当然,还有那学问,那说不清道不明的魅力!"要找,就得找个这样的!"……谁先说出那句话的,"为什么不去找他?"……一块儿去了,不在家,可那口子在,他怎么能跟那么个女人过?可怜!可恨!……回来一块儿愤愤然,忽然俩人抱头闷哭……

……后来她迈出了那一步……她从伺候人的变成了人伺候的,偏就在那饭店包房,偏让秋秋他们送餐入房……让那当年差点儿炒她鱿鱼的经理对她小心伺候、色色精细该是多么惬意!……打个每公里两块钱的"的",停在楼门口,邻居们确实也不稀奇,可跟那死想不开的父母从屋里吵到楼道,一路吵下楼,吵到楼门口,邻居们可是亲眼看见她把脖子上手腕上的粗金链子扯下来,不眨眼地扔进垃圾桶里的,当母亲本能地扑过去寻找那些金首饰时,她狂笑着嚷:"哈哈哈哈……您不是说别让钱迷了眼吗?……"荒唐?也许,不过,荒唐能给人带来多么大的快乐,多么大的满足啊……没荒唐过的人,简直白活!……把当年的同学请到柳芳那装修得"比瑞士还瑞士"的单元里,一个PARTY喝掉两瓶"人头马",一箱"蓝带"罐啤,半箱罐装可口可乐,五大瓶"达芳"橙汁,以及四大纸盒的"八喜"冰激凌……还不算自助餐上的那一大堆五颜六色的干货,个顶个的都有一副好下水!可干吗要说是"比瑞士还瑞士"呢?瑞士!他妈的,别说瑞士,就是答应得好好的香港,这不也并没给落实吗?"亲爱的,这屋子不要让第三者以上的人进来啊!""咦,怎么不见你那位的照片呢?"都是糊涂蛋!柳芳不是什么好位置,可这柳芳的"赛瑞士"窝儿整个儿是我的我的我的我的……

一个眼线画得很糟腰勒得倒挺在行的女子凑过来,坐在她对面。

这极不得体。

"这儿没一个有味儿的……"

"什么?!……滚!你以为——你这公共汽车!"

她顺着林荫道,似乎是漫不经心地在散步。

……开头那许许多多的细节都令她自豪,比如,那在皮货部紧盯着她的售货员,看她越试越快，抿着嘴，满眼的疑惑，她故意问："还有吗？"售货员便赶紧说："没有比这些便宜的了！"她便笑吟吟地说："我是问，有没有更贵的？"那售货员满脸碎笑，立即报了一件最贵的水貂氅，足有六位数，她没等对方话音落地，便淡淡地吩咐："给我包起来，我累了，不试了。"看到那经理小碎米步跑过来，看到那售货员满面落花，你说，人生之乐——该怎么形容？可惜那副教授教的唐诗宋词，一句也想不出来了……就算凤凰台上……吹箫吧！

……可是很快也就全部变馊，每一个细节都没了新鲜味儿……也提出来让她办个公司，也设想以她的名义施一点赞助搞一点活动，甚至于提出来去应个白领的名儿，可他都不同意，都用他那沙哑的粗喉咙发出了否定的意见："不要你累嘛，不要你出头嘛，你闷了你就找几个姐妹搓搓麻将嘛……""我要找几个哥哥弟弟呢？""你敢吗？"笑嘻嘻的，"你敢吗？"敢吗？敢吗……敢也容易，他几个月不飞大陆，敢也不容易——愿意一起上床的，没一个有那凤凰台上忆吹箫的半点味道……上个月他来，突然回到柳芳，都来不及把卫生间里不是他的剃须刀扔窗户外头上……可也没什么关系，他每次都直奔主题，只是他从来不懂得什么是真正的艺术，他的堆砌和粗糙让人受不了受不了……

沙风迎面，她打了个激灵……奇怪，我在这儿干什么？

"TAXI！"

在车上她打开皮包取出化妆盒匀了脸，又整了整发型……忽然回想起秋秋的那个庞先生，不不不不不不不不不……不像凤凰台……不像不像不像不像……顶多七十分，顶多顶多顶多七十分……哪儿的？港？澳？台？新？马？泰？……"我们是真的"谁们不是真的？不在柳芳在方庄？半斤八两……可分明分明分明不是一碗端平的水，她那个庞庞庞庞……庞出个七十分，我那个呢？……

她找出手帕擦泪水。

TAXI停在中国大饭店风雨廊的回旋道上。

中国大饭店所在的国贸中心拥有十来个高档餐厅。

没胃口。

如果当年的那些同学，加上老师……如果从前现在的那些邻居，加上居委会的那些已经并非小脚的"侦缉队"队员们……如果大街上那些普通人……让他们可以随便在这里选一个高档餐厅任意点菜肴酒水进餐，他们将是怎样的心情？

可我没心情。

勉勉强强搭电梯到了23层的彩云西餐厅，也无非是自助餐，在她来说形同节俭，在靠工薪生活的人来说，一迈进那门槛，起码就撂下了俩月的工资。

落座后总算来了点神儿。

"您来点酒吗？"

餐是自助，名酒要另点，开瓶费是三位数，老一套。

"人头马科涅克。"

"开一瓶？"

废话！

脸上还是给她开朵花："唔。"

酒来了。

她只是喝酒，不去取任何菜。

全盘西化的彩云厅里，一百多个座位除了她，就那头还有四五个洋男洋女。

还有一个瘦骨嶙峋的女子，穿着一袭紫罗兰色的袒露排骨胸的连衣拖地裙，在一幅硕大的仿古油画下弹奏竖琴，敢打赌当年准是中央音乐学院的高材生。

服务小姐轻悄地移到她桌前，柔声地问："小姐，我帮您取点菜，好吗？"

当年她也受过那份训练。

还是忍不住白了那多事鬼一眼，什么叫自助？

为什么不去酒吧？多事鬼一定在这么想。

这就叫为所欲为。

……

忽然站起来就走。

"酒给您装起来？"

"不用！"

都说北京的大饭店、高档购物中心搞得太多了，其实只要口袋或皮包里揣着几个信用卡，顶多一个月也就平蹚得毫无新意。

太雷同。太乏味。比如潮州菜，那工夫茶就全没工夫，瞎凑合。

就算真不错，又怎么样？你不能一天吃九顿饭，睡九张床。

可是不在这些地方过，那些低档的、一般的地方，又已经实在不能忍受。

……

总横着这个永恒的问题：向何处去？

为什么死不肯给我买辆车？

"乖乖，我可不能让你开车啊——那太危险！"

"可以雇人开！"

"他会成你情夫，我嫉妒……"

"雇个女的。"

"同性恋！乖乖！别吓唬我！……"

"你不在，有没有车，我不是都可以……吗？"

……

到头来还是得打"的"。

秋秋的那个庞，会给她买车？

就是一丝的可能，也足以让我的牙咬得嘎吱嘎吱响。

庞充其量也就七十五分，什么了不起的！

要说八十五以上，还得属那……那凤凰台上……忆——吹箫——

奇怪，为什么就不再去找他？

他干什么呢？在校园里卖馅饼？捧着一本关于什么踏莎行念奴娇摸鱼儿以及凤凰

台的厚稿子在出版社求爷爷告奶奶地让人家给出版？人家就让他自个儿包销三千本他就没了辙就跟人家字正腔圆地辩理还是挺着脖子骂街？他该把那连鬓胡子留起来，他那喉结又大又硬真他妈的性感，他别穿那蹩脚的西装他那样的男人就该穿蓝布大褂到冬天就围个大围脖，我一招呼他他就一扭头一笑把掉下的那截围脖抓起来一甩……

……怎么又让沙风扑到了脸上？贵友商场？谁进这种地方？

"TAXI！"

去大学的路上，心情异常平静，就像回自己家一样。

"还记得我吗？"当然，他忘性怎会那么大，说不定他先认出我来，"还在那饭店么？"当然不在了，"老大嫁作商人妇"，瞧瞧，想起一句了不是？当年的讲座没白听……忆吹箫么！"怎么忽然……"啊，请教来了，不好，看望来了，也不好……支援您出书来了，好不好？好好好……可就那么白坐坐白侃侃么？还忍受他那老婆子的打量，还对那端茶来的老婆子欠身说谢谢……怎么才能把他约到柳芳去呢？就先到公园里遛遛也行，他不去卡拉OK，去听场正儿八经的音乐会也行，只要有那演的地方，要么跟他去看《秋菊打官司》……秋……秋秋！好一个秋秋，滴水不漏，上个月遇见还孙女儿似的跟那儿跪式服务，怎么就人不知鬼不觉地步了我的后尘？七十五分，七十五分到顶！……可我就要享受八十五分了，也许根本就是九十！……大围脖一甩，那后影肩是肩背是背！……

突然，皮包里"蛐蛐儿"叫。

本能地掏出那BP机来，看了一惊！

他！他怎么今天飞来了！显示的电话号码是柳芳的——他可能赤条条地卧在床上等着。

她知道他的脾气——如果他从柳芳的私巢呼她，那她必须在至多三刻钟的时间里赶回去，即使是大白天，他也满不在乎，连窗帘也不让拉，她一进屋就必须直抵卫生间，不等她冲洗完，他就会花样百出地同她白昼宣淫……这是她必须付出的代价……否则，她那已经不可改变的消费水平，便会……是的是的，她浸泡在那种消费中时，甚至已经感到厌倦腻烦无聊恶心，可你让她怎么放弃？要是你真放弃？她知道知道知道，凤凰台上吹的箫讲过讲过讲过，中外古今，小说里都写烂了，古老又古老，牙掉了满地找，可人还是那么过，难道真白白放弃了不成？……

"停哪儿？"

大学宿舍区已经到了。

"不停！去……柳芳！"

司机不明白，没听懂，已经停住。

"不到这儿了……"

司机听懂了，问："哪儿？"

她已说了柳芳，她庆幸司机没马上听清，她还可以再作抉择，她不回答司机，她靠在后座上，她从皮包里抽出一支烟，她用打火机点燃那烟，她却没马上吸那烟……

"去哪儿？"

司机扭回头，从防护玻璃那面大声地问。

她还是没回答，烟灭了，她用打火机重点，打火机灵得讨厌，她宁愿打火机要咔嗒咔嗒好多下才出火苗……

她深深地吸了一口烟。

"要不，您先下吧……我，我得加油去……"

"给——"她从皮包里抽出一张百元大票，从防护玻璃的缝隙里递过去，"不用开票不用找……一会儿要是超了，我再给你一棵！"

司机接过钞票，惊奇地望了望她，又扭转身，把那票子对着阳光仔细照。

她的皮包里，除了几种信用卡，就只有若干五十元和一百元的人民币，主要是用来打"的"的，她打完"的"要么递去一张五十的要么递去一张一百的，从来都是一副听不懂找钱和开票的表情……天哪，她能让一个又一个的司机或受宠若惊或目瞪口呆，不全是因为有他供着吗？现在时间一秒一秒地流过去，他在柳芳等她，她这回真的晒了他吗？……

也许，下车，找个电话，给他回个电话，就说她对不起了，全放弃了，两清了，不该

不欠了, 拜拜了您的……然后, 一切重新开始, 那有多好啊……是的是的, 不为别的, 那
一团实在令人难以忍受的肉。那口臭, 那草莓鼻, 那蜘蛛痣……原来能忍, 可今天秋秋陪
的庞先生达到了七十分, 是"真的结婚", 而且是在方庄买房……为什么我一下子败在了蠢
秋秋手里……电话也甭打, 让他等吧, 光蜘蛛似的等吧……我失踪了, 消失了, 自由了……

"开路吗? 哪儿? "

她还是不说, 她望着那楼前的甬路, 心里想, 从一数到一百, 如果那……凤凰
台……吹箫的……出现了, 那就是有缘, 那她可就不管不顾了, 箫是她的! 吹箫的
是她的, 一旦真的那样了, 秋秋会怎么个表情呢? ……

三十七,三十八,三十九……

……柳芳的那位, 也许今天并没赤条条地整个儿一个"人体艺术", 也许是斯斯
文文地在厅里等着——有一回, 他有一回是那样的, 戴了一条篦完北京所有珠宝柜
台你也找不出来的蓝宝石项链……

……四十八,四十九,五十,五十一……

……那是谁? 不是, 不是……凤凰台啊, 你在哪里? ……那提着一兜子菠菜的
黄脸婆也不是他媳妇儿……包饺子还是包包子? 用那么一点点钱, 居然也可以做出
一大堆可口的东西, 而我经常是花了比他们多一百倍几百倍的钱, 还是倒胃口……
什么时候能回到这种又自然又可口的生活里去? ……

……七十三,七十四,七十五……

……影儿也没有! 一点抓挠也没有! ……忍了吧忍了吧……这回对他强硬点,
不给办出去不行! 你进来, 我出去! ……到了外头, 再展翅高飞不迟! ……

……八十八,八十九,九十……

……为什么为什么为什么……真折磨人! ……

"嘿, 您到底去哪儿? ! "

……

1993.4.28 于北京绿叶居

5·19长镜头

　　1985 年 5 月 19 日子夜来临之前，路透社驻北京记者安东尼·巴克顾不得掏出手帕揩去脸上的汗水，便扑到电传打字机前，抢先发出了关于当晚中国——中国香港足球赛结束后出现"骚乱事件"的消息。在这则电讯中他突出了本身所经历的惊险场面：一群因中国队意外失利而怒不可遏的球迷围住了他的小轿车，"一位球迷对我大声吼道：'谁好？中国，还是香港？答错了我宰了你！'"……他还报道，"这批闹事分子主要是年轻人，他们开始砸汽车，大声嚷：'外国人！外国人！'"

　　像"5·19"这样一种突发事件，抢先发出的头一条消息往往具有无形的权威性。

　　第二天，5 月 20 日，香港报纸纷纷在头版报道这一事件，若干报纸突出了安东尼·巴克带头强调的所谓中国人的"排外意识"。《东方时报》在报道中这样描绘当晚的场面："数以千计的球迷麇集北京工人体育场附近街道，高呼反外国口号，阻截外国人汽车和袭击在车上的外国人。"同日，台湾国民党中央社从香港发出电讯，幸灾乐祸地引用"香港某些球迷"的话说："他们……对中共输球后昨晚北平发生的排外暴乱事件，表示震惊……他们发现中共在心理上无法承受败给香港队，而导致引发排外暴乱……因此他们对香港前途的忧虑，也更加深。"

　　其实，足球狂热所引起的脱轨行为，近几年在北京多次出现，如 1981 年 10 月 18 日中国—科威特一役，中国足球队 3 比 0 获胜后，便有球迷截哄外国人小轿车；同年 11 月 12 日中国足球队胜沙特阿拉伯后，一些球迷拥向天安门广场，爬到受阻的公共汽车车顶，在上面狂呼乱舞，并从公共汽车的车顶上往小卧车的车顶上跳，使这两辆车的车顶被踩瘪；1983 年 7 月 1 日中国足球队负于联邦德国曼海姆队后，一些球迷朝客方队员乱扔东西，并在场外阻止外国人乘坐的车辆开动。但是 1985 年的"5·19"事件，不仅香港和海外在第二天大表震惊，我国自己也极度重视。5 月 20 日新华社电讯在历数了一帮"害群之马"在场内掷物哄闹、到场外任意毁坏公共设施和财物的错误行为后，用这样的语气说："更为恶劣的是，少数人在工人体育场附近故意拦截外国人的汽车，恣意辱骂……"并报道，有关部门领导人指出，"北京工人体育场发生的这一事件，是建国以来在北京体育比赛中发生的一次最严重的、有损国格的事件，这种愚昧、野蛮的行为与首都的地位极不相称。北京市政法部门将依法严惩肇事者。"

不知道安东尼·巴克在睡醒一觉后，是否感到得意。我们应当相信他那力求客观、公允的报道动机，但至少有一处，巴克先生的报道失真：他说球迷从看台上朝场内掷了西红柿，但事后经中国有关部门细心统计，从容纳 8 万人的看台掷进场内的物品，共计软包装汽水瓶 2995 个，汽水瓶 156 个，面包 143 个，半截砖头 13 块，苹果 15 个。当天西红柿在北京的牌价每市斤超过一元钱，而且并不好买。

从球迷们入场开始，公安部门便开始拘留有问题的人，比赛中已拘留了 30 多人，后来在场外的大骚乱中又拘留了 90 多人，5 月 20 日新华社正式宣布："公安部门当场拘留了 127 名肇事者。"

5 月 19 日那一天，滑志明本来并不一定要去看足球赛。

头天，下午，他本是非常快乐的。他在上午就完成了当天的定额，下午他在车间里晃了一阵，便跟组长打招呼，要提前"走人"。组长开头给了他几句难听的，可知道他这人一脖子犟油，一股邪气上来，兴许就跟人吵嘴动武，后来便默许了他的早退。他一溜烟地骑车出了厂，直奔澡堂子。工厂有淋浴室，可他怕提前去淋浴让"多管闲事的"指认他的早退。在澡堂子里他痛痛快快地洗浴了一番，把事先带好的一套衣服，从帆布包里取出来换上。出了澡堂子，他骑车直奔王府井大街斜对过的正义路。正义路是北京城区绿化得最早的一条林阴道。路当心的一溜绿化区，乔木、灌木、草坪和甬路组成了宜人的风景。

滑志明到那里等他的女朋友。他们约的是下午六点钟见面。他去得太早，才五点五分。

滑志明今年26岁，活了这么大，他没一个人散过步。他当然会走路，可不懂得一个人散步。在这林阴道上，既然女朋友一时还来不了，他可以推车散步，也可以锁上车离车散步，可他不会。他把自行车胡乱地一支，找了个座凳一屁股坐下，立刻掏出香烟，一根根地抽了起来。

正义路林阴道上，在头年国庆节前安放了三座雕塑，一座名为"扫街"的清洁女工仿铜雕塑，在这1985年5月初已不知被什么人推倒，碎为三截；另一座名为"调筝"的弹琴女子雕塑，中指已被敲掉，还被人用红圆珠笔在额上点了红点，在脖子上画了项链；再一座名为"学习"的读书姑娘的雕塑，嘴唇被涂成了红色。滑志明就坐在那已被丑化的读书姑娘附近，可是他一点也不懂得仔细去观察周围的景物，所以那姑娘无论是洁白无瑕还是被玷污都引不起他的反应。他只想着他的女朋友小瑛子。

他跟小瑛子是三个月前在电影院里认识的。他们交上朋友以后，他一直在小瑛子面前装出一副"老手"的派头，仿佛他早就用这种法子交过许多朋友。其实他心里清楚，就凭他那个条件，无论是"自由乱爱"还是依靠"红娘"，找对象本都是难上加难的。就在"5·19"事件前一周，5月13日的《北京科技报》上的"征婚"栏中，便可以看到如下有代表性的"启事"："她，26岁，未婚，身高1.61米，大学毕业。本市某研究所从事技术工作，品貌端正，健康善良，欲求30岁以下、本市工作、大专以上学历、开朗、正派、1.7米以上未婚男青年为伴侣……"别的就甭说了，才1.61米的姑娘，便非1.7米以上的小伙子不嫁，难怪像滑志明这号1.65米的小伙子，常常让人戏称为"半残废"了！他这个"半残废"头一回大着胆子交朋友，便交上了个越瞅越可爱的小瑛子。小瑛子也1.61米，并且也"品貌端正，健康善良"，可她不仅不挑他的个头，也不挑他的学历……

　　说来别人不信，滑志明就那么坐着抽烟，待了半个多钟头。他头脑里当然有思维，但也实在称不上什么胡思乱想。小瑛子提前十分钟到了。他们不懂得搞一些小把戏，如故意迟到啦，用一些闪烁的言词勾起对方的嫉妒心啦，等等。他们实实在在地交朋友。当然，这天他们心里都浮起一个更深层的意识，就是他们已经在认认真真地搞对象了。

　　小瑛子这天打扮得比以往细心，可滑志明没觉察出来。小瑛子却注意到滑志明穿上了一套以往没露过的浅咖啡色的"撒哈拉式"西服，西服里头是浅蓝色的衬衫，系着一条金红色的条纹领带。小瑛子乐呵呵地腻到了滑志明膀子上，滑志明闻到了一股淡淡的牛奶味儿。小瑛子是乳品公司的涮瓶子工，无论头发上、脸上、身上用了多少种不同香味的化妆品，她身上总突出着一股淡淡的奶香。滑志明爱闻这股味儿，可他没跟她表述过。他不大会表述超出思维表层的内心活动。这自然说明他是个憨人，可他内心里所蕴含的，不也有优美的朦胧诗吗？

　　他们一块儿推车走出了正义路，在前门东大街南侧的松竹餐厅里吃了饭。滑志明要照例地点满一桌子菜，被小瑛子制止了。滑志明也便没有那样做。小瑛子的这一态度，暗示出她已开始把"他的钱包"看做是"我们的钱包"。滑志明只粗粗拉拉地意识到她更"够哥儿们"。临到他们要一块儿骑车去滑志明家时，滑志明才告诉小瑛子："今晚上让你乐个够，我请你看录像！"

　　滑志明的父亲这天下班回家，一进屋就瞧见了一样刺眼的东西，他扬着嗓门问正在厨房里做饭的爱人："电视机边上那是啥玩意儿？哪儿来的？"

　　滑志明的母亲忙从厨房里出来，手里还举着油瓶子，因为知道老伴动不动爱犯急，忙掀动着嘴唇快速地解释说："中午志明弄来的。是跟他中学同学小猛子借的。小猛子他爸不是到日本工作好几年了吗？带了这玩意儿回来。是放录像的机子。我也跟志明说来着，甭借这个来家，鼓弄坏了赔不起，可他……"

　　滑志明父亲无名火起，粗暴地打断她说："不像话！越来越不成样子！你就惯吧！惯吧！……"

　　厨房里的油锅眼看要出事，滑志明母亲只好暂且冲进去处理。父亲落座到购置不久的意大利式人造革沙发上，抖着手点燃一根香烟。如今满街都在卖法国式的、比利时式的、意大利式的人造革沙发，连奶品店里都撂着一大溜，所以滑志明父亲对这已经见惯的东西，用之心安。但录放机毕竟还很不流行，他狠狠地盯着那扁方的闪闪发光的机体，就仿佛是牧羊人面对着闯入牧场的怪兽。

人的思维活动，有若干个层次。最表面的一层，是感官和知觉对外界事物的肤浅判断与朦胧的好恶；往下，是以具体功利为核心的一些算计；再稍往下，是以往个人经验以及作为群体成员的"集体无意识"的交织与化合；滑志明的思维就常常只具有以上几个层次，总体仍是浅薄的，所以可归于"浅思维"一类。滑志明的父亲自然不止于此，他至少还有如下层次：由个人和个人所处的小社会出发，而达到对大社会的分析评判；由具体的评判而上升为趋于纯理性的思考；由一般分散性、随机性的思考，而跃升为一种哲理水平的思考……这各个层次的思维，往往不是由一层递变为另一层，而是转化为复杂的情感，交融在一起立体推进的。当滑志明父亲坐在那沙发上，眼睛盯着那录放机时，他的思维便立体推进着：录放机外观与性能的双重陌生感，以往听到过的私放黄色录像带的案例，"小猛子他爸"那种知识分子技术干部的入党、提升、出国、获实利，自家作为党政干部的宦囊羞涩与街头"二道贩子"们的得意忘形，"搞活"与"开放"所带来的他所判定的混乱与污染，自己作为党员对目前党中央方针路线的拥护义务与内心疑惑之间的痛苦感，必须严格按党中央目前的方针政策说话行动的高尚的自我党性约束所带来的神圣感，又伴随着连爱人、子女的思想也不能加以划一的痛苦感……这一切搅和在一起，起着化学反应，使他生理上血压升高，心理上失去平衡，感情上一触即发。因此，当儿子大大咧咧地回到家来，并且出乎父亲意料地带来个如同录放机一般陌生的女朋友——这事态一呈现于他的眼前，他便冲着儿子劈头盖脸地发作起来。

父子冲突的情景读者当可想象，这里从略。母亲自然是这一冲突中不可或缺的润滑剂。小瑛子看在"伯母"的面上，没有立刻离去。可小瑛子确实很伤心。她不理解滑志明为什么事先竟没通知父亲一声，她今天是头一回走进这个家门。父亲对儿子的一番训斥，她几乎一句也记不住，但总体印象却使她受到一次强刺激——原来滑志明在家里这么没有派份儿。当母亲把儿子和儿子的女朋友劝进儿子的那间小屋以后，忙掩上屋门，殚精竭虑来对付老伴：劝他吃饭，扶他到卧室休息，给他沏茶，为他温洗脚水，顺着他叨唠一阵儿子，最后再相机进言："敢情志明交上朋友了，瞅着还不错嘛……志明这么个学历，这么个工作，这么个个头，这么个脾气，能交上就不错……干吗让人家一进门就赶上一顿熊呢？……"滑志明和小瑛子对坐在那间小屋里，滑志明光是闷头吸烟，小瑛子光是胡乱地翻一本盗印得很粗糙的《冰川天女传》。滑志明竟不懂得表达他的心思，也不懂得向小瑛子贡献必要的解释。后来小瑛子就走了。当淡淡的牛奶味完全消失以后，滑志明才想起来他也没跟小瑛子约定下回见面的时间和地点。

　　滑家的单元里安静了好一阵。母亲本是每晚必看电视的，这晚却回避了。九点多钟，滑志明蓬着头发踅出了他的屋，来到过厅。他家的电视机搁在过厅里。滑志明决定放录像看看，解解心中的郁闷。他还没有一个人摆弄过录放机。他不记得他是怎么按键的了，反正无论他怎么放小猛子借他的那盘香港武打片录像带，电视机屏幕上总是一些空白。"他妈的！骗人！"他骂着小猛子，结束了放像的尝试。后来他就去睡觉。他并没有失眠。

　　第二天，即5月19日这个将使他终身难忘的日子，一大早他便去小猛子家，还回录放机和录像带。他自然率先谴责了小猛子的不义，但小猛子比他更气急败坏——对方判定是因为他不会用机子，按错了键，将原来有像的录像带洗成了白带子！而那录像带又是小猛子向别人转借来的。滑志明愣了。他不记得自己当时都按了哪些键，他不立足为自己辩护。他觉得自己太不走运，太亏，但他没冲小猛子发作，他问："赔得多少钱？"小猛子告诉他得150块。他二话没说，离开小猛子家，回家从自己屋里取出180块钱，又赶到小猛子家，痛痛快快地递给了小猛子150块。兜里揣着30块，他没再回家，他骑着车满城乱转悠。

　　我们从旁分析，可以认准他是要把窝在心里的浊气，找个渠道发泄。可滑志明自己没有这样一种自觉意识。他只是不想回家，他知道小瑛子家在哪儿，但他既然从未迈进过那个门槛（本来小瑛子跟他说好，下星期六晚上带他去的），他也没有硬

闷的想法。他只决定熬过这个星期天，第二天往小瑛子单位里打电话。他不想一个
人去公园，前面说过，他不会欣赏自然风景。中国美术馆正同时举办着几种美术展
览，他也打那门口路过了，但他甚至都没有注意门口那些广告上宣布着什么展览正
在举行。他有点想跳舞（只是有点，因为他个子矮，他知道腿长身材好的人跳舞才
显得帅），但哪里有跳舞的场所呢？下饭馆，叫一桌子菜，喝两升啤酒，剩下一多半
菜，然后扬长而去，曾是他的一种享乐方式。但自从有了小瑛子以后，他回过头去
一想，也真没劲。那么只有看电影。美国立体片《枪手哈特》已经看过两回，不想
再看。国产片《代号213》让他不称心，值当花3毛钱进电影院吗？他想找个地方玩
玩电子游戏机，但想了半天，似乎只有中山公园里头才有；他已经骑车遛到了东单，
也没兴致再回头往西骑。攘攘京城，竟没有一个能让滑志明顺顺溜溜排遣郁闷的去
处！当他茫茫然骑过了建国门以后，他路过了国际俱乐部，路过了友谊商店，又路
过了建国饭店和京伦饭店，他产生了一些浅浅的思维，他知道像他这样的中国人是
不允许进这些地方的。他想到了外币兑换券，想到了前些日子他跟小瑛子逛西单商
场地下室的售货部，那里有外币兑换券专柜。他俩在一下楼梯的地方就遇上了一位"倒
爷"，是专门倒腾兑换券的，那家伙下巴颏好尖，个头倒准在1.7米以上，一见他俩
就着眼说暗语，手上比画着兑换券和人民币的差价，他理也没理就带着小瑛子绕了
进去。他开了眼，可他没那个购买力……他还想到了电视上见着的长城饭店，想到
了小猛子的话："人家广州只要你有钱，什么地方都让进！"想到了有一回偶然从人
家手里一张《羊城晚报》上看到的大广告："中国大酒店隆重贡献，张德兰演唱会……
届时并有霹雳舞蹈团助演，轻歌妙舞，精彩万分，每位只收¥25及¥30……"记得
当时人家跟他解释了那羊犄角是什么意思，可现在他仍旧搞不清……他骑过了那些
地方，这样的思维也就差不多结束了。当他骑到大北窑附近时，因为街边上尽是个
体摊贩，使慢车道上出现了许多慌忙去往的行人，不知怎么的他自行车的前轱辘碰
了一个四五十岁的男人，那男人当即扭过头来，满脸厌恶，冲着他说："你文明点不
行吗？！"他千真万确没跟那人干仗，他下了车，没说道歉的话，可没吱声，这不
就意味着他认头吗？可不知谁的自行车前轱辘又撞了他那自行车的后轱辘，他却本

能地扭过头去，也没把那人看清，便瞪圆眼睛嚷："你长眼了吗？"那人是个岁数跟
他不相上下的小伙子，两人当即吵了起来，一句比一句难听，可没吵大发。滑志明
不记得有没有人劝，也不记得他都吵了些什么，单知道他已经拐到三环路上的时候，
心绪坏得不能再坏。

　　针对"5·19"中国北京的"足球骚乱"，美国《每日镜报》5 月 21 日发表评论
《乱扔砖头》，以猜测的口吻判断说："这些足球迷是不是 60 年代在中国的'文革'
中采取暴烈行动的红卫兵中感到失望的一部分人？"这是很有代表性的一种估计。

　　应当提醒一下世人，"文化大革命"是 1966 年爆发的，其大规模呈现暴烈行动
的年份是头 3 年，当时的红卫兵的主要成分是高中和大学生，年龄在 17 岁至 23 岁
左右，到 1985 年，他们应当都是 36 岁至 41 岁的人了。但"5·19"事件中所拘留的
127 个"肇事分子"中，最大的才 35 岁，而且过 30 岁的仅仅数人，绝大多数是 15
岁至 25 岁左右的小青年，他们或者"文化大革命"爆发时尚未出生，或者当时仅处
幼年阶段，所以绝非"60 年代……采取暴烈行动的红卫兵中感到失望的一部分人"。

　　对"5·19"事件进行主观猜测的窃窃私议也出现于国内，首先出现于北京，而且，
特别耐人寻味的是更多地出现于并不迷恋足球，也几乎从不到球场去的中、老年人，
其中不乏若干国家干部。"是不是与调价有关？"众所周知，5 月 10 日起北京市开
始对若干副食品实行上升的调价措施，这自然对所有消费者的心理都有一定的冲击，
但其冲击度，大体上是与年龄成正比的，"5·19"事件中被拘留的 127 人中，已结婚
成家的才不过几人，绝大部分甚至还没有对象乃至还不懂得恋爱，他们绝大部分人
都还没有独立开伙生活，他们当中许多人甚至从未去买过肉、鱼或蔬菜，他们中已
参加工作的薪金虽然很低，奖金也不算太高，但因为一般都在家中白住白吃，所以
他们手里并不缺少钱花，而他们的消费习惯与老一辈大不相同，他们更多的是考虑
那东西可爱不可爱，而不大计较那东西是否便宜。总之，很难找到有说服力的事例，
来证明"5·19"事件的爆发含有某种反现行物价政策的政治色彩。

　　滑志明当晚去工人体育场看了那场足场。这倒并非纯属偶然。他本是喜好观看

球类比赛的。对于这第十届世界杯足球赛亚洲区预赛东区第二大组第一小组的比赛，他之没有像以往那样热心地去搞票，原因之一，是他现在有了小瑛子，而小瑛子并不喜好看球赛；原因之二，是他觉得这回的分组，等于是白让中国队出线，没那么大看头。但当他在光华路的凤凰餐厅吃完饭，蹬车赶到工人体育场，并且用两块钱买到一张6毛钱的"退票"时，他心里还是挺高兴。国家队只要跟香港队踢平，就稳能出线，而香港队从未踢赢过国家队，今儿个晚上，占着天时、地利、人和，国家队不猛灌香港队球门一气才怪！滑志明挤进满满腾腾的看台，把自己放定，他看见远近一些看台上，球迷们展示着自己制作的横幅标语，有"中国必胜！进军墨西哥！"，有"天津球迷进京助威"，有"古仔加油进球！"（他愣了一下神，明白过来"古仔"说的是古广明），忽然全场气氛更加活跃，原来2台那边有人展开了一个自制记分牌，上头写着："中国：香港，2：0"……他觉得胸膛里松快多了，他只等着国家队出场，通过一次次射网入门，帮他把应当发泄出去的淤气发泄出去……

坐在滑志明右边的，是个花白头发的球迷，他是最地道的球迷。地道不地道的标志，不在是否每场都到场助战，而在是否时时去龙潭湖畔的国家足球队训练场观看心爱的队员们练球。这位球迷是只要时间允许，一准去看的。类似他这样的超级球迷北京大约有二三百人。他们常常是不等国家队的球员们到来，便提前到训练场外的铁丝网旁集中；待国家队开始练球的时候，他们便聚精会神地一饱眼福；国家队已经撤了，球场已经空了，他们有时还站在那铁丝网外，恋恋不舍地议论个没完；他们的心情，恰似有着一个即将参加升学考试的孩子的父母，随时想给这孩子煎两个荷包蛋，或催服一些花粉健美酥，在凝视孩子备考温书的过程中，获得一种慰藉，得到一种乐趣。不消说"5·19"这天他们是全数到齐了。滑志明右边这位，东西带得真全：袖珍半导体、高倍望远镜、自动折叠伞和最新一期的《足球》报。球赛开始以后，他始终边看、边听、边自言自语。坐在滑志明左边的，看样子是个中学生，他的屁股仿佛是个橄榄，要么不时地站起来，要么坐着左右摇晃，可他不招人讨厌，因为他舍得把折叠望远镜借给滑志明，并且时不时拿起一个花花绿绿的玩具小喇叭，鼓圆了腮帮子吹出一串子"嘟嘟嘟"的声音给国家队助兴。滑志明前头的一个小伙子，用手帕裹着两只鸽子，他是只等着国家队一胜，便要把鸽子撒出去庆贺的。

　　整场比赛的过程中，滑志明并没有什么出格的行为。他只不过好比一滴水，汇入了奔腾激荡的潮流。因为场上出现的场面，竟越来越出于几乎所有球迷的意料之外，那巨大的心理落差，便酿成了一种比以往任何比赛更狂乱的"集体无意识"。呼啸声竟一秒钟也不曾停息，没有人指挥，但几万人一齐跺脚；当开场 18 分钟香港队往国家队网窝中罚入一球时，狂乱的浪潮奇妙地凝滞了一阵，仿佛"台风眼"过境；当踢到 32 分钟国家队赢回一球，喧嚣的狂乱却掀起了一个超前的高潮，美联社在翌日的电讯中概括说："每当香港队控制球的时候，就会出现粗暴的球风和球迷们大声的嘘叫。"当时不仅是狂乱的球迷，也不仅是场边的教练和场内的球员，甚至连维持球场秩序的一些民警，也都体现出一种超级的争强求胜心理，就是不仅不允许国家队输，也不允许只是踢平，而必须得大胜，并且要立即大胜，因此即使是让香港队员暂时地控制了一会儿球，也认为是奇耻大辱。形成这种心态，与我们一贯对体育比赛的宣传报道过分"国格化"有关，赢了，破纪录了，便是"中华腾飞"；输了，成绩差了，虽不明说，但总似乎便是"国耻"。朱建华在奥运会上面对着横竿，心理上坠着的正是这种沉重的负担，千万个盯着电视屏幕等待他起跳的同胞，也都把他的一跃视为不是兴邦便是丧邦，结果他反而发挥不出水平。"5·19"事件中，8 万名观众和国家队的这种"集体无意识"的心理倾斜，使我方越踢越不成形，下半时第 60 分钟，香港队再次破门得分，本来憋着终场后大肆欢庆的球迷们陡然失却了心理平衡，他们以更其狂乱的喧嚣使球场成为一锅几乎要腾起烈焰的沸油。偏偏天公又来添乱，泻下一场阵雨，少数没带伞的球迷心烦意乱地往有天篷的看台上方移动，多数球迷怒气冲冲地任凭雨丝浇淋，更有那激动中脱成光膀子的球迷，在雨中狂舞胳膊喊红了眼。最后 15 分钟国家队完全没了章法，回天无术，以 1∶2 败北。终场时，所有观众霍地站了起来，有如壁立的凝固的怒涛。滑志明右边的老球迷泪流满面，左边的中学生早踩瘪了喇叭，前头的小伙子气急败坏地扯断了鸽子的尾巴，把鸽子扔了出去，可怜的鸽子流着血飞走，一些尾羽被甩到了滑志明脸上，这时候有许多塑料汽水瓶从他们头上飞过，掷入场内。

香港队的获胜，使他们自己陷于一种忘记外在环境的痴狂，国家队终场后固然没有去同他们握手（这一细节被某些外电一再强调），说实在的，香港队当时也并未顾及这一应有的礼仪。他们先是泪汗齐流地互相狂拥乱跳，后来又同拥进场来的一些队友、随员及记者忘形地欢呼胜利。他们不断改变着排列组合拍照留念，闪光灯如只只傲眼眨动，这一连串细节捶击着几万名观众的心，看台上那"壁立的凝固的怒涛"开始将积蓄的势能释放出来，请想象一下高耸的浪峰卷扑下来的情景！

几万人的情绪浪潮朝几个方向流动。以上述"地地道道的球迷"为核心的一支人流涌向国家队的退场口，他们是一支悲壮的队伍，为首的几个人据说有的鬓发已然苍白，他们哽咽着向阻拦他们的民警恳求，要国家队教练曾雪麟出来"回答他们的问题"。这股人流的核心都是些纯净的文明球迷，但越处于这股人流外围的看热闹者越盲目，他们看到民警在劝导前面的人退场，于是出于一种反驯服的心理（他们觉得自己的情绪是正义的，并且前面的人一定是为正义冲锋陷阵的勇士），便发出一片"噢噢噢"的起哄声。本来国家队退场时已有无数塑料汽水瓶掷向他们，这时也有个别狂热分子以为国家队的人已出来答话，便补掷着东西，也不知是谁带的头，这一群体的平均素质使他们齐声以最不堪入耳的呼叫发泄出他们的愤懑："国家队，×××！曾雪麟，×××！"另一股盲动的人流，主要把狂怒发泄到香港队身上，当香港队在绿茵场上狂喜过后，准备退场时才发现，他们已处于"飞矢阵"的包围之中，于是保护他们的工作人员便带领他们取道主席台旁的台口退场，也不知他们手中怎么都有了一把雨伞，他们以伞为盾，突围了两次才撤入休息室。工作人员原以为主席台旁可以避开"飞矢"，因为主席台后的17、18、19看台的票不是任球迷自由购买，而坐的都是"有组织的观众"，但偏偏那天唯一的"流血"事件便出现于兹。一只玻璃汽水瓶从17台上掷下，恰中港队球员张家平，他举手一挡，唇边和手指均被划破。再一种心理冲力直截了当地针对着现场维持秩序的民警，民警们本是准备对付因胜利而爆发的狂欢中所出现的问题的，没想到最后所面临的却是因惨败而狂怒的浪潮。这就使他们疏散人群的工作更加困难。心里蹿着火苗、冒着浓烟的球迷们一边拥向场外一边跟民警起哄，于是首先发生了失却理智的球迷砸碎体育场出口旁窗玻璃的事态。

"5·19"事件既单纯又复杂，既复杂也单纯。单纯，在于这是一种超国家、超民族、超政治、超道德的全人类共有的竞赛狂热的大发作。复杂，在于它其中又糅杂着我们中华民族特有的心理沉淀，我们近 30 年来政治经济变动的心理投影，我们因"文化大革命"而造成的一代人文化教养的惊人低落，我们社会生活中所提供的情绪发泄渠道的贫乏，我们实行开放政策所诱发出的个性解放的热浪，以及对这种势头缺乏分析研究所派生的简单化的逆向压抑，等等。

当滑志明以一种不由己，并且也不自知的狂声起哄的状态随人流涌出体育场以后，扑面而来的夜风使他稍微清醒了一些。他听到了砸玻璃的声音，听到了民警跑步的声音。然而最使他感到意外，并将他情绪催化得更为复杂的，是从靠近体育场北门一带所传来的一阵阵激昂的歌声。唱的是什么？是《国际歌》！还有《咱们工人有力量》！

滑志明在那旋律被扭曲、然而十分狂放的歌声中顿感胸中的积郁车轮般旋转起来，他想到了录像带、150 块钱、小猛子的嘴脸、父亲的一双眼睛、小瑛子满脸的不自在。啊呀，他才猛地意识到，小瑛子昨晚来会他时，耳垂上吊着两个白颜色的水滴形耳坠。他联想到白色的牛乳，淡淡的乳香，他痛切地感觉到他真是太亏了。他眼前又浮现出球场上国家队的"臭大粪"表现，李华筠、赵达裕光知道一个劲地长传吊冲，"古仔"的脚丫子也不知道为什么没了灵气儿。他又想起刚才香港队的狂劲儿，想到他们准有外币兑换券，想到西单商场里的尖下颏"倒爷"，想到建国饭店和京伦饭店不让他进，想到透过两家饭店的大玻璃窗，可以依稀瞥见里头豪华的吊灯和餐桌，以及穿大开衩旗袍的女服务员的身影；他把自己和小瑛子试着搁进玻璃窗里，又懊丧地把想象中的图景抹掉。这样，不知不觉中，他已经走出了工人体育场的铁栅栏墙，并且迷迷瞪瞪地过了马路，接近了北三里屯的丁字路口……

"5·19"事件究竟是不是一次"排外暴乱"事件？球迷们对香港队的"飞矢袭击"是否预示着香港前途的暗淡？香港《信报》判定这是一次"义和团精神的发作"，有没有道理？

"5·19"事件中确实存在着针对香港人和外国人的冲击波，有一位外国使馆官员说，当他坐进小轿车以后，他感到处于一种不是被狂暴的人群揪出来打死，便是疯狂地开车冲出人群将个别人轧死的局面。结果他做出了第二种抉择，人群都闪避开了，他也安然无恙；有一位外国驻华记者说不仅他本人在被拦截后受到侮辱，他随车的小女儿也遭到粗鲁的威吓；有数名外国驻华人员到外交部提出抗议。但据最后统计，并没有任何一辆外国人或香港客的小轿车被推翻或丧失启动能力；被不同程度砸碎挡风玻璃、砸凹车门车壳、造成掉漆或唾上痰迹的外国人汽车，最保守的数字是 9 辆，最充分的数字是 25 辆。

其实在被用来出气的东西中，占最大比例的是"完全国货"，工人体育场门外沿街的几十个垃圾箱几乎统统被推倒（但扶起来后可照样使用），一座交通警岗亭的挡风玻璃被砸，停在体育场外等着疏散观众的十多辆公共汽车的窗玻璃被砸，除了处于"圆心"的体育场窗玻璃被砸外，冲击波的半径至少达于一公里以外的二环路东四十条地铁站，那里的窗玻璃也惨遭砸击。在民警现场疏导失态的球迷和拘捕肇事者时，有人在抗拒中踢打了民警，但没有任何球迷或民警需要进医院治疗，除了港队英雄张家平唇指被碎玻璃割破外，任何外国人或港澳同胞都没有受伤，而张家平的伤口除了涂之以红汞外，似乎也用不着更复杂的治疗。

据说，至少有一名年老的外国人在小轿车中因眼前的事态而惊厥。这当然值得整个中国向他致歉，但第二天以后，中国人自己对这一事件所上的"纲"，使无数的中国人，首先是青年人，心理上承受着难以言喻的沉重压力。传说有的单位已要求凡当晚去看过这场球赛的人逐一登记。又传说无论看没看过球赛，每个人都必得卷入一场由此而生发的教育运动，得坐在板凳上为此而开会表态，谴责"害群之马"并保证自己遵法守纪。又传说今后看球不能再自由购票入场，而实行由单位领导签押负责、挑选文明观众逐片承包的方式组织观看。不消说，也有这样的传言：这回对肇事的"害群之马"必得从严从重从快惩治，并将被拘留的 127 人全部吊销北京户口、遣送青海……幸好，此后的事实证明，我们的有关部门毕竟渐渐学会了依据法律理智地、妥善地处理这一闹事。这样，后面的相当冲动的传言也就变成了"谣言"了。

还是那位路透社记者巴克先生，同他 24 小时以前率先发出"排外"惊呼一样，5 月 20 日晚他又率先清醒过来，抢先发出这样的电讯："一位英国外交官不完全相信有任何特别的同香港对立的情绪。他说：'不管是谁，只要是中国人，对于不能参加世界杯比赛都会感到失望的。'"

中国方面在对被拘留的 127 个肇事者的审查中，开头自然将"拦截外国人汽车哄闹"作为重点，但几乎没有一个人承认自己做过这样的事，而拘留他们时的证据也几乎都不是这一条，大多数是因投掷两毛钱一个的塑料汽水瓶（其实应称为汽水管）而被当场拘留的，有的仅仅是因为向场内投掷了硬纸叠成的"飞镖"（纸飞机），或在狂热的激情中直到最后也哄嚷着不肯离开体育场外的空地，因而落网。

隔了一天，5 月 21 日，香港一些报纸在评论中开始发出较为冷静的议论，《明报》认为："球迷闹事，在世界各地经常发生……这种骚动与那个地区整个社会的精神文明，并无多大关联。在任何大城市，都有一些人缺乏修养、情绪不稳定、理智不坚强。"《华侨日报》认为："球迷骚动原是个人冲击的行动，根本与所谓文明礼貌无关，如果说这件事损害了北京市民之形象，未免'无中生有，小题大做'了。"

据悉，在 127 个被拘留的肇事者中，确乎难以坐实哪一个是巴克先生头一次电讯中所描绘的那种"排外暴徒"，他们当中被认为罪行最严重的一例，是用石块投掷了满载着增补的民警的卡车；另一例是参与了推翻一辆中国出租汽车的行动，而在全部"5·19"事件中，查实被推翻（从侧面推至横立）的小轿车，也仅此一辆。

滑志明本已脱离体育场那狂热的旋涡中心，他的个人命运，本不至于有一次酸辛的沉沦，但他突然意识到他忘记了取自行车，并且所走的方向也不对头，他胸中更觉憋闷。正在这时，那丁字路口偏有一簇从旋涡中心甩出来的狂浪，在那里肆意翻卷。犹如地下奔腾的岩浆，在苦闷的冲撞中遇到了一个合适的喷发口，滑志明本能地跑拢过去，加入了那一簇"恶之花"。

那一群大约有二三十个，全是跟滑志明岁数差不多的小伙子，他们在那里是彻头彻尾地寻衅滋事，每驶过来一辆出租车，他们便哄闹着加以拦截。事后在预审员一再追问下，滑志明勉强回忆出，闹事的人群中有一个瘦高个儿，嚷叫过这么几句话："咱们他妈的花高价看了场窝囊球，他们他妈的一晚上干挣几百块，打丫头养的！"由此可以分析出，这个闹事群体的"集体无意识"与其说凝聚在"排外"上，不如说凝聚在对时下某些捞"外快"捞得多的人的嫉恨心理上。

一辆出租汽车驶过来，他们一哄而上，截住了，司机从车上跳下来，拱手求饶："哥儿们，哥儿们，让我走吧，我还有任务，真误不起……"

他们也就放他走了。

又一辆出租汽车驶过来了，他们又一哄而上，车被迫刹住了，司机从车门里伸出头来，哀告说："我说哥儿们，甭跟我过不去成不成？车里还有客人哩，出了事我可惨啦，我担待不起不是？……"

他们有的用拳头捶车门，有的用脚踢后备箱，有的朝车上啐痰。滑志明这时仍未上手，他只在一旁拼命地嗷嗷乱叫。乱了一阵，这辆车他们也放行了。

据事后回忆，滑志明确实不记得他自己和别的闹事者特意地选择了有外国人或港澳同胞的乘坐车来拦截；他们的心态，确实有别于85年前的"义和拳"。"义和拳"确确实实是"排外"的，如当年"义和拳"的咒语："天灵灵，地灵灵，奉请祖师来显灵，一请唐僧猪八戒，二请沙僧孙悟空，三请二郎来显圣，四请马超黄汉升，五请济颠我佛祖，六请江湖柳树精，七请飞镖黄三泰，八请前朝冷于冰，九请华佗来治病，十请托塔天王、金吒、木吒、哪吒三太子，率领天上十万兵……"这显示出团民们根据自己的文化水平调动一切中华传统力量的心态。滑志明他们一伙无领导、无纲领、无组织、无目的、由足球狂热转化而成的哄闹滋事的乌合之众，倘若能呼咒语，或许会这样念念有词："天灵灵，地灵灵，我们大伙要开心，一请奚秀兰，二请张明敏，三请汪明荃，四请徐小明，五看《霍元甲》，六看《万水千山总是情》，七要牛仔裤，八要迪斯科加'华姿系列化妆品'，九要夏普、东芝、日立'家用电'，十要'铃木'、'雅马哈'加'塞扣'、'西铁城'……"他们其实恰恰是香港通俗文化和东洋商业文化的最积极的吸收者；他们之所以在"5·19"那天闹出一些针对外国人或港澳同胞的不雅之事，充其量不过是对外国人或港澳同胞在北京所显示出来的某些特权和优越感，喷发出他们潜意识中回荡、压抑已久的不理解、不谅解、不满与嫉妒而已。

……又来了一辆出租汽车，乳白色的，法国产，地平线牌，他们又一哄而上，截住了。司机从车里蹦出来，义正词严地斥责他们："你们想干什么？你们在这儿闹什么事？……"

"打丫头养的！"不知谁带头嚷了一嗓子，反正并不是滑志明，一些人就拳脚交加地冲那无辜的司机而去。司机迫于无奈，只好暂时弃车而逃……

滑志明仍旧嗷嗷乱叫着，觉得胸中郁积的闷气，泄出了不少。"把丫头养的车捅起来！"又不知谁嚷了一嗓子，反正也不是滑志明，但滑志明心甘情愿地响应了，他凑拢小轿车的后轮边，把他那双本该让小瑛子紧紧捏着的手，傻乎乎地抠住了护轮壳，在不知什么人那"一！二！三哪！"的指挥下，卖力地去捅那辆小轿车；头一回他们没有成功，但第二回小轿车终于被捅得侧立起来。

这时候有一队民警朝着他这个闹事点跑步而来，乌合之众一哄而散。滑志明并没有特别紧张地拔脚而逃，他甚至有点过分悠闲地吁着长气朝马路对面而去。他忽然感到胸中郁积的东西似乎已全数排出，他良心上没有感到什么不安；他没有"前科"，所以对民警也没有什么畏惧之心；在一天之中，那一刹那甚至是他最轻松的一刻……

当民警们跑拢那一地段时，其他闹事者早已踪影难辨，但有一位壮汉，突然从侧面抓住了滑志明的手腕子，对着跑拢跟前的民警大声揭发："他就是个捅车的！没错儿！"

滑志明这才吃了一惊。他束手就擒。那逮他的同志早在一旁冷眼观察他们那一群的哄闹。他没有看球赛，是个骑车路过当地的国家干部。他有意等到民警们快跑拢时才下手抓住滑志明，这说明他考虑得很周到。当然他得以成功也是因为滑志明并没有浓厚的逃跑意识。出于义愤，也出于对滑志明的凶恶性的过高估计，他解下滑志明的皮带，将滑志明的双手扣到身后捆绑了起来。滑志明被民警带到了临时拘留点，民警们顾不得细顾每一个被频频领人的肇事者，当骚乱全部平息以后，接近凌晨，民警们将拘留的人分批装入汽车，准备运往正式拘留地时，才发现滑志明被皮带反捆了数小时。滑志明被捕后没有表现出任何抗拒，也从未对自己参与拥车一事进行任何辩解。

两天后他被宣布依法逮捕，鉴于他那确凿无疑、供认不讳的犯罪行为，他将以触犯《中华人民共和国刑法》第一百五十七条或第一百六十条刑律而被惩治。

我们似乎总是重视国际舆论远胜于重视国内舆论。香港报纸因为无庸翻译，外国驻京记者因为常以目击者自居，他们释放出的信息常足以引起我国最大限度的重视。就是外国人（或海外华人、港澳同胞）口头传递的信息，也往往起着非同小可的作用。外国人告诉我们中国有个陈景润，他研究"哥德巴赫猜想"大有成绩，一时间陈景润几乎成了民族英雄；但我们中国包头市有个中学教师陆家羲，他早在1961年就攻克了著名的"寇克曼女生问题"，1980年又在"斯坦纳系列"研究中达到世界最先进水平，却因为外国人没有及时跑来告诉我们，我们就任他同年10月默默无闻地在贫病交加中死去。"5·19"事件当夜巴克先生抢先发出的那条突出"排外性"的电讯，就大概在我国有关部门判定该事件是建国以来"最严重的、有辱国格的"事件时起了作用。其实除前面提及的例子外，1981年中国女排在第三届世界杯中先后战胜日本、美国两队后，也曾有上千骑自行车的青年人在天安门广场闹事，并有一批人跑到日、美驻华使馆前呼喊"打倒小日本"、"打倒美国佬"等口号，当时国内有关部门也向上报告过这些情况，但大约是"国外舆论"对此反应并不强烈，加以女排又是赢球，便没怎么追究。

我们需要更加冷静，需要更加重视国内舆论，尤其需要更加重视一般群众，又尤其需要更加重视一般青年人的直露的或含蓄的、顺耳的或不顺耳的反应。一个民族倘若总是对大多数"中间青年"厌烦，只想驯化他们而不乐意听听他们的意见，这个民族恐怕是要老化的……

香港队回到香港以后，其教练郭家明迅即表态说："5·19当天场内的骚乱并不算大事。这类事在国外更为普遍。球迷们只是对中国队丧失出线机会不满。"而巴克先生所属的路透社已无暇评述中国的"5·19"事件，因为在欧洲的布鲁塞尔，5 月 29日晚发生了骇人听闻的足球惨剧，骚乱在意大利尤文图斯队与英国利物浦队开赛之前便已开始，两支球队的支持者大打出手，造成 38 人丧生（33 名意大利人、4 名比利时人、1 名法国人），100 余人受伤后被送入医院，其中 20 人伤势极为严重；赛后一些英国球迷在市中心用饭桌击破一间商店橱窗，抢走价值 1000 万比利时法郎、16万美元的珠宝，另有一名英国球迷被人用刀刺伤胃部住院；当警察对狂乱的球迷实行弹压时，一名尤文图斯队球迷竟向警察开枪射击……英国首相撒切尔夫人在出事后急召英国足协主席和秘书长回国，要求他们起码在两年之内不要派球队参加欧洲赛事；英国政府并拨款 25 万英镑给予意大利受害者家属。肇事的球迷，自然要绳之以法，但英国也好，意大利也好，比利时也好，他们似乎都不在乎我们对他们的反应，并且，从首相到平民，似乎也都不认为这样的足球惨剧有损于他们的"国格"……

5 月 29 日，中国足球队暂时解散。

5 月 30 日，国家体委副主任袁伟民和著名运动员郎平、李宁向"5·19"事件中被集中审查的 90 多人发表讲话，强调"要发扬我们民族的道德风尚，不要学外国那些不好的东西"；同日，在龙潭湖国家队训练场地经常有球迷围观的一侧，砌起了一堵两米多高的围墙，以取代原有的铁丝网。

5 月 31 日，中国足球协会接受了国家队教练曾雪麟的辞职。

6 月 1 日至 4 日，除少数几个人外，其余被拘留的小青年均被释放。

小瑛子从 5 月 20 日就等着滑志明来电话。可是一连几天都没来。5 月 25 日又是个星期六，她憋不住了，中午往滑志明单位里打了个电话，接电话的人用了一种让她受不了的声调："……你是他谁呀？你是装傻还是真不知道哇？小滑子他让公安局给逮起来啦……就因为'5·19'事件呀，有辱国格嘛！这回他可闹大啦！我们这儿是拍手称快呀，小滑子他总算折进去啦！……"小瑛子只觉得眼睛发黑，身子发软。她是在街头的电话亭里打的电话，倚在玻璃墙上闭眼让心跳缓过来一点，她就又给自己单位打了个电话，破天荒地撒谎说自己正在医院里看病，然后她就迷迷瞪瞪地在人行道上漫无目的地直着眼睛朝前走。不知怎么的，最后她来到了正义路林阴道，来到了她常常规定的让滑志明等她的地方。她在一个石凳上坐了下来。她看见一群少先队员正在为那读书的石膏姑娘整容。泪水扑扑簌簌地从她眼里滚落出来。她把耳垂上的水滴形乳白耳坠揪下来攥在手里，攥得紧紧的……

小瑛子不知道公安局把滑志明拘押在了什么地方。她也没有勇气去打听他的下落。她还没把跟滑志明搞对象的事告诉家里。她也不好意思去滑志明家里探问。她更不懂得找律师。她甚至没有一个知心的朋友可以去诉说。她同滑志明一样，属于被"文化大革命"彻底耽搁的一代，他们在大混乱中进入小学，在几乎并不正经上文化课的"教育革命"中度过初中时期，然后他们就待业，就当了工人，就在"浅思维"的水平上迎来了他们的青春。或许他们真是让我们头疼的不文明的一代？可我们难道除了谴责他们、管教他们、责罚他们，就不该扪心自问，我们是不是也欠了他们一些什么？比如说，足够的理解与谅解、关怀与爱？

小瑛子拿不到医生开的假条。她因事假而丧失了5月份的奖金。进入6月了，小瑛子破天荒地注意看报，搜索与"5·19"事件有关的消息。她总是跑到王府井大街上的报栏去看，看完走到正义路林阴路上去坐着。她还是没决心去探监，没决心去滑家，也没决心把这事跟父母或什么亲近的人说。但是她下决心默默地等待。她变得常常咬住下嘴唇，呈现出一种悲愁与坚毅相交融的异样表情。

事到如今，我们无妨反过来想想，倘若5月19日那天球赛结束，看台上的中国观众都心平气和地为"双方的精彩表演"鼓掌，然后极有秩序地、迅速地鱼贯而出，并纷纷微笑着各自回家，全世界和我们自己，对我们这个民族该做出怎样的评价呢？

1985年6月6日写于北京垂杨柳

白 牙

·

我决心做一个试验：整整一个月里，一句话也不讲。

头一天进行得很顺利。上班的时候，无论在大门口、走廊上、办公室和餐厅里，我都做到了不吭声，虽然有人同我讲了几句简单的话，但我只用点头、摇头、微笑、板脸，也就打发了他们。回到家里，妈妈照例在饭桌上叨唠，我只是低头扒饭，根本不去听。爸爸和弟弟本来就很少跟我说话。吃完饭，洗洗漱漱，我就倚在床上看书，然后睡觉。做了几个梦，梦里我也没开口。

第二天我就开始遇到困难。困难并不来自客观，而来自我本人。下午在办公室里，我渐渐变得烦躁起来。本来似乎是应该同事们感到惊讶：我怎么两天没开口说话了？可到头来是我对他们感到惊讶：他们怎么连我两天没开口说话都毫无察觉？

刚刚五点半，各办公室的人就散得差不多了，我们屋的老詹、彭大姐和我还没走。

我忽然觉得，我不能只以消极的形式进行这项试验，我应当采取一些积极的手段，引诱别人来同我对话，而我坚决以不吭声的方式对待。如果在这种考验中我能不破戒，那我可就服了我自己了。

于是，我立起身，把一摞报表送到老詹面前。

老詹是我们的副处长。他当了八年副处长了。处长已经换了三个，他却仍是副的。他没希望升为正处长，而且我相信他自己也不确立那样一种希望。他的头形总使我联想到古董店里的阔口红釉双耳瓶。

老詹望了我一眼，似乎有点吃惊。从来都是他催我时我才会交上报表，这回……我以为他会开口问我句什么，但他却很快收回了眼光，坐在那里，双手握住那摞报表两端，在办公桌的玻璃板上反复地将其垛齐。老詹的办公桌永远井井有条，所有可以垛齐的东西他总是悠然地垛呀垛呀，然后齐齐整整地搁在一旁。

我那报表并没有填完。老詹却只顾垛齐、放好，并不检查。末了他说："好，明儿早上交上去。"说时眼睛并不看我。可见并非要同我说话。我只好走开。

我故意走到彭大姐办公桌对面，拉过一把椅子坐下。彭大姐只顾收拾东西。她有一根毛线针找不到了，正运动着全身在找，活像个上足了发条的铁皮关节人。她终于从座椅底下找到了，舒出一口气来。这时候她注意到了我，便认认真真地对我说："这么好的棒针咱们这儿可买不着。"这话是用不着回答的。要考验自己得另想办法。于是我便把一张当天的报纸推到她面前，用手指弹了弹头版上的某条消息。那是一条关于某个省里精简机构的消息。

彭大姐仿佛是突然看见了一条毛毛虫，身子微微朝后一躲。头几天我在这办公室大声地议论过："咱们这个机关，整个儿就该精简！"彭大姐当时也是这么个反应。那回她收回厌恶的表情后，还同我略微争论了一会儿，她的逻辑是："谁精简谁呀？精简了不也得照发工资吗？既然照发工资，那就不如还让来办公室上班；既然还来办公室上班，那就不如再分点工作做；既然分点工作做，那就不如还把原来做惯了的分来做；既然这样，也就无所谓精简。我见多了，精简一次恢复一次，恢复一次扩大一次，扩大一次精简一次，精简一次再恢复一次，恢复一次再扩大一次……"说到最后她望定我，我明白，那意思是我就是因为精简后恢复，恢复而扩大，才进到这个办公室来的。也确实是那么回事儿。

彭大姐躲开那条消息以后，轻轻叹了口气，微微对我笑了一下，然后就立起身来，准备打道回府。我从她表情上看出来，她对我只是指指报纸而没开口朝她议论，由衷地感激。

我紧闭着嘴唇回到家里。妈妈看见我，脸上挂着我看腻了的那么一种希望加失望被二除的表情。我又按时回家了，这说明我还没交朋友。我恨死"大龄女青年"

这个莫名其妙的概念了。谁兴出来的?

那晚上在家里倒很顺利地坚持住了不开口。因为我确实不想开口。

直到第五天才有人发现新大陆似的问我:"你怎么不活跃啦?"

问我的是我们的正处长。他风华正茂,官运亨通。盛传他即将提为副局长。他的升官之道既不在才干出众,也不在巴结钻营,而在于异常平庸,平庸到单位里对立的几派在互相攻讦的同时,都来承认他无害,乃至都说他正派。在提名或推荐新的副局长人选时,鉴于必须排斥对立面的人选,以及实在抵挡不住对立面对自己这方面的人选的抵制,到头来双方可以达成协议的人选便是站在我面前的这位敝处正处长。

我很感动。而且他这句问话令我对他刮目相看。整整五天里别人都没针对我的缄默发过问,倒是他给了我这么一句温暖的话。他也许并不如我估计的那么平庸。

以往我觉得就连他的相貌也平庸得拎不出一个特点来形容,此刻我忽然发现他鼻翼一侧有颗小小的黑痣,一下子点活了他整个面孔,看去同以往不大一样。

我差点儿开口说出话来。

我们站在走廊里。有几个同事从我们身边绕过去,似乎对我和正处长面对面站在那里有点吃惊。

我想,如果正处长请我进他的办公室去,那我肯定破戒。但是正处长并没能那样做,尽管我们遇上的那个位置离我们办公室还稍远而离他的办公室倒很近。

我在迟疑中听他这样对我说:"……你们老家的鱼丸真不赖,在那儿天天吃我也没吃腻。听说最好吃的东西是'佛跳墙',可惜没吃上……"

正处长一周前从厦门出差回来。他肠胃里的鱼丸残渣也早该排泄完了,可他见了我只找出这样的话来说。

也许他底下会说些别的?

他似乎把话已经说完。他掏出一方折得方方正正的蔚蓝色手帕,揩了一下鼻子和嘴巴,于是我发现他鼻翼一侧并没有什么小黑痣,那大概是他吃早点时沾上的一粒焦芝麻。他的整个面孔又变得没有任何特点。

他进他的办公室了。我仍呆呆地站在那里。

我怎么不活跃了?他希望我活跃吗?那份我满腔热忱写出来的改革方案,在他出差前十多天就交给他了,他始终没有看吗?最大的悲剧恐怕在于他看了,却决定并不跟我就那个方案进行对话。他知道我把那方案复印了好多份,几位局领导都送了。他一定仍然把我给他的那份不表态地转给了局领导们。

他是一个耐心等着人家把"佛跳墙"端给他吃的人。他是绝对不跳墙的。

真该一辈子不跟这种人讲话。

我进了我们那个办公室。我听见半句紧急煞住的话:"⋯⋯犯不上跟我们过不去呀!"

煞住话的是我的同龄人。性别跟我不同。在目前中国的这种社会环境里,他其实远比我更容易生存和发展。可是近来他防我如防贼。无非是前些日子我宣扬我那个改革方案时,非常坦率地当着众人跟他说过:"其实,咱俩的工作完全可以并起来一个人做!"

他整个人总使我联想起某种可以散发出水汽和某种香味的落地摇头电风扇。在炎热的时候他令你心旷神怡,在寒冷的时候则令你望而生畏。记得去年前局长住院时,他自费买了一束昂贵的美国石竹花去看望,那时候盛传我们58岁的局长将擢升为副部长。可是今年当我得知迈进59岁并提出离休且永远不再擢升的前局长又发病住院,约他一起去看望时,他却满面春风地说:"哟,真的,真该去,可我实在是有事去不了,你见了他一定代我问候!"

我一进屋,都不出声了。我真想跟同龄人说,我提出我们两人工作并成一个人做,绝不是想自己留下来而排挤走他的意思;我是早就想走的,世界很大,机会很多,特别是在南方;我暂时没走,是因为我知道我走了以后,仍会有另一个人来填补我的位置,那完全没有必要由两个人来做的事,就更得由两个人为做而做地做下去。

同龄人从耷拉下的眼皮里透出光来检视我。老詹又在轻轻地、持久地垛齐一摞什么报表。彭大姐停止修改手头的一份简报,把压在她茶杯口上的一个福橘毫无必要地旋转了一下。我忽然意识到,正处长那句"你怎么……"的话,正来源于同龄人的某种虽经精心策划却出之以漫不经心的"小报告"。我为他深深地叹息。我要是他那么个男人,我或者一跺脚走人,或者一举臂在这里招呼一番。总之,干一桩真正的事业。现在他捧的这个饭碗就值当那么视若珍宝吗?

我的沉默试验坚持到了第六天。中午在餐厅就餐,桑桑风风火火地跑过来跟我凑在一起吃。

桑桑从我认识她起就梳着个克利奥佩特拉头,即埃及女王头。这发型曾引出局里各类人等的各种议论。桑桑和我不在一个处。我们的交往常常是在餐厅里。

桑桑一坐到我旁边我就预感到我的沉默试验遇到了最严峻的考验。以往我们两个人讲话时总是不断地互相截话茬儿,而且调门越来越高,常惹得周围人侧目。在整个局里她算是最和我谈得来的人。不过桑桑是个接近文艺界的人,这一点我跟她全然不同,我的三亲四友同窗邻舍没有一个是搞文艺的。

桑桑刚落座就跟我讲起"文艺界的苦闷",其实那地地道道是她的苦闷——因为她新交的男朋友是个刚登上文坛的新星,而且,据她说:"……中国文学要走向世界那可是太难了。搞绘画的,搞作曲的,搞电影的,使用的都是人类通用的符号系统,可是文学,得用方块字一个个地拼接起来,外国人里头又有多少个认识方块字的呢?就说翻译吧,两边的社会制度和意识形态差异太大了,难死人!像'土改那阵'、'反右那年'咱们小说里挺平常的叙述性句子,人家翻译起来就犯愁,非加个长长的注释不可,一注释,谁还有兴致读小说呀?再说像'大跃进的时候',有个外国人就问:什么是使劲一蹦的时候啊?……"

我一边小口小口地吃饭,一边微笑着听着。我很同情桑桑,尤其同情她那男朋友,他们向往走向世界,向往永恒,向往不朽。合情合理,令人钦佩,可是横亘在他们面前的那障碍竟是那么巨大……

我很奇怪桑桑为什么不惊讶于我的一言不发。她似乎没觉得我同往常有什么不一样。她滔滔不绝地倾诉下去,她那碗里连菜带饭都凉了。

"……我建议他写写咱们这儿,灰色的办公楼,灰色的日子,灰色的表情,死气沉沉，毫无生气……我给他出主意，把这一切都象征化，意象化，寓言化，肯定全世界的人都看得懂，因为全世界的官僚机构和官僚主义都是同样的，'帕金森综合征'嘛，可是他不揽这个瓷器活儿，他说人家才懒得看这个呢，他最近追求的是蔚蓝色，近乎无限透明的蔚蓝色……"

我真差点打断她的话茬，因为我记得在一份什么文学杂志上看见过一篇什么文章，里面好像说有个什么日本作家老早就写过一篇《近乎无限透明的蔚蓝色》，还得过一个什么文学奖。

"……我在咱们这儿可真待腻了，他也在给我找合适的地方……可说到底，在这个社会里，咱们这儿的优点也真不可忽视。正经的正局级单位。外国人可以不感兴趣，他们弄不懂，咱们可不能糊里糊涂的。县团级等于室处级，地市级等于司局级，省级等于部级……是什么级就有什么待遇，处级等于三室一厅，局级等于四室一厅，副部级等于五室一厅，部级等于四合院儿……处级可以报销硬卧，局级可以报销软卧还可以报销机票……在外出差处级等于 8 块钱的床位，局级等于 15 块钱的床位，我说得不准吗？还有，得病住院处级等于一室八个人，副局级等于一室四人，局级等于一室二人，副部级等于一室一人，部级等于一室套一室一人……还有坐车子的待遇，安电话的待遇，出国换外汇的待遇……唉，连他都跟我说，去干个体户拼命奋斗，挣出十几万块钱买一套三室一厅，跟在这样的机关里勾心斗角，当上个副处长分它个一套三室一厅，走后一条路子还容易点儿，就是住进了那三室一厅，也不用掏修理费……苦闷啊，真苦闷！可这就是咱们的日常生活……"

她苦闷到这个程度才意识到我一直没说话，她停止苦闷咏叹，扬起眉毛问我："你今天不舒服？"

我笑着摇头。她也就算了。她吃了口饭，嚷声"太凉"，就端起碗走了。

轮到我苦闷了。我这才意识到，以往我们俩谈话，看起来很热烈，其实她不过是要宣泄她的，并不一定要听我的；我呢？我很后悔我总是认认真真甚至心急火燎地把我的反应告诉她。

那一天下班我才意识到是个星期六。每个车站都淤满了等车的人。我决定走回家去。这样可以晚一点到家，让爸爸妈妈觉得我毕竟有过一个什么约会，以满足他们那其实完全不必有的与我有关的自尊心或干脆说是虚荣心。

人行道上行人如过江之鲫。有时甚至不得不偏着身与人交错而过。我突然很怕有个人突然向我问路，那我是绝不能保持沉默的。在那么个情况下中断我的沉默试验可太不值得了。没有。没有人向我问路。甚至没有人看我一眼。在匆匆流动的人群中我产生了这样的想法：其实人与人之间的交流是被逼出来的，就人的本性而言，人是宁愿独处的。瞎子、聋子、哑巴三者中，最少痛苦的是哑巴。

快到家的时候我突然想起该买一块香皂。我以前买这类日用品的时候经常是并不说话，我指一指柜台里摆的香皂，递过钱去，售货员自然会递给我香皂，找给我钱。

我走进百货商场。卖香皂牙膏的柜台那儿没什么顾客。我走过去，倚在柜台上，静静地等售货员走过来。两个售货员正在离我两米处的地方聊天。我等着。她俩看见我了，可是依旧在那里唧唧喳喳。我想，她们有来招呼我的义务。可她们也许在想，我有央求她们的义务。既然我们双方都不想尽义务，那就算了吧。我转身走了，这时我听见她们当中有一个从牙缝里挤出来这样的声音："神经病！"

搁在平时我一定生气。可是这天我心平气和。我的沉默试验也许的的确确应当归入神经病之列。

我又绕了一个弯儿才回到家。爸爸妈妈在过厅里看电视。我一进屋妈妈就迎上来问："你吃过啦？"

她眼神里饱含着期待。

我饿，可我点头。

妈妈的表情松弛下来。她接着问，故意用一种仿佛不经心的口气："一个人吃的？"

我摇头。于是妈妈迅速地同坐在沙发上注视我的爸爸交换了一个眼色。

我朝自己的房间走去。我看见弟弟在他的房间里，背对着门，坐在书桌前，双手捂住耳朵，在那里背书。台灯光把他的前剪影勾勒得活像一只大蜘蛛。他已经上到高三，过几个月就要参加高考了。尽管已经传来消息，今后大学毕业生国家不包分配，但这丝毫不减弟弟发誓考上大学的气概，更丝毫不减爸爸妈妈供弟弟上大学的决心。弟弟对我这样议论过:"其实,如今又有哪个大学毕业生不是在托关系走门子给自己找好窝儿呢?连找到爸爸这儿来的还有哩。谁稀罕国家统一分配?分配你去中学教书,真去?怕都怕死了!"还干脆不怕刺痛我地这样说:"前两年你上电大补文凭时的那副惨相儿!我还是把文凭捏在手里头自在!"我忽然又想起午餐时桑桑开列的那些等式,其实还可以凑上:中专文凭加年头等于科级等于讲师等于两室一厅,大专文凭加年头等于处级等于副教授等于三室一厅……如今人们交往不久半生不熟时,就可能互相提出这样的问题:"你哪儿毕业的?""你们单位是哪一级的?""你那职称相当于副处、处级还是副局级、局级?""你住的几室一厅?"围绕着官本位人们可以问得很粗鲁也很细致,却很少有人问你有什么特别的见解、大胆的抉择。

真想为我弟弟一哭。他才18岁。可我知道,他根本不想同我对话。他学了一大堆应考挣分的杂碎,可还是个不懂得灵魂交流的"心盲"。

第二天,星期日。一早我就起来开动洗衣机,为全家洗衣服。洗衣机工作的时候我坐在沙发上听音乐。我爱听弗兰克的管风琴曲。管风琴的声音使我有一种腾飘到太空中的感觉,渐渐地我就觉得大地、人群和我自己都是那么渺小,于是我就产生了一种寻找依靠乃至拥抱什么坚实东西的欲望……听到一组最浑厚渺远的旋律,我忽然产生了一种犯罪感。我为什么要进行这种沉默实验?为什么在至亲骨肉之间,我也不能敞开心扉,同他们做促膝谈?

音乐陡然中止了,我仿佛从空中猛地跌到地下。我看见弟弟按下停止键的那根手指还撅着,满脸凶狠地站在我面前,厉声地说:"烦死了!别妨碍我背单词!"

我本能地从沙发上跳起来,气得发抖。可是弟弟转瞬已消失了。

我朝洗衣机走去,这时我听见妈妈同爸爸在进行惯常的"耐心争吵"。他们几乎每隔两三天就要寻找一个最无聊的题目没完没了地抬杠,双方并不真正动气,但也绝难主动收场,而是非常韧性地把那杠一直抬下去。这回他们是为了刚打开的一听沙丁鱼罐头。爸爸认为味道不如上回买的那一听好。妈妈则认为味道完全一样。罐头厂每批的产品质量并不整齐。人家有质量检查制度岂能马虎。怎么味道就是差多了,简直糟糕。恐怕是你味觉出了毛病，不辨好赖。如此等等。

我把洗好的衣服晾到阳台上。妈妈催我吃饭。我们星期日照例吃两顿。爸爸和弟弟各自雄踞饭桌一边，都宣称不吃沙丁鱼。妈妈坐下以前把碗橱上的三封信递给我。信是她下楼取报纸时带上来的。她是故意要当着全家把信递给我。

我逐一把信拆开，摊在桌上，慢悠悠地看。我听见碗筷响和咀嚼声。我知道起码有四只眼睛不时往我脸上和我面前的信纸瞟。

我的爸爸妈妈啊，如果你们主动地、亲切地问我，并愿同我娓娓地谈心，我是完全可以打破沉默的……

我听到一个僵硬的声音："你下午在家吃饭吗？"

我摇头，并从容地把信收好，装进衣兜里。

下午我去逛了书店，傍晚我在一家快餐店吃了饭。

第一周过去以后，保持沉默对我来说不但绝非难事，甚至给我带来了某些乐趣。唯有在较持久的沉默中，人才能认清世界和他人。

第十六天，老詹把我两周前交给他并由他垛得绝对整齐的报表退给了我："还差五行没填完。"

既没有对我玩忽职守的批评，也没有对他缺乏检查的自我批评，也没有让彭大姐或我那同龄人引以为戒的意思。总之，没填完，绕了一圈，历时两周，拿回来，请我填完再交。

到第二十天，我受到一个绝大的冲击。我们那个系统出了很大的一个事故，造成了很严重的生命财产损失。我是在刚走进单位大门时就听到这个消息的。正好碰上桑桑，她很激动。她对我说她的男朋友已经立即决定抓住这个题材不放。据说眼下最时兴的文学样式倒是纪实性的东西。近乎无限透明的蔚蓝色要继续搞，这种灾变纪实文学也要抓。

我们办公室里自然也少不了这个话题，但充盈着祥和的气氛。彭大姐说这使她回想起二十几年前的那桩事故，其中很有一些神秘色彩，三个人紧挨在一起，左边一位当场死亡，右边一位终身残废，而当中一位安然无恙，灾难对他偏秋毫无犯。

同龄人说这可能与天外的某种电波有关，而且与艾滋病显然同出一源。老詹把他新带来的一种安徽六安瓜片分给大家沏茶，同时蔼然可亲地嘱咐大家："事已如此，也无可奈何。听说有的兄弟单位认为我们单位也有一份责任，昨晚已被局领导们驳回。为避免传出去引出误会，大家就暂不议论此事吧。"

当我突然摔门而出时，他们一定目瞪口呆。不。也许他们反倒相视一笑或一叹。

我去敲正处长的门，没人应，也推不开。我直奔局长办公室。我想直截了当地告诉他：从现有法律角度或刻板的行政责任角度，我们单位与这次事故可能确实无大关系，但如果把我们与几个平行单位视为一个功能系统，把我们单位视为网络结构中的一个必要的网结，我们能这么心安理得吗？要么，我们也有不可推卸的责任，要么，我们这个单位根本就可以取消！……而且，甚至我就是头一个应当被追究罪责的，因为，我交了一份未填完整的报表，如果这报表非准时完成不可，那我是严重渎职，如果这报表可有可无，那早就该把我的岗位撤销……局长应当很容易听懂我的逻辑，我那早就递上去的方案他至少浏览过一遍……

我扭动门把手直接冲进局长办公室，局长正坐在很厚重的一张办公桌后批阅一个什么文件，我站在门口，他抬起头来，我俩面面相觑。

"你走错屋子了吧？"

表情和语调都毫无恶意。

我却一下子从头凉到了脚。我恢复了沉默意识。

"啊啊啊啊……"局长站了起来，并绕过办公桌，站到离我两步远的地方，他脸上显露出了抱歉的神情，语调亲热起来，"你看你看，我这记性！你不是……处的……吗？活跃分子嘛！对了对了……听说你最近不怎么活跃了，还是要活跃一点嘛……啊啊啊啊，你那个方案，我看过了，看过了，你很有改革的热情嘛！是呀是呀，现在我们都在一个改革大潮当中，中央决心很大，很大，像你们，下面的同志，尤其年轻人，劲头也很大，很大……关键就在我们这些人身上！搞不好要'中层梗阻'咧……"

听到这儿我心软了一下。倘若局长请我坐下，或者我们可以认真地谈一谈，但他仍旧保持着一个自己不坐也不请我坐的姿势，而那间宽敞明亮的办公室里摆着一套比利时沙发，还有一个相当漂亮的镀铬支架玻璃几。

"……既要解放思想，又要实事求是嘛……大家都来提方案，我们都来动脑筋……不过每个人的位置毕竟不同啊，我们要看看左邻右舍，要考虑得周到一点，你们也应当理解嘛……"

电话铃响了。他立即去抓电话。

我扭身出了屋。

我极其冷静地度过了中午和下午。视而不见，听而不闻。在沉默中我只想到我自己。

下班后我步行离去。我带了个单放机。我用耳机听弗兰克的管风琴曲。我的灵魂又腾飘到了太空中。大地旋转着，渐渐变成模糊的色块组合，变成越来越小也越来越远的水的球体，幽深的墨蓝中闪烁着无数的亮点，于是我又生出对于我们这个星球、我们这些血肉之躯构成的群体、群体中那个渺小而痛苦而惶惑而充满缺憾与弱点的自我的大悲悯，我产生出比以往更强烈的拥抱住一个坚实的东西的欲望。

妈妈那个星期日递给我的三封信，两封后来我撕掉了。有一封我一直保留着。他让我去。他说这回要好好跟我谈一谈。他是唯一对我有吸引力的男人。或者我真能和他进行我所期望的那种谈话。我以前试过。似乎难以如愿。不过也许主要是我这方面有心理障碍。他快达成可毕竟尚未最后达成离婚协议。

他是借了个地方暂住。敲开门以后我吃了一惊。他仿佛自发信后一直守在门里边等待着我。门刚在我身后合上他就粗鲁地紧紧搂住了我。我本能地挣脱着。他对我说："谁也没有。就我和你。谁也不会来。就我和你。"

他简直是把我抱着挪进了屋。这是个很严谨的单元。家具很少但足够使用。

他给我脱下外套，脱下毛衣，刚脱完他又紧紧地搂着我。他确实是一个活生生的坚实的东西。我也紧紧地拥抱住他。他是我内心情欲最向往的那种男人。他脂肪很少而筋腱很多，棱角很多而圆弧很少，须发浓密而不细加修剪，毛孔粗大而血管凸起，他身上绝无香皂发蜡润肤膏樟脑丸一类气息而洋溢着自然体臭。他肩膀很宽而腰肢颇细，胸肌厚实而颈肌灵动，他的亲吻粗鲁而真诚，抚摩凝重而热切。

我用眼睛同他说话。我提醒他许诺了我什么。

"本来约你来谈一谈。商量一下最后该怎么办。现在不用谈了。离成了。上午彻底离成了。我自由了。我是你的了。你尽情地享受我吧。我也要尽情地享受你。"

他开始解我的衣扣。我忍不住抚摩他的脖子、锁骨……我的手指触到了他的衣扣，但我把手指停止在了那里，我用另一只手拨开了他的手。他有点惊异地望着我。

我用两眼望着他。我想他应该问："你为什么不说话？"

可他不问。他的手又开始动，我又把他拨开了。

"你不愿意吗？"

这不是我期待的话。

我用眼睛告诉他，我期待的是什么。其实，很简单。他为什么不问我一下，要不要喝杯水？要不要洗个脸？饿不饿？……既然这是一个安全的港湾，既然已无障碍，为什么要这么着急？我们可以慢慢享受，而且难道我们相互享受，仅仅限于这一方面吗？

他竟不能懂得。他又一次搂住我，并解我的衣扣，我用力把他推开了。

他愣愣地看着我。

我灵魂里起了一阵风暴。这真是一个生死存亡的关头。我的企望其实很低很低。只要他说："让我们坐下来谈谈……"

"你不爱我？"

我并没有点头。

"你不愿意？"

我点头。

他显出几分狼狈。像他那么一个男子汉真不该有哪怕是几分的狼狈相。

我仍旧期待着他说出那句最普通的话来："我们好好地谈一谈……"

可是他把双臂抱在一起。他用真正男子汉的气派和语调说："我是绝不会勉强谁的。"

我把解开的扣子扣上，把毛衣穿上。

"你非得看我那离婚协议书吗？"

我的心碎了。

"你为什么不说话？"

他刚注意到我沉默的分量。

我把外套穿上。

他猛地扑上来，掐住我的臂膊，脸对脸地同我相持。

"你说话！你开口！"

他嘴里的热气喷在我脸上。

我张开了嘴，我确实想出声。

"天哪！你的牙真白！"

他突然发出了一声带颤音的赞叹。

在那一秒钟里，我期待着他紧紧地亲吻我的白牙，或者迸出"咱们好好谈一谈吧"的呼喊，只要他那样，我立刻属于他……

他却突然把我一放一推，同时我听见一句万万想不到的话："算我没福！"

……我在街上走着。人来人往。我强烈地希望能和一个有相应愿望的人好好地、好好地谈一谈。可这个人在哪儿呢？街上没有哪个人注意到我。我在一家商店橱窗外停了下来。商店已经关门，橱窗里的灯还亮着。橱窗里布置成黑丝绒的背景，站立着几个穿裘皮大衣的模特儿。我的身影映在橱窗玻璃上。仿佛是面大镜子。我咧开嘴巴。我头一次发现我的牙齿是那么整齐，那么洁白。我的嘴唇血色也很好。我的双眼很明亮。明眸皓齿。红嘴白牙。我从来没有像这时候那么怜惜自己。

一个几乎没有下巴的金鱼眼男人凑到我身边，小声问我："你有兑换券吗？"同时打着某种代表比价的手势。

他的牙很脏。我感到恶心。

"那……你要兑换券吗？"他眯着眼，改变着手势。

我扭身走掉。

长街上路灯黯淡。远处孤零零地有几处霓虹灯寂寞地亮着。

我不想再步行了。我朝车站走去。

迎面来了个小姑娘，一眼看出是从外地农村来的。她系着此地早已过时的花格头巾，提着个旅行包。我要让过她，她却截住我。

"大姐姐，你帮帮我哟。"

我以为她是向我讨钱。

不是。她把旅行包搁到地上，递我一张纸条。她是问路。我接过纸条，就着路灯光看。那上头写着的地址大体上在这一带，但具体该往哪个方向去找，我也不知道。

我把纸条还给她，摇头。

"你要帮帮我哟。我找得好恼火哟。你莫跟他们一样耍我哟。"

她从四川来。比我矮半头。她仰起脸望着我。并不望着我的眼，而是望着我的嘴。没有心计的人才这样望着别人。

"我是来帮人的。"她又递给我一封信。我不想接可还是接了。我草草地瞄了一遍。有的人信不过"安徽帮"，也信不过"劳动服务公司"，就给老家亲戚写信，让老家的姑娘来当保姆。这的确是最稳妥的路子。我忽然发现那信上的落款日期，距离这天已有半年多之久。我望了她一眼。

她把信收回去，从容地对我说："我晓得，你要问我为啥子不早点来，为啥子不先写个信来，为啥子不叫他们接我……才刚还有个娘娘，说是别个怕早就有了保姆了，用不到我了，劝我转回去算了……你们哪个晓得，我来得好不容易哟！我们那个地方，好远哟，好穷哟，好闭塞哟……进步倒是在进步，好慢哟。哪像你们这里，好多电灯哟，好亮哟。你莫嫌我哟，我心里头有话要讲给你哟，你哪个晓得哟，我有个堂伯爹哟，我堂伯爹是在中学里头教物理课的。他的物理是他老师教他的。那个老先生是在成都上过师范的。我堂伯爹教过好多年的电学，讲电灯电话电路电机，你哪个晓得，他一辈子都是照到课本上写的画的，他老师讲给他的，教给学生，他自己一辈子也没见到过电灯……你莫不信啊，哪个骗你哟，1978 年电线才扯到我们乡里，他病倒在床上，就盼到电灯亮起来，他屋里头也扯了线，也装了灯泡儿，他就是张起眼睛，嘿，总望到那电灯泡儿。哪晓得通电头一天，他就死了！真的死了！我就是从那么个乡里来的，我上过初中，我毕业的时候是全校第七，我在课本上晓得有火车飞机大高楼，我还没见到过，所以我要跑出来……他们要是有了保姆了，我就另外找事情做，我要见见世面，闯一闯。大姐姐，你要帮帮我哟！"

我开始细细地打量她。她长得不好看。眼睛太长太细。她一双手粗大得跟她整个身躯不相称。但她的牙齿很白。如同一处地方的厕所状况是衡量那个地方文明程度的最准确的标志，一个人的牙的洁净程度便是那个人内心对文明追求的努力程度的显现。

我感到梗在胸中的一大块冰冷的东西在开始融化。

"大姐姐，你听不到我说话吗？"她开始熟练地打起哑语来，同时嘴里还在情不自禁地说，"我哥哥嫂嫂都是聋哑人。我们一起种责任田，啥子意思都讲得明哟。"

我用自己的双手紧紧地握住她的双手。

她咧开了嘴巴。这对她来说是个意外。也许从她落生以来从未有人与她以这种姿势相处。

我那20天没有振动过的声带开始振动，我听见一个滞涩然而清晰的声音从我灵魂里冒出来——

"你的牙真白呀！"

……

1988 年

多桅帆船

他犹豫了一下，才向她开口："你能不能，帮我一个忙……"

她正站在 HOTEL 前厅接待柜台一侧，翻阅小支架上那些印制精美的旅游指南。

头一回出国访问时，他几乎是贪婪地收集每个HOTEL里免费提供的各类印刷品，包括房间里梳妆台兼书桌上的皮夹子里的印有标志的信纸、信封和油性笔。但现在对那些东西他碰都不碰。

她侧过脸来，有些惊愕地望着他。

"是这样，"他对她解释说，"我想到商店里，买一只多桅帆船……你知道我口语完全不行……能帮帮我吗？"

"当然，"她口气挺热情，脸上却冷冷的，"当然可以。你要到哪去买？我陪你去。我们走吧。"她从小支架上取出一张当地交通图，装进随身的弯月形挎包里。

那个濒海的小城，在秋日的阳光下呈现出一派懒洋洋的气氛。旅游的旺季已过，街头咖啡座的遮阳伞撑开的不足三分之一。街上行人稀少，汽车泊着的比开着的多。

"我很惊讶，"他对她说，"我没想到西方有这样单调的小城。尤其是旅游旺季一过，这里简直毫无特点。你看这些建筑物，当然，比我们中国的强，可是同其他西方城市的一般建筑太雷同了，就像从一个点心模子里倒出来的，浇上同样的奶油、可可酱，在同一个烤箱里烘出来的。不仅是外形和色彩，连气味都一样。"

"呀。"她同他并肩前行，眯眼望着远方，在他讲话时不失时机地"呀、呀"着。

　　头一回出国时，他不懂英文的"也斯"可以压缩为一个"呀"的音。现在他完全习惯了。他也会"呀呀"地附和别人。

　　"你要去哪一家商店？还远吗？"

　　"还要再拐两个弯，真抱歉……"

　　"没什么，没关系。"

　　"你看，"他觉得与其连连致歉或致谢不如找出点话题来说，"我尽管口语完全不行，可我认路的能力很强，那家商店只是前天路过一次，当时我和老关在一起，在图书馆座谈完了以后，我拉着他跟我散步，我跟他说我们来这个城市三天了，可一直坐着汽车来往于各个活动点与 HOTEL 之间，我们一共只在这儿停五天，倘若我们不抓紧空当散散步逛逛街，那我们岂不是等于并没有来过这里？因为所有的座谈会、朗诵会、酒会与宴会的场所，各处都差不多，唯有街道各不相同……老关开头不干，我硬把他拉着离开了汽车——他一只脚都迈上去了，你当时该已经上车了吧，也许你留下点印象……他说：'人生地不熟的，我半句外语不会，你也只有《跟我学》头一册的水平，万一迷了路，走不回旅馆怎么办？'我跟他说包在我身上，无论在国内还是国外，到了一个新地方我总爱自由行动，我是偏偏要拣别人不走的地方走，喜欢'故入歧途'……老关现在佩服我佩服得不得了，因为这个城市的街道并无特点而我却能仅仅凭着前几天在车子上隔窗浏览的印象，就简直一点误差也没有地带他弯来弯去地弯回了我们所住的 HOTEL……前天我发现了这家商店，当时它过了营业时间，锁了门，可我看它橱窗里摆着好几只多桅帆船，标价都不算贵，我早想抱只西洋风味十足的多桅帆船回去摆在书房里了。早年我对西方生活情调的向往，甚至就凝聚在书房里一只多桅帆船这么个镜头上，当然，是电影里看来的，你觉得好笑吗？"

　　她脸上泛出了一个淡淡的笑。

　　"好，到了，你看，就是那一家。"

　　他们走进去买船，店东是个留络腮胡的胖子，得知他们的来意后惊喜若狂。小城的经济正处在萧条期。造船业和修船业都濒临倒闭，因为韩国无论造船还是修船都又快又好又便宜。这里的沙滩比不上临近的几个小城，旅游业也只是勉强支撑。即使在旅游旺季，游客们进了这个铺子至多也只买一点小小的纪念品，如舵轮形烟缸、靴形温湿度计、海贝风铃等，那几只多桅船已经滞销很久了。

店东把他们当做日本人。他们懒得澄清。店东任凭他们把一只只多桅帆船横过来竖过去举起来搁下去地细加挑拣，她叽里咕噜地向店东问这个问那个，又同店东讨价还价，最后她告诉他店东以远低于标价的数额出售船，并且因为她已告诉店东过些天他得乘飞机回国，店东表示要仔仔细细地给他包装，保证即使把船带到月亮上去也不会因包装不好而受损。

他终于选中了一只，有三个高桅杆，一个矮桅杆，一个斜横的桅杆，总共有十四面大小不一的帆。店东手托船底，将船拿到后堂去细心包装。他觉得用预算时余下的钱还可以买一点另外的小纪念品，便观望翻动着店里的各类东西。他相中了一个锚形笔架，抬头征询她的意见："你觉得这个怎么样？"

他吃了一惊。因为他看见她正在流泪。这是他万万没有预料到的。

"你……你迷眼了吗？"

当然不是。街上并没有穿过海风，店堂里窗明几净。

她一定隐忍了很久。而一旦秘密被人窥破，她也就无所谓了。她任泪水放肆地泻到脸颊上。

他很尴尬。他这才知道她陪他来该有多么勉强。他无意干扰她，更没有探究她个人感情秘密的兴趣。

他装作仔细地观赏那铁锚笔架。店堂里很静，隐约可以听见店东用裁纸刀裁纸的声音。

他纳闷。依他原来的判断，她该是很幸福的。她是同团来访的那位诗人的妻子。他原来并不认识那位诗人，直到上了飞机才认识。他们也并没有坐在一起。飞机在中途站停靠时，旅客们到机场休息厅休息，小部分坐到沙发椅上闲聊或发呆，大部分到免税商店里去逛荡，他在那免税店里才同诗人有所交谈，其时他们俩正巧站在一个摆满首饰的玻璃柜前，诗人是头一回飞出国门，对眼前的一切都感到新鲜。他便用内行的口气对诗人说:"这里的东西恐怕是我们一路上所能碰到的最便宜的……你无妨给你爱人买一件首饰,比如这银制的项链,反正体积不大也没什么分量,你别嫌这时候带上,转来转去转回国太麻烦,我们回来的时候不在这儿停靠了,你何必错过这个机会? ……"诗人弯腰俯身望着他所指点的项链,一边掏钱包一边说:"我这就买,正好,对我来说一点也不麻烦——她会来接我的,一下飞机我就给她戴上……"他这才知道,诗人的妻子原来已在国外,并且将在目的地机场与他团聚。

飞抵目的地以后,一到取行李的地方就谁也顾不上谁了。本来这个访问团的人就多,来迎接的人也不少,混乱中他没怎么注意诗人夫妇久别乍逢的情景,但登上了来接团的宽体旅游车以后,他一瞥中注意到诗人身旁坐着一位全盘西化的妇女,脖颈上明晃晃地挂着诗人在那中途站买下的银项链,是粗犷型的,活像中国戏曲舞台上女囚挂的狱锁。他同时注意到项链上方一双闪着亮光的银鱼般的笑眼。

……他们这个团体行动时,诗人的夫人总随行,译员不够时,她就主动帮着翻译,而主方也总把他们安排在一处歇息。他同她也偶尔聊上几句,模模糊糊地知道她在这儿留学,他对她没有多余的好奇心,所以,直到要买这只多桅帆船以前,他简直没有单独同她打交道的念头。

真古怪,她在这么个店铺里,当着他,流眼泪。再没有好奇心也生出了好奇心。难道是幸福的眼泪? 幸福多得溢出来了? 他们这个大访问团后来分成几个小团,分赴几处不同的地方访问,他同老关、诗人等几位来到了这座濒海小城,来到后他才知道这小城市政府对诗人有一个月的特别邀请,将为诗人夫妇提供位于海滨的一套公寓,并提供若干生活费用,以及在本城辖区内免费乘坐公共车辆和免费观看电影戏剧展览的优待卡。市政府这样作的目的是为了提高该城的知名度,他们将每年从世界上不同国家和地区请几位诗人来,对被邀请的诗人唯一的要求是该诗人至少写出一首关于这座城市的诗歌,然后将原稿及发表件存留该城。她将同诗人在这静谧的小城团聚在设备齐全的公寓里,作诗吟诗,难道这种殊荣、礼遇和乐趣、竟会惹得她泪流满面吗? 诗人和她明天一早就该从 HOTEL 转到那套公寓去了啊……

"你怎么了?"他终于忍不住发问。

她用一块叠得小小的手帕轻轻吸干了面颊上的泪水，但她两眼仍然湿漉漉的。她仿佛不是在回答他，而是在自言自语："真想从桥上跳下去……"

小城有一座长桥，沟通一处半岛。从那桥上跳下去？他这一惊非同小可，险些将手中的铁锚笔架落到地下。

"怎么回事？你？"他细心地挑拣着词汇，仿佛踮着脚尖绕过雨后路面上的水洼："你，遇上什么，不顺心的，悲剧性的……事了吗？"

她点头："我憋了好几天了，我能跟谁说呢？……确实，确确实实是悲剧……我没想到我会这么不幸！……

"不幸？"他望着她，心里还是揣摩不透，他更加小心翼翼地问，就仿佛是踮着脚尖在玻璃板上行走："怎么会呢，你，你们，不是很幸运吗？国内会有多少人羡慕你们……你怎么了？遇上，遇上什么糟心事了？他，他出什么事了吗？"

她调整着脸上的表情。他也听见了动静，是店东把船包装好送过来了。

她迎上去同店东交谈。她告诉他，店东说，采取了科学的方法，用了最好的包装材料，无论是装在箱子里，还是直接提着，都不怕撞，可以稳稳当当地运回他家里。他接过来，看着，捏着，确实包装得非常之好，硬纸壳将船体护卫着，里头有密集的纸条填料，外面有带银花纹的华贵包装纸，而扎住使其成为一个整体的尼龙绳一点不显得粗蠢，上方恰好构成一个提手，并且穿上了不使手掌被勒的硬纸片。

他们又回到了街上，往回走。他提着那只包装好的船。有一段路他们并肩前行但沉默不语。仿佛没有流泪的事发生过。

他觉得很过意不去。

"真对不起，"他对她说，"我不知道你心情这么不好，如果我事先知道，我就不会麻烦你，打搅你了。"

"没什么，没关系……"她两眼只望着前面，望着很远的地方，似乎望着街道的尽头，尽头那边有海，有那座桥。

"我……我能为你做点什么呢？"他真诚地说，"也许，我可以为你做点什么……你无论如何不该有那种念头，那种从桥上跳下去的念头，就是玩笑也不该说……"

"不是玩笑，我从来不开玩笑。"她两眼依然望着最最前面，"我心里难过，唉，你要知道我心里多难过就好了……"

"这样吧，"他建议，"我们到咖啡馆里坐一坐，请你喝一杯咖啡我还是请得起的，我们坐下来休息一下，或者你把心里话跟我说一说，说多说少，都行，不说也行……我觉得你也许需要找一个倾诉的对象，至少需要找一个陪你坐一坐的人……"

"好，我们就坐一坐。"

他们走进前面的一个咖啡馆，找了一个角落面对面坐下。他问她想喝什么，黑咖啡还是加奶的咖啡还是茶或别的饮料，她要黑咖啡，他也要黑咖啡。侍者过来，他不待侍者发话就要了两杯黑咖啡。

她一直没喝那杯咖啡，但她用小勺搅那杯咖啡。她不待他发问就倾诉起来，她的目光没有对着他，她要么眯起眼睛往落地玻璃窗外看，要么就低头望着被小勺搅得旋转成一个倒伞面的咖啡。

"……我到机场去等你们的班机降落，你知道当我从电子显示屏上看见你们班机抵达的信息时有多高兴……他终于来了，终于出来了，费了多大劲啊，到底准许他出来了……我扑上去拥抱他，亲吻他，他也拥抱我，紧紧地，就像他头一回拥抱我那么用劲，他是很有劲的，他吻我不像我吻他那么认真，男子汉总是这样的……他给我戴上了银项链，我感动得不行，因为他手头不会有很多外币，而那项链再怎么划算也是个贵东西……我们一起到了 HOTEL，我高高兴兴地同他进了房间，我让他先洗澡，他洗完了我洗。当我洗完了，从卫生间出来时，他没有像我期待的那样走过来搂住我，却坐在沙发上，让我也坐下，他说：'我要严肃地同你谈一谈。'他要严肃地同我谈一谈！严肃地谈？我没当回事儿。我们之间，还有什么严肃不严肃之分？对我来说，都是严肃的，或者都是不必严肃的……可他要严肃地同我谈一谈！

"他单刀直入地对我说：'我这回来，是要跟你离婚。你得跟我离婚。'我简直蒙了。'为什么？！'我以为他开玩笑。他有时故做严肃相，跟我开玩笑。可这回他不像是开玩笑，也确实不是开玩笑。他说：'很简单。我爱上别的女人了。我带了她的相片来。她是电影学院学导演的，眼看就毕业。她爱我爱得发狂。我也爱她。当然我没她那么疯狂。可我打算跟她过。你得跟我离婚。就是这样，现在我心目中她排在你前头，或者说她取代了你的位置。'我简直蒙了！他刚跟我见面就跟我说这个！……"

他听到这儿，心上本来紧绷的弦反而松了。原来这样。似乎算不了多么新奇的悲剧，并且也不一定将其视为悲剧。不爱了，坦率地说出来，早说早散，对于她，也并非坏事。诗人最忌虚伪，这种直率也许倒是诗人最可贵的素质之一……

"我简直蒙了！他拿她的相片给我看，我看了，她不如我，一眼可以看出来不如我，容貌不如我，气质也不如我……我勉强支撑着跟他出席了晚上的欢迎酒会，你们哪里知道，我是强作欢颜，洋人们也都没觉察出，我就像安徒生童话里那只把鱼尾变成了双脚的美人鱼，我的脚下在流血，我嘴里却吐不出一个字的哀叹来，我脸上还得挤出一个像样的微笑……回到房间，他一把攥住了我说：'你要照常跟我做爱。照常。'我挣脱了他，我说：'我有自己住的地方。我回去。既然你要跟我离婚，你怎么又提这样的要求？'可他硬要我留下，不仅留下，还硬要同我做爱。他说：'就是这样，你得依着我。而且我相信到头来你会依着我。因为你爱我。我也需要你永远爱我。可我不能够也没有必要永远像以往那么爱你，因为我现在确确实实更爱她。我是个忠于自己感情的人。我不想虚伪，也不会虚伪。'我哭了，我骂他，我问：'你同我做爱，可心里想着她，对吗？'他说：'当然。因为我现在没法跟她做爱，所以你该代替她满足我，因为你爱我。'……你想想看，我落到了什么样的境地！"

听到这里，他拧起了双眉。他呷了一口咖啡，出声地咂着唇舌。她感觉到了，她的声调忽然一变。

"……我确实爱他！他确实太值得爱了！就在那个万分痛苦的夜晚过去以后，凌晨他冲了个澡，站在窗前，望着异国的曙色，用铅笔头飞快地在纸片上一口气写下了两首诗，就是后来当众朗诵的那两首，我翻译给大家听了以后，获得热烈掌声的那两首……

"他确实太值得爱了！爱他的人很多这并不奇怪，应该的！我回想起十年前，我头一回看见他的时候，他也是那么一站，一张嘴，一行诗句，一个手势，我就疯了，疯了似的爱上了他。当时不止我一个，我知道在场的姑娘，乃至妇人，几乎都爱上了他，可他后来竟属于了我，或者说我竟属于了他，我真幸福，真幸运！

"他一直不顺。他事业上一直很不顺。开头，大不顺。因为他和他的那些朋友，他们不过是写诗、油印诗、朗诵诗、讨论诗、交换诗，可人家总把他们看成政治上图谋不轨的人物。他们惹出了许多麻烦来。后来，他被单位除名了。再后来，他们原来一块儿的，有的被官方承认了，有的跟洋人挂上了钩，都混得不错，他呢，却潦倒在胡同深处。我就一直找到胡同深处，的的确确，是最长最深的死胡同的最尽里头，我在那个破杂院的破东屋里找到了他。他给我读他刚写出的诗，我觉得他把他最宝贵的东西给了我，我感动得灵魂发抖，我自己都仿佛能听见我灵魂抖动时发出的那种不寻常的瑟瑟的响声……我对他说：'我愿意为你死，为你献出一切，你说吧，你要我死，还是要我为你贡献点什么……'他望着我，两只眼睛那么深沉，那么明亮。他说：'我请求你，慢慢地、慢慢地，解开你胸前的扣子……'我就慢慢地、慢慢地，为他解开了，他眼里涌出了泪水，那泪水虽然并没有流出来，却像清潭一样漾着波环，他久久地、久久地望着我的胸膛，最后，我忍不住像闪电一样扑向了他，紧紧、紧紧地搂住了他的脖子，把自己的胸膛紧紧、紧紧地贴住了他的胸膛……我们的那种相互享受，相信达到了世界上最高的量级，你享受过吗？我知道，许许多多的中国人，即使是诗人，艺术家，也没有享受过……那神圣的时刻，我们觉得相互的结合构成了最美的诗，最美的艺术品……"

他倒恢复平静了。他觉得又并无多少新奇之处。他把眼光落到放在小圆桌旁地板上的包扎好的多桅帆船上。他想象着那多桅帆船安放在书房书柜顶上的景象。他脑海中浮现出他向来客指点多桅帆船的镜头。倏忽他又觉得多桅帆船在海上行驶着，那已经不是什么模型，而是真的巨大的多桅帆船。每一张帆都被风吹得向一侧鼓胀并呼啦啦地发响……

他忽然发现她"哧哧"地笑了，但睫毛上挂着泪花，她的头优雅地偏摆着，一绺秀发耷拉到面颊上摇晃着，她那做派确实像个地道的西方妇女。她依旧并不看他，而是吟诵似的倾诉着。

"……我好笑吗？我相信永恒。我以为我们之间的关系是永恒的。事实上他也

写过关于永恒的诗。我原以为只有我能深入到那诗句的精髓里去。十年前我才刚刚
二十岁。这十年我把一切一切，从青春到财富，统统献给了他。十年前我家是很沦
落的，我父亲是资本家。可后来就像你可以猜想到的那样，落实政策了。尽管我父
亲不以为然，母亲坚决反对，哥哥简直要动手跟我打架，我还是为他争取到了政府
给我家落实政策的房子里最好的一套——尽管我跟他结婚了，我们住了一套，我还
是硬把我家的另一套最好的房子争取到手，让他一个人享用，并且帮他布置成了一
个高雅舒适的沙龙。我们家的人为什么拗不过我？因为我们是一群'杵窝子'。光知
道窝里狠，一迈出门坎从舌头到腿脚就都软了，落实政策的一切后果，几乎都是我
单枪匹马去据理力争来的……我不光天天去上班挣钱，下班回来给他做饭煮咖啡洗
衣服削苹果，晚上任他尽情享受，我还赤手空拳地去为他包打天下——你知道那是
很不公平的，他明明是那场诗歌运动的无可争议的发起人，可是无论官方还是洋人，
无论从哪种角度，都没有认可他应有的地位。他可以满不在乎，我却咽不下那口气，
于是，我就行动起来了……高潮是我在他的沙龙里成功地组织了一个'派对'。那天
来的人真多，尽管我准备了上百瓶喝的，从拿破仑威士忌到长城牌干邑葡萄酒，从
可口可乐到强力啤，还是几乎不够他们喝。有趣的是官方的人士来得最多，他们几
年前要么对他那样的诗人嗤之以鼻，要么避之不及，还有的干脆是压制和扼杀的态度，
可那天他们不光兴致勃勃地来了，还争先恐后地凑近他献媚，有的说早就佩服他的
诗作，有的跟他约稿说马上就发，最有意思的是有的官方人物一进屋就眼珠子乱转，
看还有哪些同类的人物被邀请了，算计着有哪些同类被我们排斥了，或者沾沾自喜，
或者多少有点惴惴不安……洋人到得也不少，几个使馆文化处的二秘、三秘都来了，
还有外国通讯社的驻华记者，可惜汉学家只有那么两三个，而且令我很恼火，因为
他们都有先入为主的毛病，他们已经写过文章，翻译过一些诗，他们在介绍那场诗
歌运动时捧了别的人，他们不愿意改口，因为改口对他们不利，等于否定他们以往
的学术成果。我可是不饶过他们，'派对'里我重点争取他们，谢天谢地，总算有位
明白人，他后来接受了我的灌输……这回这个城市邀请我们来住一个月，就是由于
他的大力推荐，他并且先后译出了三十首诗，我又替他译出了三十首，这样合起来

可以印一本诗集了，我已经联系好了一家出版社……"

　　他听得出神，但他并不是在为她的命运担忧。他从她的倾诉里捕捉到了若干有趣的东西。有趣，确实很有趣，他想，他希望她多讲些类似那个"派对"的事。

　　但她又泪流满面了。她的嘴角和鼻翼都抽动着。这时她绝不像个西方妇女了，尽管她的衣装和修饰都是绝对的西化的，她的表情却是地道的中国妇女的表情，这类表情他是最熟悉不过的。

　　"没有想到我这么命苦！……我出来留学，完完全全是为了他，为了让他也能出来……我每隔两三个月就给他汇一笔美元。他以为我在这里混得很容易。这也不怪他。我在给他的信里总是报喜不报忧的，其实我在这里简直是玩命儿挣扎。我那个经济担保人，我姑妈，她认为自己能出名担保我就已经是百分之百的施恩了，她没等我住满一个星期就让我从她家搬了出来。我白天上学，晚上打工，为了突破语言关，为了凑足学分拿到学位，我每天常常只睡三四个小时，有时一顿饭就是一个煮鸡蛋、一杯红茶、一个苹果……我还自觉地为他保持贞洁，有个德国种的小伙子，是校际健美比赛的冠军，他天天往我住处送鲜花，有一回他竟跪在我面前，只求我让他摸一摸、亲一亲……我简直伤透了他的心，我这都是为了什么呢？一切都是为了把他弄出国来。我到处找机会，最后终于找到了你们这次机会。为了把他塞进你们这个访问团里，我真是费尽了心机，可到了最后关头，不是国内，倒是这边的基金会提出了质疑，他有什么重要的作品啊？有什么新的作品啊？我急疯了，我给他打长途，他一听见我的声音就骂我：你他妈的捣什么乱？那时候这边是白天，可中国已是深夜，我费了老大的劲才让他明白过来，如果他不赶快拿出新写的长诗来，出国的事就黄了，为打那次电话我花去了整整半个月的工资。他不懂。他根本不懂，不过他总算把长诗寄来了，我先翻译了一遍，再求这边的汉学家给加工，算汉学家的译作，没地方发表，我就自己给汉学家报酬，并且自己打印，为了这件事我又有一个月没去打工挣钱。你想知道我打的什么工吗？当然，洗过盘子，也端过盘子，后来我每晚去给一个孤老太婆读小说，她只听狄更斯的小说，所以我现在对狄更斯很有研究……再后来我又去给人看守空房，但那家人养了五只猫，我得天天为他们照顾那五只猫，结果主人回来时发现有两只猫瘦了，还厌食，就没给我原来说好的那么多工钱。我告到法院，胜诉了，但他们补我的工钱，还不够我付请律师的那份费用……"

有两个客人从他们的小桌边走过，他警觉地把多桅帆船挪得更靠近自己腿边，他想象着多桅帆船摆妥在国内书房的情景。他对她的声音产生了一种厌倦感。

她难得地瞥了他一眼，她把一绺掉到面颊的头发重重地甩回去，声调又突然一变。

"你在心里头否定他吗？你在对他进行道德批判吧？你，你们，一个都不配！告诉你，他是高尚的，是真正的男子汉，所以他才下了飞机进到 HOTEL 房间就马上跟我那么说。他照常做爱，照常写诗，照常发言，照常朗诵，照常答记者问，照常喝酒，照常抽烟，照常用力地咀嚼食物……我在酒会上常常从一旁呆呆地望着他，我就觉得他实实在在是了不起的天才，并且他坦坦荡荡地做一个人，他真正做到了以自我为本位，而生活、而创作、而爱、而恨，他那么潇洒，那么帅！你，你们，在他面前应当惭愧！你们不觉得自己猥琐、苟且，没个男子汉的样儿吗？嗯？"

他吃惊了。似乎也确实从心底里升出来一种羞愧，但升到半截就哽住了，并迅速消散开去，他下垂的右手握住那多桅帆船的包装提手，他想结束这场谈话。窗外的阳光变得晦暗无力，天上有一大片云彩很像巨大的紫玫瑰花瓣。

她却突然哭出了声来。他更吃惊了。他呆呆地望着她。她掏出手帕，满脸按着，不是揩干而是按干那泻下的眼泪。她很不容易才忍住了呜咽。他的右手松开了那多桅帆船的包装提手。

"你说我该怎么办呢？"她热切地问，仿佛面对着一个最可信赖的老友，"我是不是应该立刻飞回国内？我要找到她，我要看一看她究竟是怎么样一个人。我要跟她比一比，她应该明白，她不配，属于我的谁也夺不走，我是很厉害的，她要小心！……真的，这几天别看表面上我随着你们这里来那里去，该说的说，该笑的笑，我心里头一直转悠着这个想法：我要不要立刻提起脚来，去机场，买一张回国的票，立刻飞回去，火速把问题解决？我该不该这么办？嗯？"

他沉默着。

"我把这话跟他说了。他很冷静。他说：'那是你的权利，天赋的。你愿意那么做，请立刻做。可是——，他一说'可是'我的心就怦怦乱跳，我期待着……可我期待的落空了，我听到的话使我更加痛苦，他说：'可是——你得尽你的义务。你爱我。所以义务也是天赋的。我在这里没翻译寸步难行。你得陪着我。给我当翻译。住进那公寓以后你得照顾我的生活。我的诗翻过去印诗集你也得干到底。'我质问他：'你来以前，为什么不先来封信，让我先有个思想准备？'他说：'先写信告诉你，你小心眼儿发作起来，说不定会存心坏我的事，让我来不成了，所以我必须来了以后再告诉你。'我说：'你太残酷了。'他说：'这算残酷吗？那就再残酷一点，告诉你吧，是她送我到机场的。并且你那次来长途让我寄诗，我跟她正睡在一块儿呢，你他妈的就不会拣个合适的时候！'我说：'既然这样，你就一切都靠她吧，靠她的爱活去吧，靠她给你尽义务吧！'他说：'那当然，将来全靠她。可她现在还没出来，还靠不上。'我问：'她也要出来？她有路子？'他说：'没什么路子。路子就是你。你把我弄出来了，你懂这边的法律，你有这边的关系，你找个基金会什么的，给她找一笔钱，给她发邀请信，把她给我也弄到这儿来，她来了以后你的任务就完成了，你就彻底自由了。当然，你恐怕还是爱我，那就这样吧，她是我的妻子，你是我的情妇。'……天哪，我落到了这般境地！我该怎么办？该怎么办呢？"他清了清嗓子，简直是敷衍地说："我……很感谢你对我的信任。你跟我讲了这么多，这么多。可这完全是你个人的事，是你的私生活，我……实在无法贡献一点点有价值的见解或建议……"

她却仿佛丝毫没有听见他的这些话，而是突然发问："你听到狸狸自杀的事了吗？"

他一愣。"谁？谁自杀的事？"

她诡秘地冷笑了。她说出了另一位诗人的名字，然后说："狸狸是他的妻子，她长得小巧玲珑，像一只美丽的狐狸，所以大家叫她狸狸，她也就用狸狸做笔名，写诗。我跟狸狸也许是殊途同归。她是干部子弟。可也怪，十年前，最着迷他们那群诗人的，就是我跟狸狸这两极的人。资本家的女儿和共产党干部的女儿走到一起，手拉着手，仰着脸，听诗人们朗诵，热血沸腾，心潮澎湃，一股脑儿把青春，把所能弄到的一切，贡献给了他们。可狸狸今年春天自杀了。你以为我在这儿什么都不清楚？我什么都清楚！狸狸的父母几乎不认她了，狸狸的姐姐姐夫把她视为堕落，连狸狸的弟弟也把她当成家庭的羞耻——嫁给一个无业游民，可狸狸跟我一样，义无反顾。她也弄到了房子，她也竭尽全力地布置沙龙，搞'派对'。她崇拜丈夫就像宗教徒崇拜上帝，可她突然自杀了。所有的朋友事先都没捕捉到一点先兆。据她丈夫说，只是因为他们拌了一次嘴，丈夫对她说：'当时我有的是可挑的，今天能挑的也不少，真后悔怎么就偏偏挑上了你！'她说：'你要不爱我我就只能死去！'她丈夫说：'你死去吧！'后来丈夫出去会朋友，她就躺到床上，用刀子割破了动脉，她全身的血几乎都流出来了，淌了一地……第二天，你知道狸狸的丈夫忙着干什么吗？他忙着去找房管科，要求赶快给他换房子，因为那血怎么也擦不干净，而一位汉学家很快就要来找他，如果不换房子有碍观瞻，影响不好……那房子是狸狸名下的，那汉学家也是狸狸千方百计给联系来的，你知道吗？这就是狸狸的命运！啊狸狸……"

她眼里没有了泪水，大睁着，朝着窗外的落霞，显得红红的，仿佛炭火。她脸上那诡秘的冷笑抖动着，令他感到悚然。

"……他来以前，我刚接到朋友的信，详细告诉了我狸狸的一切。朋友告诉我，不止他一个人，他们一群人传阅了狸狸遗留下的诗稿以后，都惊讶得不行，因为狸狸的诗压根儿就比她丈夫的好，要高整整两个档次以上，真不理解她为什么要那样看待自己和处置自己……我没跟他讲到狸狸，他不跟我提狸狸丈夫，不跟我提狸狸自杀的事，我也不问，可我这些天真怕想到狸狸，真怕他忽然提到狸狸，提到跟狸狸有关系的事。我也真怕自己忽然问起狸狸的事来，因为，因为如果那样，我就会立刻爆炸！炸得粉碎！你懂吗？懂吗？炸得粉碎！"

他的心悸动了一下。她忽然用一双滚烫的眼睛寻找他的眼睛，逼他对视。他慌乱地躲闪着，他的腿碰到了那多桅帆船，将它碰倒了，使他自己吃了一惊，也使邻桌的客人吃了一惊，她却从容地俯身将那只包装好的船扶起，并从容地直起腰来，从容不迫地继续逼他对视，并从容而坚定地向他发问："你既然听到了这一切，你就有义务回答我，你告诉我，我该怎么办？今天晚上你和老关乘火车离开这里，我打算不通知他就跟你们同车离开，你说我该不该这样做？”

他感到遇上了有生以来最难的考题。

他回避着她的目光，但那炭火般的目光烫着他的脸，他深知在这个问题面前自己必定是个劣等生。他嗫嚅地说："这……当然，这完完全全是你个人的事，你们两个人的事……这个小城，听说连一个华裔都没有，也没有一个汉学家，他又一句英文也不能说，住进公寓以后，这一个月他可怎么生活呢？怎么买东西呢？怎么问路呢？怎么跟外界联络呢？……当然，这也许，并不是主要的，主要的是……你们毕竟还是夫妻，啊，当然，你很痛苦，所以……你应该是自由的，你应该自由地作出决定……"

她端起咖啡，把那已经凉透了的咖啡一仰脖全喝了，从桌上的扁盒里抽出一张餐巾纸，揩干嘴角，站起来，仿佛什么事也没有发生过似的，平静地说："回HOTEL 吧，提好你的多桅帆船。他们可能都在等我们，凑齐了好吃晚饭。"

"呀。"他也就站起来，把多于两杯咖啡的钱搁到桌上，并提起那只多桅帆船。

他们出了咖啡馆，在夕阳映照和海风吹拂下，朝 HOTEL 走去。

1989 年

黄　伞

丈夫回家第一眼就看见了那把黄伞。

"银娣！"他盯住那把黄伞，大声召唤，"银娣！谁来过？"

银娣从厨房里跑出来，手里提着菜刀。银娣是个刚从乡下来没多久的肿眼泡的姑娘，她对他说："嗯，有个人来过，我跟他说你们都不在家，他呢，他就站在你这儿，他先说，他等等，后来，他又说不等，他就走了……"

"他姓什么？你问了吗？"

"他没说。嗯，我没问。"

"你看你，该问问他姓什么？有什么事？……这伞是他挂在这儿的吗？"

银娣歪头望着那把挂在门边墙上挂钩上的伞，肿眼泡显得更肿："嗯，我不记得了，也许是他的……"

"你怎么不记得了呢？你怎么不注意呢？"他责备她，眼睛却仍盯住那把黄伞，出声地寻思着，"天虽说阴一片点，可并没下雨呀，他怎么就带这么大一把伞呢？又怎么就挂在这儿，自己走掉了呢？他是谁呢？"

那是一把不能折叠的大号钢骨架尼龙面伞。半新不旧。最古怪的是它并非黑的，而是黄的，黄得刺眼。不是正儿八经的黄。

妻子回家来也是第一眼就看见了那把黄伞。

"银娣！"她呼唤的声音更大。

银娣从厨房里跑出来,手里提着锅铲。

丈夫闻声从他们那个三居室单元最大的那间里快步走出来。

"三曹对案",不得要领。

银娣急得肿眼泡里蓄满了咸水儿,可就是说不清来过的那个人究竟是多大年纪是胖是瘦是高是矮,丈夫和妻子轮番盘问到最后,她竟愈发连那人究竟是男是女也说不清了。

晚饭没吃好。电视没看好。一夜没睡好。

第二天一早,夫妇俩循例先去楼下小公园练气功。原本两个人都将一吹、二呼、三嘻、四呵、五嘘、六哂顺利完成,这天丈夫只做到三嘻,妻子只做到四呵,便难意守丹田。在分手各自乘公共汽车上班以前,他们愁眉不展地对望着,那把色儿不正的黄伞,从他们的上丹田玄关穿过中丹田腹中直插下丹田气海。

这天从各自机关回到家中,他们忍不住没完没了地研讨着,从吃饭到看电视到洗脚到上床到熄灯到背靠背睡和面对面睡。

"谁呢?……"他把他能想到的三亲四友以及任何有瓜葛的人一一列出,结论是其中任何一个也不可能昨天到他们家来,并且绝不可能持有一把黄伞。

"难道是……"她也把她所想到的所有"嫌疑分子"包括小学时代的校友一一清点了一遍,结论与丈夫相同。

"银娣怎么就这么糊涂?"

"都怪你,非要从老家搬来这么个傻丫头,要是就从这里的劳动服务公司请,绝不会像她这么懵懂,连来的人什么模样都记不清!"

"会不会是……坏人捣鬼呢?!"丈夫把问题引开。两个人顿时毛骨悚然。

床头柜上闹钟的滴答声忽然特别沉重。

静默了两分钟。妻子忽然翻身下床。丈夫按亮了床头柜上的台灯。不一会儿两个人都行动起来,配合默契。丈夫特意踮着脚尖去望瞭望小间里的银娣,那肿眼泡姑娘正在睡梦中磨牙。

大立柜里什么东西也没有少。柜里放存折的小抽屉检查了,放现金和票证的小抽屉也检查了……最后连厨房的碗柜、过厅的冰箱都打开查看了，秋毫无犯。家里什么也没有少。

但两个人再也睡不着觉。家里多了一把黄伞。这才深切地体会到，家里多了东西远比少了东西可怕。

两个人穿着睡衣，呆呆地站在单元一进门地方，死死地盯着那把在电灯光下黄得格外恐怖的伞。

妻子扭头望着丈夫，丈夫意识到一个任务历史地落到他的肩上，他视死如归地屏住气，伸手从挂钩上取下了那把伞，哆哆嗦嗦地将伞撑开，一下子夫妻二人全笼罩在一片仿佛烫人的黄晕中。妻子"呵"了一声，丈夫果断地把伞合上，但那合上的叭哒声格外响亮，使他们两个人都摇晃了一下。

"伞倒是平平常常的伞。"丈夫仿佛走夜路唱歌自慰般地说。

"就是太黄。"妻子躲远一步，仿佛那伞会跳起来咬人一口。

"干脆把它扔了算了。"

"不行……"妻子没有说下去，丈夫心里替她说了，不能扔，扔到楼道的垃圾孔里，会形成堵塞；直接扔到垃圾站去，倘若被人看见，会让人起疑——好好的伞，为什么要扔掉呢？半夜里比如现在，拿去扔，也许不会有什么人看见，可自己又仿佛成了个贼，不能扔不好扔没法儿扔……

他把伞又挂了回去。

"也许，明后天人家就会回来取的。"两个人同时想到这一点，对望一眼，释然了。一先一后打起了呵欠，重新上床的时候，两个人各自有着淡淡的微笑。这样一把伞，人家不会放弃的，来取的时候，自然真相大白。

再一个清晨，两口子临出门对银娣千叮咛万嘱咐，倘若那人再来而他们都未回家，一定要问清他或她姓什么叫什么从哪儿来为个什么，并且最好请他或她留下来等一等，给他或她沏一杯茶，倘若他或她又不等到主人回来便走掉，那么一定提醒他或她别忘了带走上次留下的那把黄伞，并且应当记住他或她大约多高大约多大是胖是瘦穿着打扮有什么特点说话有没有口音……

"我让他留张条子再走。"银娣毕竟是初中毕了业的，肿眼泡看上去比往常平整许多。

可他们先后脚提前从机关回到家里以后，都悚然地发现那把黄伞仍挂在那里，并且银娣先是提着菜刀后是提着锅铲主动从厨房里跑出来迎着他们报告："没有人来过。"

吃饭的时候她问他："你在单位里是不是跟人家讲了？"

他愣了一下，摇头。她便知道他一定是穷极无聊，跟同事们讲了家里忽然多出把黄伞的事儿。她用劲扒饭，筷子碰得饭碗噼啪响，两眼恨着他。他心中直后悔。

看电视的时候他问她："你是不是给妞妞打电话了？"妞妞是他们的独生女，早已嫁出去另过。她那婚事他们竭力反对过，伤了感情，因此来往并不密切，何况妞妞一家住在跟他们这个地方成对角线的城市另一隅，倘若老远跑来了，断不会不留下来，银娣虽然从乡下才来不久，还没见过真人，但挂在墙上的照片是看过的，断不会糊涂到不认妞妞。所以他们昨天早已作出过判断，不会是妞妞来过留下了这么把黄伞……尽管如此，他断定她还是从单位给妞妞挂过电话，她既在办公室挂电话，问黄伞什么的，那就无异于他与同事们闲聊提及此事，这么一来，"一比一平"，他望着她，很是解气。

忽然有人敲门，两个人同时从沙发上跳了起来，争着去开。银娣早一步去开了门。大败兴。是同楼的邻居，轮到算水电费，来查电表的。电表就在一进门那排挂钩上头，因此查完电表，邻居的目光从那把黄伞上扫过，只听邻居说了句："呵，这伞可真黄！"送走邻居以后，两口子心里乱扑腾了一阵，"呵，这伞可真黄"究竟是一句多大分量的话？说不清楚，可又不能不说。

妻子伸手去取那把伞，要把它暂时藏起来，心想把它先搁在阳台上，干脆放进阳台上那原来装冰箱的空纸箱子里。丈夫不知是有意还是无意碰了一下她的胳膊肘时，她斜眼一瞥，恰同银娣的目光相对。银娣那目光使她缩回了手去，她装出若无其事的样子走回去看电视。他跟着去看电视。他们从来都觉得电视不好看，但他们每天晚上都要那么看一阵电视，就如同他们每天早上都要那么练一阵静气功一样，他们想长寿，活得长长久久，以延续这种每一天如同一滴水般相似的生活。

再过一天还是没人来取那把黄伞，但晚饭后来了个客人，外地出差来的，十八年前同他们在一个"五七干校"待过。他们给他沏上茶摆出瓜子和葡萄干，聊起天来。不知不觉过去了两个小时。两个多小时里他和她把黄伞彻底地忘了。他们发了些属于"大路货"的牢骚，诸如物价飞涨啦，拿手术刀不如拿剃头刀的挣得多啦，世风日下啦，中国人的故事怎么倒让外国人拍了电影啦，等等，得到了一种很大的心理满足，就是安安全全地"反动"了一番。他们聊天的高潮是共同回忆起"五七干校"时的美好时光，最美好的情景就是干完了活儿倚着打麦场的麦秸垛让夕阳晒着让微风吹着，他们在"五七干校"都属于既轮不到被人斗也轮不到去积极斗人的角色，"那时候真省心，反正好好干活就是了，干完活食堂打饭去。"他说。妻子和客人笑眯眯地冲他点头。

客人告辞的时候他们还真有点依依不舍。忽听外面有雷声，雷声使他和她迅速地想到了：伞，黄伞。

客人来时没有带伞。他急中生智，一把取下那把黄伞，递到客人手中："给，给，拿着，拿着。"她顿开茅塞，立刻配合："用吧，用吧，不用忙，你就拿去留着用吧！"

听见了很急的雨声，客人确实需要伞，但客人自己从那排挂钩上取下了另一把伞，那是他们自备的一把伞，正儿八经的折叠伞，也就是黑颜色的尼龙伞。客人仿佛说了几句："那就借这把吧，黄伞可怎么用呢？"客人飘然而去以后，他望着手中的黄伞，她盯着他手中的黄伞，发愣。

又过了一夜是星期天。一大早楼下就有"有废品的我买"的吆喝声。她让银娣去卖早就攒好的一堆旧报纸和空瓶子，忽然灵机一动，当银娣就要出门时，她把那黄伞取下来，搁到银娣提着的装废品的蛇皮包里，义无反顾地嘱咐说："卖了它！反正没人来取。我们也绝对不要用！"

银娣刚要出门，他抢上几步堵住她，把那黄伞又从蛇皮包里抽取出来。她和银娣都诧异地望着他。他青筋直颤，几秒钟后才气咻咻地说："这多不合适，好好的伞！"

银娣走了，她才要开口同他争个高低，他急急摆手，又努嘴让她同他一起到玻璃窗前，用手指头朝窗外点着。她顺着他的指点看到了那推着带两只大筐的加重自行车收废品的人，是个 30 来岁的乡下人，头发扎揸着，正咧着大嘴吆喝："有旧报纸空酒瓶塑料鞋的我买！"

他压低嗓门告诉她，"好多这样的，都是公安局派来的——"

她瞪了他一眼："神经病！"

可是当晚他们上床以后，她忽然对他说："要不，咱们主动到派出所报案去，把黄伞交给他们？"

轮到他瞪了她一眼："神经病！"

当夜两个人都噩梦联翩，惊醒后他记得的梦境是：仿佛是在课堂上，但又仿佛隐隐有"——从宽！——从严！"的口号声，他面前站着一个人，脸上没有五官，他手中被塞给了一只蘸好墨汁的毛笔，仿佛是强有力的人物在测试他，看他能不能在那张肉嘟嘟的脸上恰当地勾画出令测验者满意的五官。他的手哆嗦着，越哆嗦越厉害，以致把毛笔上的墨汁溅得如雨点一般。转瞬间他似乎又站在一旁，看见他自己脸上并无五官，而原来那个没有五官的人手中捏着一管毛笔，也蘸好了墨汁，正被某种强有力的力量驱使着要往他脸上勾画……一个很高很大的麦秸垛突然显现，周遭坐着一圈晒太阳的人，每个人脸上都没有五官。忽然听见搪瓷盆磕碰的声响，仿佛是一处食堂，很大很大，弥散着熬白菜的气息。一个个搪瓷饭盆排成队，轮着让一只冒着热气的钢精勺往里面盛菜，钢精勺往搪瓷盆里盛着湿漉漉的怪东西，那些东西渐渐看清楚了，是一些人的五官：眼睛、鼻子、耳朵和大大小小肥肥瘦瘦红红白白的嘴唇……叭哒叭哒地落在搪瓷盆里。他在梦里面对这情景很是快慰，但惊醒后他恐怖得要命，并且当他彻底清醒以后，他痛楚地意识到单元门旁的挂钩上还挂着那把黄伞，他很诧异他的梦境里竟然一丁点黄伞的影子也没有。她的梦境却纯然是关于黄伞的，那黄伞像蛇或蜥蜴般地蠕动着、爬行着，追逐着她，她吃力地逃遁着，有一次，她看见妞妞就在旁边冷冷地看着，她大声呼救，妞妞竟然无动于衷。又好像来了银娣，两个肿眼泡格外丑陋，银娣只顾提着个蛇皮包在那里走，根本没看见她也没听见她，她逃避着越来越狰狞的黄伞，倒是那个收废品的乡下人不知从哪儿挺身而出，举起那杆称废品的秤来打那黄伞，但黄伞竟一下子扭曲着缠住了那乡下人的胳膊。她声嘶力竭地惊叫着，感到陷于孤苦无告的悲惨境地……她猛然惊醒后立即坐了起来，一身冷汗，喘个不停。

记不得他们是怎么交流的，反正他们又一次配合默契，他去取来了那把伞。然后把屋门紧紧撞住，她拿出了亮闪闪的裁衣剪，他找出了老虎钳，她将那黄色的尼龙伞面剪得粉碎，他拆下了所有的钢撑条，最后她用一只黑颜色的塑料口袋装起了所有的黄色碎片，而他则用几片旧报纸裹起了那拆得七零八落的撑条和折成两截的伞杆。

天刚泛出蛋青色，他们已经出现在楼下的小花园里，毁掉的黄伞已顺利地绝不引人注意地扔到了垃圾集中站的垃圾桶中。那一天他们把静气功的"六字决"连续运行了两遍，事后他们互相告知，他在"五嘘"时达到了前所未有的最畅快的境界，而她从"四呵"到"六哂"都飘飘然有成仙的感觉。

1988 年

附录一 刘心武文学活动大事记

1942 年

6 月 4 日生于四川省成都市育婴堂街。

后在重庆度过童年。

父母兄姊均热爱文学艺术，深受家庭熏陶。

1950 年

随父母迁居北京，从此定居北京。

在隆福寺小学上小学，在北京 21 中上初中。

1958 年

在北京 65 中上高中。

给若干报刊投稿，屡被退稿。

8 月，在《读书》杂志发表《谈〈第四十一〉》一文，是投稿第一次成功。

1959 年

在《北京晚报》"五色土"副刊陆续发表一些儿童诗、小小说。

为中央人民广播电台少儿部《小喇叭》（对学龄前儿童广播）编写若干节目；其中快板剧《咕咚》经编辑加工、录制后大受欢迎；"文革"中录音带被销毁；1991 年重新录制播出。

1961 年

毕业于北京师范专科学校,分配到北京 13 中任教。

至"文革"前,在《北京晚报》《中国青年报》《人民日报》《光明日报》《大公报》《北京日报》《体育报》《儿童时代》《大众电影》等报刊上发表了约 70 篇小小说、散文、杂文、评论等文章。

1966—1976 年

"文革"中,因 1964 年曾发表过一篇关于京剧的文章,以"反江青"罪名被冲击。

1974 年后再试写作,曾写一关于"教育革命"的长篇小说,由出版社联系获准脱产修改,但终未达到当时出版要求。

1976 年

写出一个大院里孩子们同坏蛋斗争的中篇小说《睁大你的眼睛》并得以出版(北京人民出版社)。

又按照当时政治要求写出一些短篇小说、散文,有的到次年才收入多人合集中出版。

调到北京人民出版社(后恢复"文革"前社名:北京出版社)文艺编辑室当编辑。

1977 年

11 月,在《人民文学》杂志发表短篇小说《班主任》,产生重大影响——被认为是"伤痕文学"的开山作,也是"新时期文学"的发端;从此成名。

从《班主任》后,写作冲破懵懂,沿着认定的方向跋涉,穿越风云,锲而不舍。

1978 年

参加《十月》杂志(开始以丛书名义出版)创刊工作,在创刊号上发表短篇小说《爱情的位置》,经转载和广播,影响巨大。

在《中国青年》杂志上发表短篇小说《醒来吧,弟弟》,反应亦极强烈。

《班主任》《爱情的位置》《醒来吧,弟弟》均被改编为广播剧,由中央人民广播电台多次广播,《醒来吧,弟弟》被搬上话剧舞台;此年发表的短篇小说《穿米黄色大衣的青年》亦由电台播出。

1979 年

在首届全国优秀短篇小说评奖中《班主任》获第一名。颁奖会上，从茅盾先生手中接过奖状。

参加中国作家协会第三次全国代表大会，被选为中国作家协会理事。

成为中华全国青年联合会常务委员，至 1993 年卸任。

9 月，参加中国作家代表团访问罗马尼亚，此系"文革"后第一个作家出访团。

在《人民文学》杂志发表短篇小说《我爱每一片绿叶》，写作技巧有长足进步。

1980 年

调至北京市文联当专业作家。

《我爱每一片绿叶》获 1979 年全国优秀短篇小说奖。

《看不见的朋友》获 1954—1979 年第二届全国少年儿童文学创作奖。

在《十月》杂志发表中篇小说《如意》，其弘扬人道主义的追求引起争议。

出版《刘心武短篇小说选》（北京出版社）。

1981 年

在《十月》杂志发表中篇小说《立体交叉桥》，引出更大争议，一些评论家认为"调子低沉"是步入了写作上的歧途，另有评论家则认为此作标志着刘心武的小说创作在反映现实、探索人性及艺术工力上均达到了新的水平。

5 月，应日本文艺春秋社邀请访问日本。

1982 年

应导演黄健中之请，改编《如意》；北京电影制片厂拍成彩色艺术片《如意》。

1983 年

11 月，参加中国电影代表团赴法国，在南特"三大洲电影节"上，《如意》在开幕式上放映，获好评；后陆续在法国、西德电视台播出。

1984 年

冬，应邀访问西德，参加"中德大学生会见活动"，并在波恩大学、波鸿大学与威尔兹堡大学介绍中国当代文学。

年底，参加中国作家协会第四次全国代表大会，再次当选为理事。

在《当代》文学双月刊第 5、6 期连载长篇小说《钟鼓楼》。

1985 年

出版长篇小说《钟鼓楼》(人民文学出版社)，并获第二届茅盾文学奖。

因《钟鼓楼》获北京市政府嘉奖。

7 月，在《人民文学》杂志发表纪实小说《5·19 长镜头》，反响强烈。

11 月，又在《人民文学》杂志发表纪实小说《公共汽车咏叹调》，引起轰动。

1986 年

年初，应当代文艺出版社邀请访问香港。

6 月，调中国作家协会人民文学杂志社，任常务副主编。

在《收获》杂志设《私人照相簿》专栏，进行图文交融的文本尝试。

散文集《垂柳集》出版，冰心为之作序。

1987 年

1 月，被任命为《人民文学》杂志主编。

2 月，《人民文学》杂志 1、2 期合刊发表马建写的小说《亮出你的舌苔或空空荡荡》违反民族政策，承担责任，停职检查。

9 月，复职。

冬，应邀赴美国访问。参观美洲华侨日报；在哥伦比亚大学、三一学院、哈佛大学、麻省理工学院、康奈尔大学、芝加哥大学、旧金山大学、斯坦福大学、伯克利加州大学、洛杉矶加州大学、圣迭戈加州大学等处演讲，介绍中国当代文学，并参观耶鲁大学；参加爱荷华大学"作家写作中心"的纪念活动；游览华盛顿等地。

1988 年

3 月，应香港《大公报》邀请，赴香港参加五十周年报庆活动；在《大公报》安排的大型报告会上作关于改革开放与文学创作的报告。

5 月，应法国文化部邀请，参加中国作家代表团访问法国，除在巴黎活动外，还访问了西部港口城市圣·拉扎尔。

《私人照相簿》在香港出版（南粤出版社）。

《我可不怕十三岁》获 1980—1985 年全国优秀儿童文学奖。

以上数年中，若干小说、散文还分别获得过《当代》《十月》《小说月报》《小说选刊》《中篇小说选刊》《儿童文学》《北方文学》等杂志，《人民日报》《文汇报》等报纸副刊的奖；拍成电视剧播出的有《没工夫叹息》《熄灭》（电视剧名《火苗》）《今夏流行明黄色》《到远处去发信》《非重点》《公共汽车咏叹调》和八集连续剧《钟鼓楼》；若干作品被英国、美国、西德、苏联、日本、瑞士、瑞典、法国、意大利等国翻译为英、德、俄、日、法、意、瑞典等文字出版；自 1987 年起被世界上有威望的英国欧罗巴出版社《世界名人录》收入词条。

1989 年

春，应香港中文大学翻译中心邀请，与妻子吕晓歌赴香港访问。

1990 年

3 月，以任届期满，免去《人民文学》杂志主编职务。

香港中文大学翻译中心编译的英文小说集《黑墙与其他故事》出版。

秋，以"鱼山"笔名在《钟山》杂志发表中篇小说《曹叔》。

1991 年

出版小说集《一窗灯火》。

除小说外，开始发表大量散文、随笔。

1992 年

长篇小说《风过耳》在内地（中国青年出版社）、香港（勤＋缘出版社）分别出版，反响颇为强烈。

长篇小说《四牌楼》完稿，交上海文艺出版社出版。

《献给命运的紫罗兰——刘心武谈生存智慧》由上海人民出版社出版，受到读者欢迎。

在《收获》杂志发表中篇小说《小墩子》，后由中国电视剧制作中心改编拍摄为电视连续剧。

至该年，在海内外出版的个人专著按不同版本计已达43种。

在《红楼梦学刊》1992年第二辑上发表论文《秦可卿出身未必寒微》，在"红学"界和读者中均引起注意；另有若干《红楼梦》人物论和《红楼边角》专栏文章发表。

冬，应瑞典学院邀请（斯堪的纳维亚航空公司赞助）赴北欧访问；在挪威奥斯陆大学、瑞典斯德哥尔摩大学和隆德大学、丹麦哥本哈根大学和奥胡斯大学的东亚系汉学专业以《九十年代初的中国小说》为题作学术报告；12月7日，参加诺贝尔文学奖有关活动，听1992年得主德里克·沃尔科特发表受奖演说。

1993 年

华艺出版社出版《刘心武文集》（1—8卷）。

出版长篇小说《四牌楼》。

1994 年

1月，应台湾《中国时报》邀请赴台参加"两岸三地文学研讨会"。

《四牌楼》获上海优秀长篇小说大奖，到沪领奖。

1995 年

出版随笔集《人生非梦总难醒》（上海人民出版社）。

出版小说集《仙人承露盘》（华艺出版社）。

1996 年

出版长篇小说《栖凤楼》（人民文学出版社）。至此，由《钟鼓楼》《四牌楼》《栖凤楼》构成的"三楼"长篇小说系列竣工。

应《南洋商报》邀请赴马来西亚访问并顺访新加坡。

1997 年

应日本文化交流基金会邀请，与妻子吕晓歌访问日本。其长篇小说《钟鼓楼》、儿童文学作品《我是你的朋友》、短篇小说《王府井万花筒》等此前已相继译为日文在日本出版。

1998 年

建筑评论集《我眼中的建筑与环境》由中国建筑工业出版社出版，在建筑界产生影响。

应美国科罗拉多大学邀请，赴美参加金庸作品国际研讨会，在会上提交关于《鹿鼎记》的论文《失父：一种生存困境》。

1999 年

出版纪实性长篇小说《树与林同在》（山东画报出版社）。

出版《红楼三钗之谜》（华艺出版社）。

赴新加坡出席国际环境文学研讨会。

2000 年

应邀访问法国，并应英中协会和伦敦大学邀请，从巴黎赴伦敦讲《红楼梦》。

至此年底在海内外出版的个人专著（不含文集）按不同版本计达 101 种。

2001 年

出版包含建筑评论的随笔集《在忧郁中升华》（文汇出版社）。

在北京电视台录制播出《刘心武谈建筑》系列节目。

2002 年

出版小说集《京漂女》（中国文联出版社），自绘插图。

应澳大利亚雪梨华文写作协会邀请赴澳大利亚访问。

2003 年

以马来西亚《星洲日报》世界华人文学"花踪奖"评委身份赴吉隆坡参加相关活动。

台湾联经出版社出版小说集《人面鱼》。此前台湾已出版过刘心武多种作品，如皇冠出版社出版了《钟鼓楼》,幼狮文化事业公司出版了《四牌楼》《为他人默默许愿》（散文集）。

2004 年

赴法参加巴黎书展活动。书展上展出了译为法文的著作有小说《树与林同在》《护城河边的灰姑娘》《尘与汗》《人面鱼》《如意》与歌剧剧本《老舍之死》。

建筑评论集《材质之美》由中国建材工业出版社出版。

小说集《站冰》出版（人民文学出版社），自绘封面插图。

2005 年

出版集历年研红成果的《红楼望月》（书海出版社）。

应 CCTV-10（中央电视台科学教育频道）《百家讲坛》邀请，录制播出《刘心武揭秘〈红楼梦〉》系列节目 23 集，反响强烈，引出争议。

《刘心武揭秘〈红楼梦〉》第一、二部相继出版（东方出版社），畅销。

2006 年

应美国华美协会邀请，赴纽约在哥伦比亚大学讲《红楼梦》。

应邀参加香港书展。

出版《刘心武揭秘古本〈红楼梦〉》（人民出版社）。

2007 年

继续应邀到 CCTV-10《百家讲坛》录制节目，并出版《刘心武揭秘〈红楼梦〉》第三部、第四部（东方出版社）。

访问俄罗斯。

2008 年

出版随笔集《健康携梦人》（中国海关出版社）。

自1986年出版《垂柳集》，至此所出版的散文随笔集已逾30种。

2009 年

在《上海文学》杂志开《十二幅画》专栏，每期发表一篇写人物命运的大散文，并配发自己的画作。

4月，妻子吕晓歌病逝，著长文《那边多美呀！》悼念。

2010 年

再应CCTV-10《百家讲坛》邀请，录制播出《〈红楼梦〉的真故事》系列节目。至此在《百家讲坛》录制播出关于《红楼梦》的个人系列讲座累计达61集。

出版《〈红楼梦〉的真故事》（凤凰联动·江苏人民出版社），在争议声中畅销。

4月，应台湾新地文学社邀请赴台参加"21世纪世界华文文学高峰会议"。

出版《命中相遇——刘心武话里有画》（上海文艺出版社）。

加快《刘心武续〈红楼梦〉》的写作，次年完成推出。

至本年底，在海内外出版的个人专著，文集不算在内，重印亦不算，按不同版本计达182种（按不同书名计则为141种）。

年底，筹备编辑《刘心武文存》。

附录二 刘心武著作书目

只包括在中国大陆、台湾、香港和海外出版的书（同一著作每种版本单列）；不包括散发于报刊尚未出书的篇目，亦不包括多人合集中的篇目。第一个数字表示不同版本的排序；[　]中的数字表示剔除同一书名的版本后的排序；注意：文集8卷不参加排序。

1976 年

1.[1]《睁大你的眼睛》[儿童文学·中篇小说]

北京人民出版社 1976 年 1 月第一版

1978 年

2.[2]《母校留念》[儿童文学·小说集]

中国少年儿童出版社 1978 年 7 月第一版

1979 年

3.[3]《小猴吃瓜果》[低幼读物·画册]

少年儿童出版社 1979 年 4 月第一版

1980 年 6 月第二次印刷

4.[4]《班主任》[短篇小说集]

中国青年出版社 1979 年 6 月第一版

1980 年

5.[5]《我是你的朋友》[儿童文学·中篇小说]

北京出版社 1980 年 7 月第一版

6.[6]《绿叶与黄金》[中短篇小说集]

广东人民出版社 1980 年 8 月第一版

7.[7]《刘心武短篇小说集》

北京出版社 1980 年 9 月第一版

1981 年

8.《这里有黄金》[中短篇小说集]

广东人民出版社 1981 年 4 月第二次印刷

有平装、软精装两种

9.[8]《大眼猫》[中短篇小说集]

浙江人民出版社 1981 年 8 月第一版

1982 年

10.[9]《如意》[中篇小说集]

北京出版社 1982 年 5 月第一版

1983 年

11.[10]《中国现代作家选 (Ⅲ) 刘心武〈我爱每一片绿叶〉〈深谷小溪默默流〉》

[日本] 东方书店 1983 年第一版

12.[11]《同文学青年对话》

文化艺术出版社 1983 年 10 月第一版

1984 年

13.[12]《到远处去发信》[中短篇小说集]

四川人民出版社 1984 年 4 月第一版

有平装、软精装两种

14.[13]《如意》[电影文学剧本]（与戴宗安联合署名）

中国电影出版社1984年6月第一版

1985 年

15.[14]《嘉陵江流进血管》[中篇小说集]

陕西人民出版社1985年2月第一版

16.[15]《日程紧迫》[中短篇小说集]

群众出版社1985年5月第一版

17.[16]《我可不怕十三岁》[儿童文学集]

新世纪出版社1985年8月第一版

18.[17]《钟鼓楼》[长篇小说]

人民文学出版社1985年11月第一版

有平装、软精装两种

1986年5月第二次印刷

1986 年

19.[18]《公共汽车咏叹调》[纪实小说]

湖南文艺出版社1986年1月第一版

20.[19]《都会咏叹调》[小说集]

作家出版社1986年3月第一版

21.[20]《垂柳集》[散文集]

陕西人民出版社1986年4月第一版

22.[21]《立体交叉桥》[中短篇小说集]

人民文学出版社1986年6月第一版

有平装、软精装两种

23.[22]《巴黎郁金香》[访法散文集]

群众出版社1986年11月第一版

24.[23]《木变石戒指》[中短篇小说集]

青海人民出版社 1986 年 12 月第一版

1987 年

25. *Little Monkey Triesto Eat Fruit* [科学童话·英文]

海豚出版社 1987 年第一版

有平装、精装两种

26.[24]《斜坡文谈》[文学理论]

上海文艺出版社 1987 年 4 月第一版

27.[25]《王府井万花筒》[中篇小说集]

湖南文艺出版社 1987 年 9 月第一版

有平装、精装两种

28.[26]《5·19 长镜头》[小说自选集]

四川文艺出版社 1987 年 11 月第一版

29.げくけきの友たちだ [《我是你的朋友》日译本]

[日本] 福武书店 1987 年 12 月第一版

1989 年 3 月第二版

1991 年 2 月第三版

1988 年

30.[27]《她有一头披肩发》[中短篇小说集]

台湾林白出版社 1988 年 4 月第一版

31.《钟鼓楼》[长篇小说]

香港天地图书有限公司 1988 年第一版

1993 年第二版

32.[28]《私人照相簿》[纪实文学]

香港南粤出版社 1988 年 11 月第一版

33.[29]《刘心武代表作》

黄河文艺出版社 1988 年 12 月第一版

1989 年

34.《小猴吃瓜果》[科学童话]

开明出版社、海豚出版社 1989 年 3 月第一版

35.《钟鼓楼》[长篇小说]

台湾皇冠出版社 1989 年 4 月第一版

36.[30]《一片绿叶对你说》[文艺随笔集]

河北教育出版社 1989 年 12 月第一版

1990 年

37.[31]*BLACK WALLS AND OTHER STORIES* [小说集·英译本]

香港中文大学翻译中心出版社 1990 年第一版

38.[32]《王府井万花镜》[小说集·日译本]

[日本] 德间书店 1990 年 9 月第一版

1991 年

39.《母校留念》[小说]

[日本] 骏河台出版社 1991 年 4 月第一版

40.[33]《一窗灯火》[中短篇小说集]

华艺出版社 1991 年 10 月第一版
1993 年第二次印刷

1992 年

41.[34]《列奥纳多·达·芬奇》[传记]

江苏教育出版社 1992 年 5 月第一版

42.[35]《有家可归》[散文随笔集]

广东旅游出版社 1992 年 5 月第一版

43.[36]《风过耳》[长篇小说]

中国青年出版社 1992 年 6 月第一版

1992 年 12 月第二次印刷

1993 年 3 月第三次印刷

1995 年 8 月第五次印刷

1996 年 3 月第六次印刷

44.《风过耳》[长篇小说]

香港勤＋缘出版社 1992 年 6 月第一版

45.[37]《献给命运的紫罗兰——刘心武谈生存智慧》

上海人民出版社 1992 年 6 月第一版

1992 年 11 月第二次印刷

1995 年第三次印刷

1996 年 12 月第五次印刷

46.《刘心武代表作》

河南人民出版社 1992 年 6 月第二次印刷·精装本

47.[38]《蓝夜叉》[中篇小说集]

香港勤＋缘出版社 1992 年 9 月第一版

1993 年

48.《北京下町物语》[长篇小说·《钟鼓楼》日译本]

[日本] 东京恒文社 1993 年 2 月第一版

1994 年第二版

49.[39]《为你自己高兴》[随笔集]

内蒙古人民出版社 1993 年 3 月第一版

50.[40]《杀星》[小说集]

香港勤＋缘出版社 1993 年 6 月第一版

51.《我是你的朋友》[儿童文学·中篇小说·增订本]

希望出版社 1993 年 6 月第一版

52.[41]《四牌楼》[长篇小说]

上海文艺出版社 1993 年 6 月第一版

1994 年 4 月第二次印刷

1996 年 11 月第三次印刷

53.[42]《我是怎样的一个瓶子》[随笔集]

成都出版社 1993 年 9 月第一版

54.[43]《沉默交流》[随笔集]

中国华侨出版社 1993 年 11 月第一版

55.[44]《富心有术》[随笔集]

群众出版社 1993 年 12 月第一版

1995 年第二次印刷

56.[45]《中国当代名人随笔·刘心武卷》

陕西人民出版社 1993 年 12 月第一版

☆《刘心武文集》[1—8 卷]

华艺出版社 1993 年 12 月第一版

☆《刘心武文集·〈钟鼓楼〉〈风过耳〉》(简装本)

☆《刘心武文集·〈四牌楼〉〈无尽的长廊〉》(简装本)

华艺出版社 1997 年 5 月第一版

1994 年

57.[46]《仰望苍天》[随笔集]

知识出版社 1994 年 1 月第一版

1995 年第二次印刷

东方出版中心 1996 年 7 月第三次印刷

69.《在胡同里转悠》[随笔集]

陕西人民出版社 1995 年 11 月第二次印刷

70.[56]《刘心武海外游记》

华文出版社 1995 年 12 月第一版

1996 年

71.[57]《刘心武小说精选》

太白文艺出版社 1996 年 2 月第一版

72.[58]《开发心大陆》[随笔集]

吉林人民出版社 1996 年 3 月第一版

1997 年 3 月第二次印刷

73.[59]《你哼的什么歌》[散文集]

湖南文艺出版社 1996 年 6 月第一版

74.[60]《刘心武张颐武对话录——"后世纪"的文化了望》

漓江出版社 1996 年 7 月第一版

75.[61]《边缘有光》[随笔集]

汉语大辞典出版社 1996 年 8 月第一版

76.[62]《刘心武怪诞小说自选集》

漓江出版社 1996 年 8 月第一版

有平装、精装两种

77.[63]《我是刘心武》

团结出版社 1996 年 9 月第一版

78.[64]《刘心武》[中国当代作家选集丛书]

人民文学出版社 1996 年 10 月第一版

79.[65]《刘心武杂文自选集》

百花文艺出版社 1996 年 11 月第一版

80.《秦可卿之死》[修订本]

華艺出版社 1996 年 11 月第二版

81.[66]《栖凤楼》[长篇小说]

人民文学出版社 1996 年 12 月第一版

1998 年 3 月第二次印刷

1997 年

82.[67]《封神演义（缩写本）》

接力出版社 1997 年 1 月第一版

1997 年 9 月第二次印刷

83.[68]《胡同串子》[中短篇小说集]

北京燕山出版社 1997 年 8 月第一版

84.《私人照相簿》

上海远东出版社 1997 年 9 月第一版

1998 年 2 月第二次印刷

2000 年换封面版权页称 2000 年 6 月第二次印刷

85.[69]《中国儿童文学名家作品精选丛书·刘心武作品精选》

河北少年儿童出版社 1997 年 8 月第一版

86.[70]《把嘴张圆》[随笔集]

上海远东出版社 1997 年 12 月第一版

1998 年

87.[71]《我眼中的建筑与环境》[建筑评论随笔集]

中国建筑工业出版 1998 年 5 月第一版

1999 年 5 月第二次印刷

2000 年 6 月第三次印刷

2001 年 6 月第四次印刷

88.《钟鼓楼》[茅盾文学奖获奖书系]

人民文学出版社 1998 年 3 月第一次印刷

1998 年 7 月第二次印刷

1998 年 8 月第三次印刷

1999 年 3 月第四次印刷

2000 年 1 月第五次印刷

2001 年 1 月第六次印刷

2001 年 8 月第七次印刷

2002 年 8 月第八次印刷

2003 年 1 月第九次印刷

1999 年

89.[72]《树与林同在》[非虚构长篇小说]

山东画报出版社 1999 年 3 月第一版

2006 年 7 月第二次印刷

90.[73]《八十六颗星星》(*The Eighty-Six Stars*)[儿童文学小说·汉英对照]

希望出版社 1999 年 6 月第一版

91.[74]《红楼三钗之谜》[刘心武红学探佚精品]

华艺出版社 1999 年 9 月第一版

92.[75]《蓝玫瑰》[中短篇小说集]

中国华侨出版社 1999 年 10 月第一版

93.[76]《过隧道的心情》[随笔集]

华东师范大学出版社 1999 年 12 月第一版

2000 年

94.[77]《一切都还来得及》[随笔集]

中国青年出版社 2000 年 1 月第一版

95.[78]《善的教育》[儿童文学]

辽宁少年儿童出版社 2000 年 2 月第一版

96.[79] Le Talisman (version bilingue)[《如意》中、法文对照版]

Librarie You Feng 2000 年 4 月第一版

97.[80]《作家刘心武〈班主任〉手迹》

线装书局 2000 年 5 月第一版

98.[81]《楼前白玉兰》[小小说集]

中国广播电视出版社 2000 年 7 月第一版

99.[82]《刘心武侃北京》

上海文艺出版社 2000 年 10 月第一版

100.[83]《我爱吃苦瓜》[茅盾文学奖获奖作家散文精品]

广州出版社 2000 年 10 月第一版

2002 年 10 月第二次印刷

101.[84]《了解高行健》

香港开益出版社 2000 年 12 月第一版

2001 年

102.[85]《亲近苍莽》

中国旅游出版社 2001 年 1 月第一版

103.[86]《在忧郁中升华》

文汇出版社 2001 年 2 月第一版

《刘心武谈建筑——在忧郁中升华》2007 年 8 月第二次印刷

104.[87]《人在风中》

作家出版社 2001 年 8 月第一版

105.《风过耳》

时代文艺出版社 2001 年 10 月第一版

有平装、精装两种

2002 年

106.[88]《京漂女》（自绘插图）

中国文联出版社 2002 年 1 月第一版

107.[89]《深夜月当花》

中国工人出版社 2002 年 1 月第一版

108.[90]《春梦随云散》

人民文学出版社 2002 年 4 月第一版

109.[91]《藤萝花饼》

台湾二鱼文化事业有限公司 2002 年 4 月第一版

110.[92]《刘心武自述》

大象出版社 2002 年 10 月第一版

2003 年

111.[93] L'arbre et la forêt [《树与林同在》法译本]

Bleu de Chine 2003 年 1 月第一版

112.[94]《人面鱼》

台湾联经出版事业股份有限公司 2003 年 2 月初版

113.[94] La Cendrillon Du Canal [《护城河边的灰姑娘》法译本]

Bleu de Chine 2003 年 4 月第一版

114.[95]《画梁春尽落香尘》["红学"专著]

中国广播电视出版社 2003 年 6 月第一版

2003 年 9 月第二次印刷

2004 年 1 月第三次印刷

2005 年 6 月第四次印刷

115.[96]《眼角眉梢》

新华出版社 2003 年 8 月第一版

116.[97]《钟鼓楼》[初中生语文新课标必读]

人民日报出版社 2003 年 9 月第一版

117.[98]《天梯之声》

中国青年出版社 2003 年 10 月第一版

2004 年

118.[99] Poussiêre et sueur [《尘与汗》法译本]

Bleu de Chine 2004 年 1 月第一版

119.[100] La mort de Lao SHe [《老舍之死》歌剧剧本法译本]

Bleu de Chine 2004 年 3 月第一版

120.[101] Poisson à face humaine [《人面鱼》法译本]

Bleu de Chine 2004 年 3 月第一版

121.《如意》[电影伴读中国文学文库·附电影光盘]

中国青年出版社 2004 年 1 月第一版

122.[102]《泼妇鸡丁》

台湾二鱼文化事业有限公司 2004 年 4 月第一版

123.[103]《在柳树臂弯里——刘心武随笔》

光明日报出版社 2004 年 5 月第一版

124.[104]《材质之美——刘心武城市文化酷评》

中国建材工业出版社 2004 年 5 月第一版

125.[105]《站冰——刘心武小说新作集》(自绘插图)

人民文学出版社 2004 年 6 月第一版

126.《四牌楼》

上海文艺出版社 2004 年 8 月第二版

127.[106]《大家文丛：刘心武》

古吴轩出版社 2004 年 8 月第一版

2005 年

128.《钟鼓楼》(中国文库·文学类)

人民文学出版社 2005 年 1 月第一版第一次印刷 (平装)

2005 年 1 月第一版第一次印刷 (精装)

129.《钟鼓楼》(茅盾文学奖获奖作品全集之一)

人民文学出版社 1985 年 11 月第一版、2005 年 1 月第一次印刷

2005 年 5 月第二次印刷

2005 年 7 月第三次印刷

2006 年 3 月第四次印刷

2008 年 4 月第七次印刷

2009 年 8 月第八次印刷

2010 年 1 月第九次印刷

2011 年 7 月第 15 次印刷

2011 年 9 月第 16 次印刷

2011 年 11 月第 17 次印刷

130.[107]《心灵体操》

时代文艺出版社 2005 年 1 月第一版

131.[108]《刘心武作文示范》

少年儿童出版社 2005 年 1 月第一版

132.[109] La Démone bleue (《蓝夜叉》法译本)

Bleu de Chine 2005 年第一版

133.[110]《红楼望月》

书海出版社 2005 年 4 月第一版

2005 年 6 月第二次印刷

2005 年 7 月第三次印刷

2005 年 8 月第四次印刷

2005 年 9 月第五次印刷

2005 年 9 月第六次印刷

134.[111]《刘心武揭秘〈红楼梦〉》

东方出版社 2005 年 8 月第一版

至 2005 年 19 月共十三次印刷

2005 年 11 月第二版

至 2005 年 12 月已第十八次印刷

至 2007 年 7 月已第二十八次印刷

2007 年 12 月第三十次印刷

2008 年 4 月第三十二次印刷

135.《红楼解梦——画梁春尽落香尘》

中国广播电视出版社 2005 年 9 月第二版第五次印刷

136.《楼前白玉兰——刘心武最新小小说集》

中国广播电视出版社 2005 年 9 月第二版第二次印刷

137.[112]《刘心武揭秘〈红楼梦〉》[第二部]

东方出版社 2005 年 12 月第一版

至 2007 年 7 月已第十五次印刷

2007 年 12 月第十七次印刷

2008 年 4 月第十九次印刷

138.[113]《刘心武解读人世情》

时代文艺出版社 2005 年 12 月第一版

139.[114]《刘心武感悟平常心》

时代文艺出版社 2005 年 12 月第一版

2006 年

140.[115]《刘心武自选集》

云南人民出版社 2006 年 1 月第一版

141.[116]《刘心武点评〈红楼梦〉》

团结出版社 2006 年 1 月第一版

142,《刘心武精品集·第一卷·钟鼓楼》

东方出版社 2006 年 1 月第一版

143.《刘心武精品集·第二卷·四牌楼》

东方出版社 2006 年 1 月第一版

144.《刘心武精品集·第三卷·栖凤楼》

东方出版社 2006 年 1 月第一版

145.《刘心武精品集·第四卷·献给命运的紫罗兰》

东方出版社 2006 年 1 月第一版

146.[117]《戴敦邦绘刘心武评〈金瓶梅〉人物谱》

作家出版社 2006 年 4 月第一版

147.[118]《红楼拾珠》

云南人民出版社 2006 年 5 月第一版

148.[119]《藤萝花饼》

云南人民出版社 2006 年 5 月第一版

149.《刘心武揭秘〈红楼梦〉》[第一部]

台湾好读出版有限公司 2006 年 6 月初版

150.《刘心武揭秘〈红楼梦〉》[第二部]

台湾好读出版有限公司 2006 年 6 月初版

151.《我是刘心武》

天津人民出版社 2006 年 8 月第一版

152.[120]《刘心武揭秘古本〈红楼梦〉》

人民出版社 2006 年 12 月第一版

同月第二次印刷

2007 年

153.[121]《四棵树》

二十一世纪出版社 2007 年第一版

154.[122]《用心去游》

上海三联书店 2006 年 12 月第一版

2007 年 1 月第一次印刷

155.[123] Dés de poulet façon mégère [《泼妇鸡丁》法译本]

Bleu de Chine 2007 年 4 月第一版

156.《一切都还来得及》

中国青年出版社 2005 年 5 月第一版

157.[124]《刘心武揭秘〈红楼梦〉》[第三部·黛玉之谜及古本之秘]

东方出版社 2007 年 7 月第一版

至 2007 年 8 月已第四次印刷

2007 年 12 月第六次印刷

2008 年 3 月第七次印刷

158.[125]《刘心武说世道人心》

中国青年出版社 2007 年 7 月第一版

159.[126]《刘心武说寻美感悟》

中国青年出版社 2007 年 7 月第一版

160.[127]《刘心武说草根情怀》

中国青年出版社 2007 年 7 月第一版

161.[128]《长吻蜂》

上海人民出版社 2007 年 8 月第一版

162.《私人照相簿》

华龄出版社 2007 年 10 月第一版

163.《善的教育》

华龄出版社 2007 年 10 月第一版

164.[129]《刘心武揭秘〈红楼梦〉》[第四部·宝钗湘云之谜暨红楼心语]

> 东方出版社 2007 年 11 月第一版
>
> 2008 年 3 月第三次印刷

2008 年

165.[130]《健康携梦人》

> 中国海关出版社 2008 年 4 月第一版

166.[131]《刘心武小说》

> 吉林文史出版社 2008 年 5 月第一版

167.[132]《刘心武散文》

> 吉林文史出版社 2008 年 5 月第一版

2009 年

168.《钟鼓楼》(共和国作家文库)

> 作家出版社 2009 年 4 月第一版

169.《四牌楼》(共和国作家文库)

> 作家出版社 2009 年 4 月第一版

170.[133]《人在胡同第几槐》

> 中国文联出版社 2009 年 6 月第一版

171.《钟鼓楼》(新中国 60 年长篇小说典藏)

> 人民文学出版社 2009 年 7 月第一版

172.[134]《刘心武短篇小说》

> 现代教育出版社 2009 年 8 月第一版

173.[135]《刘心武中篇小说》

> 现代教育出版社 2009 年 8 月第一版

174.[136]《刘心武散文随笔》

> 现代教育出版社 2009 年 8 月第一版

175.《刘心武揭秘〈红楼梦〉》上卷 (共和国作家文库)

> 作家出版社 2009 年 8 月第一版

176.《刘心武揭秘〈红楼梦〉》下卷（共和国作家文库）

作家出版社 2009 年 8 月第一版

2010 年

177.[137]《人情似纸》

江苏文艺出版社 2010 年 1 月第一版

178.[138]《红楼梦八十回后真故事》

江苏人民出版社 2010 年 3 月第一版

179.[139]《刘心武小说精选集》

[台湾] 新地文化艺术有限公司 2010 年 4 月第一版

180.《红楼望月》

江苏人民出版社 2010 年 6 月第一版

2010 年 9 月第二次印刷

181.[140]《命中相遇——刘心武话里有画》

上海文艺出版社 2010 年 7 月第一版

182.[141]《红楼眼神》

重庆出版社 2010 年 9 月第一版

2011 年

183.[142]《刘心武续红楼梦》

江苏人民出版社 2011 年 3 月第一版

江苏人民出版社 2011 年 4 月第 4 次印刷

184.[143]《红楼梦》（曹雪芹著刘心武续）

江苏人民出版社 2011 年 3 月第一版

185.《刘心武续红楼梦》[繁体字竖排本]

香港明报出版社有限公司 2011 年 3 月初版

186.《刘心武揭秘〈红楼梦〉》精华本（一）

江苏人民出版社 2011 年 4 月第一版

187.《刘心武揭秘〈红楼梦〉》精华本（二）

江苏人民出版社 2011 年 4 月第一版

188.《刘心武揭秘〈红楼梦〉》精华本（三）

江苏人民出版社 2011 年 4 月第一版

189.《刘心武揭秘〈红楼梦〉》精华本（四）

江苏人民出版社 2011 年 4 月第一版

190.《刘心武续红楼梦》[繁体字竖排本]

台湾城邦文化事业股份有限公司商周出版 2011 年 4 月第一版

191.《〈红楼梦〉的真故事》

台湾人类智库数位科技股份有限公司 2011 年 6 月第一版

192.[144]《听刘心武说房子的事儿》

中国商业出版社 2011 年 8 月第一版

193.[145]《刘心武心灵随感》

时代文艺出版社 2011 年 11 月第一版

2012 年

194.[146]《刘心武种四棵树》

漓江出版社 2012 年 1 月第一版

195.[147]《风雪夜归正逢时——我是刘心武》

漓江出版社 2012 年 1 月第一版

196.《献给命运的紫罗兰》

漓江出版社 2012 年 1 月第一版

197.[148]《人生有信》

江苏人民出版社 2012 年 3 月第一版

198.Poussiêre et sueur [《尘与汗》法译本 folio 袖珍版]

Gallimard 2012 年 8 月出版

199.La Cendrillon du canal [《护城河边的灰姑娘》法译本 folio 袖珍版]

Gallimard 2012 年 8 月出版